New York

von Christine Metzger

☐ Intro

☐ Unterwegs

Leserforum

Die Meinung unserer Leserinnen und Leser ist wichtig, daher freuen wir uns von Ihnen zu hören. Wenn Ihnen dieser Reiseführer gefällt, wenn Sie Hinweise zu den Inhalten haben – Ergänzungs- und Verbesserungsvorschläge, Tipps und Korrekturen – dann kontaktieren Sie uns bitte:

Redaktion ADAC Reiseführer
ADAC Verlag GmbH
Am Westpark 8, 81365 München
Tel. 089/76 76 41 59
verlag@adac.de,
www.adac.de/reisefuehrer

☐ Service

New York Impressionen

I love N. Y.

Gibt es etwas, was es in New York nicht gibt? Nein, sagen sowohl eingefleischte New Yorker als auch begeisterte Liebhaber dieser Stadt und schwärmen von Theatern, Museen und Restaurants, von ausgefallenen Geschäften und avantgardistischen Gebäuden. In New York, sagen sie, gibt es alles, und alles im **Superlativ**, vom Besten bis zum Schlechtesten, das Teuerste ebenso wie das Schäbigste. New York ist voller Gegensätze, aufregend und anregend, faszinierend und erschreckend, schlicht: »eine wunderbare Katastrophe« (Le Corbusier).

Sollte Ihnen nun, und das mag ja vorkommen, während Ihres Aufenthalts etwas auffallen, was es in dieser Stadt doch nicht gibt, so hat es gar keinen Sinn, sich mit dem eingefleischten New Yorker oder dem begeisterten Liebhaber der Stadt auf Diskussionen einzulassen. Wagten Sie es zum Beispiel anzufügen, Sie hätten ein Stadtzentrum vermisst, einen Knotenpunkt, wie Sie ihn von europäischen Städten her kennen, bekämen Sie sicher eine sehr ungehaltene Antwort: *Ein* Zentrum!? New York hat Hunderte! Jeder **Stadtteil** hat seine Kristallisationspunkte, jede Volks- und Interessengruppe ihre Zentren – die Juden und die Chinesen, die Bewohner SoHos und die der Upper West Side, die Börsianer, die Studenten, die Politiker, die Schwulen, die Künstler, die Multimillionäre und die Obdachlosen. Acht Millionen Menschen, acht Millionen unterschiedliche Bedürfnisse und Interessen – wo kämen wir da hin mit *einem* Zentrum?

Dem lässt sich nichts entgegensetzen. Nehmen wir es also zur Kenntnis: New York hat kein Zentrum. Oder besser, es hat kein Zentrum mehr. Denn als die Stadt jung war, als sie sich langsam ausbreitete auf der Insel Manhattan, folgte sie sehr wohl dem Vorbild europäischer Städte. Da gruppierten sich Häuser, Kontore, Schulen und Theater um die Kirche und das Fort, da drängten sich die Menschen südlich des Schutzwalls – der heutigen Wall Street. Später, als die Kolonien das britische Joch abgeschüttelt hatten, es wirtschaftlich bergauf ging und die Stadt expandierte, verlagerte sich das Stadtzentrum etwas weiter nach Norden: An-

Oben: ›*Perseus und das Haupt der Medusa*‹ *(1804–06) von Antonio Canova im Metropolitan Museum of Art*
Rechts oben: *Mit dem Fahrrad durch den Central Park auf Höhe des San Remo Building*
Rechts unten: *Times Square Lightshow*

fang des 19. Jh. spielte sich das *öffentliche Leben* rund um die damals errichtete City Hall ab, die – eingebunden in das erst im 20. Jh. entstandene Civic Center – noch heute ihre Funktion als Rathaus erfüllt.

Nach **Greenwich Village** fuhr man damals noch zur Sommerfrische.

Die wirtschaftlichen, politischen und kulturellen Aktivitäten konzentrieren sich längst auf eigene, voneinander un-

abhängige Zentren. Wie sehr und wie ausschließlich bestimmte Stadtviertel bestimmte Funktionen erfüllen, kann man daran erkennen, dass zum Beispiel die Gegend um die **Wall Street** an den Wochenenden zu vollkommener Leblosigkeit erstarrt. Auch **Midtown** leert sich an arbeitsfreien Tagen. **SoHo** hingegen erwacht dann zum Leben, und der **Central Park** zeigt sich als große Bühne, auf der Sportler, Familien, Akteure und Selbstdarsteller ihren Auftritt haben.

Nicht nur Arbeits- und Freizeitbereich sind in Manhattan streng getrennt, auch die einzelnen **Wohnviertel** haben ihren ganz eigenen Charakter, wobei sich in jedem dieser Viertel wiederum ein eige-

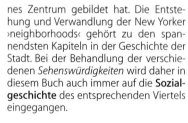

nes Zentrum gebildet hat. Die Entstehung und Verwandlung der New Yorker ›neighborhoods‹ gehört zu den spannendsten Kapiteln in der Geschichte der Stadt. Bei der Behandlung der verschiedenen *Sehenswürdigkeiten* wird daher in diesem Buch auch immer auf die **Sozialgeschichte** des entsprechenden Viertels eingegangen.

Oben: *Das Broadway-Musical Hairspray*
Mitte: *Bei der Thanksgiving Parade im November fliegen bunte Wesen durch New York*
Links: *Der hell erleuchtete Wintergarden des World Financial Center*
Rechts: *Manhattans riesiger Central Park*

Oben: *Diese historische Jugendstilfassade in der Fifth Avenue schmückte einst eine Buchhandlung, heute ziert sie eine Parfümerie*
Mitte: *Der schöne Springbrunnen steht an der City Hall Plaza, das Rainbow Room Restaurant findet man an der Rockefeller Plaza*
Rechts: *Manhattans Türme: links das Chrysler Building, rechts das Empire State Building*

Die **Gliederung des Buches** musste aufgrund der Tatsache, dass es in Manhattan eben nicht das *eine* Zentrum gibt – den Nukleus, von dem man ausschwärmt, um die Stadt zu erobern –, anders als sonst in dieser Reihe üblich aufgebaut werden. Wir entschlossen uns für eine Darstellung der Sehenswürdigkeiten von *Süden* nach *Norden*. Damit folgen wir dem historischen Ablauf der Stadtentwicklung, da New Yorks Geschichte an der Südspitze der Insel Manhattan beginnt. Bei den vielen Attraktionen, die New York bietet, musste notgedrungen eine Wertung vorgenommen werden, die natürlich subjektive Züge trägt.

In der Fülle des Angebots liegt es auch begründet, dass die *anderen Stadtteile*, die zu New York gehören, nur marginal behandelt werden. Neben dem, was Manhattan zu bieten hat, verblassen die Sehenswürdigkeiten von Brooklyn, der Bronx, Queens und Staten Island. Wer nach New York fährt, will das **Empire State Building** sehen, die großartigen architektonischen Zeugnisse der Moderne kennenlernen, das **MoMa** besuchen, durch den gigantischen **Central Park** spazieren und über die **Fifth Avenue** bummeln sowie die Lichter des **Broadway** genießen.

Wer New York sagt, meint **Manhattan** – und insofern ist es gar nicht so abwegig, mit dem Gedanken zu spielen, dass New York vielleicht doch *ein* Zentrum haben könnte, ein Zentrum, in dem 1,5 Millionen Menschen leben und noch einmal so viele arbeiten, einen Mittelpunkt, der so groß ist wie manch eine europäische Stadt – vielschichtig, interessant und aufregend wie nur ein Ort auf der Welt: Manhattan. Allein die fantastischen Kunstschätze der Museen – vom Museum of Modern Art über das Guggenheim Museum bis hin zum Metropolitan Museum of Art – lohnen die Reise in diesen faszinierenden Großstadtdschungel.

Geschichte, Kunst, Kultur im Überblick
Vom holländischen Handelsstützpunkt
zur ›Hauptstadt der Welt‹

1524 Giovanni da Verrazano, ein Florentiner Seefahrer in französischen Diensten, entdeckt die New York Bay, Manhattan und den Fluss, den man später Hudson nennen wird.

1609 Henry Hudson sucht für die niederländische Ostindien-Kompanie die Ost-West-Passage nach Indien. Er segelt den Hudson River hinauf, der seitdem seinen Namen trägt.

1613 Auf Hudsons Spuren wandelt der Niederländer Adriaen Block. Sein Schiff brennt aus, und er muss auf der Insel Manhattan überwintern. Eine Karte aus seiner Feder verzeichnet bereits den Namen ›Nieuw Nederland‹; es ist die erste Karte, die Manhattan und Long Island als getrennte Inseln zeigt.

1624 Etwa 30 Familien, hauptsächlich Wallonen, verlassen Amsterdam, um den Atlantik zu überqueren. Sie landen in der New York Bay, doch bleiben dort nur wenige der Passagiere. Sie lassen sich auf der später Governor's Island genannten Insel nieder.

1626 Peter Minuit aus Wesel am Rhein landet mit neuen Siedlern, die im Laufe des Sommers etwa 30 Häuser auf der Insel Manhattan bauen. Er kauft den Indianern die Insel für 60 Gulden ab und holt einige der Wallonen, die 1624 die New York Bay auf der Suche nach anderen Siedlungsorten verlassen hatten, wieder zurück. Der entstehende kleine Ort an der Südspitze der Insel erhält den Namen Nieuw Amsterdam und lebt zunächst vom Handel mit Biberfell.

1638 Willem Kieft wird als neuer Gouverneur bestellt.

Seine Amtszeit dauert bis 1647. In dieser Zeit kommt es zu ernsten Zusammenstößen mit den Indianern.

1647 Peter Stuyvesant löst Kieft ab und versucht, Ordnung in die recht verwahrloste Stadt zu bringen. Seine erste Amtshandlung ist es, die Sperrstunde für Wirtshäuser auf 21 Uhr zu legen. Außerdem lässt er den Schutzwall bauen, aus dem später Wall Street wird.

1654 Die ersten Juden kommen aus Curaçao nach New York. 1685 erhalten sie das Recht, öffentliche Gottesdienste abzuhalten.

1655 Das erste Sklavenschiff landet, direkt aus Afrika. Erneute Auseinandersetzungen mit den Indianern.

1664 Im ersten Jahr des englisch-holländischen Seekriegs muss Stuyvesant die Stadt kampflos den Engländern überlassen. Nieuw Amsterdam wird umgetauft und nach dem Herzog von York benannt. 1673 gewinnen die Holländer New York für kurze Zeit zurück, müssen die Stadt aber bereits 1674 wieder an die Briten abtreten.

1690 New York zählt 3900 Einwohner und ist damit nach Boston und Philadelphia die drittgrößte Stadt Nordamerikas.

1693 William Bradford richtet die erste Druckerei der Stadt ein. 1725 gibt er die erste Zeitung New Yorks heraus, die ›New York Gazette‹.

1712 Sklavenaufstand: Acht Weiße werden getötet, 19 Schwarze hingerichtet.

◁ *Giovanni da Verrazano (1485–1525), europäischer Entdecker von Manhattan*

George Washington (1732–1799), erfolgreich als General und als Präsident

1750 In der Nassau Street eröffnet das erste Theater.

1754 Das King's College – heute Columbia University – wird gegründet.

1765 Nach der Einführung des Stamp Act, der ersten direkten Besteuerung der Kolonisten durch die Briten, werden die Kolonisten aktiv: In New York findet der Stamp Act Congress statt, der die Aufhebung des Gesetzes fordert. Man beschließt den Boykott aller europäischen Güter. Großbritannien nimmt daraufhin den Stamp Act 1766 zurück, erlässt aber 1767 den Townshend Act, der das Glas, Papier, Blei, Farben und Tee mit einer Importsteuer belegt.

1773 Die Boston Tea Party – die Kolonisten werfen 342 Kisten Tee, der zu versteuern gewesen wäre, in den Hafen Bostons – verschärft die Auseinandersetzung zwischen Großbritannien und seinen Kolonien.

1775 Die Kolonisten stellen Truppen auf. Ihr Befehlshaber George Washington schlägt in Greenwich Village sein Hauptquartier auf.

1776 New York ist nach Philadelphia die zweite Stadt, in der die amerikanische Unabhängigkeitserklärung (unterzeichnet am 4. Juli) verlesen wird. Washington verliert die Schlacht von Long Island und muss New York den Briten überlassen. – Große Teile New Yorks werden durch ein Feuer zerstört, zwei Jahre später ereignet sich nochmals eine Brandkatastrophe.

1783 Die britischen Besatzer ziehen sich aus New York zurück.

1788 New York ratifiziert die Verfassung der Vereinigten Staaten.

1789 Am 30. April wird dort, wo heute die Federal Hall steht, George Washington als erster Präsident der Vereinigten Staaten vereidigt. Damit ist New York Bundeshauptstadt.

1790 Philadelphia wird Hauptstadt der USA, New York ist mit 33 000 Einwohnern die zweitgrößte Stadt des Landes.

1792 Unter einer Platane an der Wall Street wird die Börse gegründet.

1797 New York verliert seinen Status als Hauptstadt des Staates New York. Albany im Norden nimmt seine Stelle ein.

1807 Das erste Dampfschiff, die ›Clermont‹, gebaut von Robert Fulton, fährt in 32 Stunden auf dem Hudson von New York nach Albany. Sieben Jahre später richtet Fulton eine Dampffährverbindung zwischen Manhattan und Brooklyn ein.

1811 Eine Kommission legt den Plan vor, die Insel Manhattan mit einem rasterförmigen durchnummerierten Straßennetz zu überziehen.

1820 New York ist mit 124 000 Einwohnern die größte amerikanische Stadt.

1822 Eine im Süden der Insel Manhattan ausgebrochene Gelbfieber-Epidemie zwingt zwei Drittel der Bevölkerung zum Ausweichen nach Greenwich Village.

1825 Durch die Fertigstellung des Eriekanals, der New York mit den Großen Seen verbindet, erlebt der New Yorker Hafen einen enormen Aufschwung. Außerdem werden in Manhattan Leitungen für die ersten Gaslaternen gelegt.

1832 Die erste Pferdebahn New Yorks verkehrt zwischen der Prince Street und der 14. Straße.

1834 Gründung der ersten nationalen Arbeitergewerkschaft, der ›New York General Trades Union‹. Sie kann sich allerdings nur zwei Jahre halten. – Auf der 2., 6. und 8. Avenue nehmen dampfgetriebene Züge den Verkehr auf.

1835 Ein Feuer zerstört fast alles, was vom holländischen New York noch übrig geblieben war. Mehr als 600 Häuser fallen den Flammen zum Opfer. – Erste Ausgabe des ›New York Herald‹.

1840–56 New York, größter Einwandererhafen der USA, registriert 3 Mio. Immi-

Mit großem Pomp wird 1883 die Brooklyn Bridge eingeweiht

granten. In der Mehrzahl sind es Iren, die ihre Heimat wegen der Kartoffelfäule verlassen und Deutsche, die nach der missglückten Revolution von 1848 fliehen.

1851 Am 18. September erscheint die erste Nummer der ›New York Times‹.

1858 Frederick Law Olmsted und sein Partner Calvert Vaux erhalten den Auftrag, mitten in Manhattan eine Oase zu gestalten, den Central Park.

1861–65 Sezessionskrieg zwischen den Nord- und Südstaaten. New York gehört zum siegreichen Norden.

1872 Geburtsjahr von Bloomingdale's, dem bis heute berühmten Kaufhaus.

1877 Eröffnung des Museum of Natural History.

1880 Das Metropolitan Museum of Art wird eröffnet. – Elektrisches Licht erhellt die Straßen von New York.

1883 Die Brooklyn Bridge zwischen Manhattan und Brooklyn wird eröffnet. – Im Metropolitan Opera House findet die erste Vorstellung statt.

1886 Im Hafen weiht Präsident Stephen G. Cleveland die Freiheitsstatue ein.

1891 Eröffnung der Carnegie Hall.

1892 Ellis Island wird zur Aufnahmestelle für Einwanderer – jährlich betreten eine halbe Million Immigranten die USA via New York.

1894 Die jüdische Tageszeitung ›The Forward‹ erscheint erstmalig.

1897 Manhattan, Brooklyn, The Bronx, Queens und Staten Island schließen sich zu einer Stadt, Greater New York, zusammen. Am 1. Januar 1898 tritt die Charta in Kraft.

1900 New York hat 3,4 Mio. Einwohner. 1930 sind es schon fast 7 Mio.

1902 Der Bau des ersten Wolkenkratzers mit 22 Stockwerken, das Flatiron Building, ist vollendet.

1904 New York geht in den Untergrund: Der erste Abschnitt der Subway wird fertiggestellt. Von City Hall kann man unterirdisch die 145. Straße erreichen. – Über 1000 Menschen sterben bei einem Schiffsbrand auf der ›General Slocum‹, die auf dem East River sinkt.

1913 Grand Central Terminal und das Woolworth Building werden fertiggestellt.

1916 Ein Baugesetz verlangt, dass Wolkenkratzer

sich nach oben verjüngen, damit sich die Straßen nicht in dunkle Schluchten verwandeln.

1919 Eine Verfassungsänderung verbietet bundesweit Herstellung, Handel, Transport, Ex- und Import alkoholischer Getränke (Prohibition; bis 1933). In New York schießen illegale Kneipen, sog. ›Speakeasies‹, aus dem Boden.

1920 Die US-amerikanischen Frauen erhalten das Wahlrecht.

1927 Charles Lindbergh landet nach seinem 33,5-Stunden-Nonstoppflug von New York in Paris. Die New Yorker veranstalten ihm zu Ehren einen Festzug.

1929 Gründung des Museum of Modern Art. – Nach jahrelangem Boom führt der Schwarze Freitag zu Panik an der Wall Street – mit dem Börsenkrach beginnt die Depression.

1931 In Washington drückt Präsident Herbert C. Hoover auf den Knopf und in Manhattan gehen im Empire State Building die Lichter an – das lange Jahre höchste Gebäude der Welt ist eröffnet.

1938 Premiere für die Cloisters, das Museum für mittelalterliche Kunst ganz im Norden der Insel Manhattan.

1943 Rassenunruhen in Harlem, nachdem ein weißer Polizist einen Schwarzen erschossen hat.

1945 Ein Flugzeug fliegt gegen das Empire State Building – 14 Tote.

1947 Beginn der Bauarbeiten am UNO-Gebäudekomplex.

1954 Das Ellis Island Immigration Center schließt seine Pforten, weil immer weniger Einwanderer mit dem Schiff in die Vereinigten Staaten einreisen.

1957 Leonard Bernstein komponiert die ›West Side Story‹.

1959 Nach 16-jährigen Auseinandersetzungen mit den Anrainern wird das Guggenheim Museum eröffnet.

1963 Der Abriss der Pennsylvania Station (McKim, Mead & White) beginnt. Zwei Jahre später eine Denkmalschutzkommission gegründet.

1966 Die Metropolitan Opera im Lincoln Center wird eröffnet.

1970 Bevölkerungsabwanderung. New York verliert in den nächsten zehn Jahren fast eine Million Bürger. – Der erste New York City Marathon findet statt.

1972 Große Unternehmen ziehen sich aus der Metropole zurück, ein Trend, der bis etwa 1976 anhält.

1973 Das World Trade Center wird gebaut: New Yorks höchstes Bauwerk – das Empire State Building ist übertrumpft!

1975 Nur eine staatliche Anleihe rettet die abgewirtschaftete Stadt New York vor dem Bankrott. – Zum ersten Mal in der Geschichte der Metropitan Opera übernimmt eine Frau, Sara Caldwell, den Dirigenten-Posten.

Im Jahr 1919 beginnt die Prohibition; alkoholische Getränke werden vernichtet ▷

1980 John Lennon wird vor dem Dakota am Central Park erschossen.

1983 Die Konstruktion des Trump Tower steht für den sich abzeichnenden Bauboom in Manhattan.

1987 Die Wall Street in der Krise: Ein Börsenkrach beunruhigt die Nation und hält die internationale Finanzwelt in Atem.

1989 David Dinkins wird der erste schwarze Bürgermeister der Stadt.

1991 Zum ersten Mal stellen die Weißen nicht mehr die Mehrheit der Bevölkerung New Yorks. Etwa 100 000 Menschen in der Stadt sind obdachlos.

1993 Bombenanschlag auf das World Trade Center. – Der Republikaner Rudolph Giuliani wird der 107. Bürgermeister von New York.

2000 Zensus: New York zählt etwas mehr als 8 Mio. Einwohner. Erstmals leben mehr Hispanier (27%) als Schwarze (25%) in der Stadt.

2001 Am 11. September werden die beiden Türme des World Trade Center durch einen terroristischen Anschlag zerstört.

2002 Bürgermeister Michael Bloomberg tritt sein Amt an. Der Milliardär, reich geworden mit dem von ihm gegründeten Medienkonzern, arbeitet für einen symbolischen Dollar. In den folgenden Jahren führt er die Stadt wie ein Unternehmen, saniert den Haushalt und erklärt, New York zu einer ›grünen Stadt‹ machen zu wollen. Der Immobilienmarkt erlebt eine der längsten Boomphasen seiner Geschichte, 2007 beträgt der durchschnittliche Quadratmeterpreis 12 000 Dollar.

2005 Christo verhüllt die Gehwege des Central Parks.

2007 Erstmals in der Geschichte des Broadway streiken die Bühnenarbeiter und legen dabei fast den gesamten Theater District lahm.

2008 Die Wall Street erlebt ihre schwerste Krise seit der Großen Depression 1929. Der Zusammenbruch des amerikanischen Immobilienmarktes fügt den amerikanischen Banken schwere Verluste zu. Die Insolvenz der Investmentbank Lehman Brothers erschüttert die Börsen auf der ganzen Welt.

Unter Palmen mit Blick auf den Großstadtdschungel – in der 230 Fifth Roof Top Bar in Manhattan

Unterwegs

Von Miss Liberty
über den Finanzdistrikt bis Chinatown

Die Freiheitsstatue, liebevoll auch ›Miss Liberty‹ genannt, und ein Wald von Wolkenkratzern beherrschen die Südspitze Manhattans. Hier, an der **Wall Street**, steht die New Yorker Börse, hier schlägt das Herz der amerikanischen Wirtschaft. An die Zeit, als noch Seemänner das Geschäftsleben bestimmten, erinnert der **South Street Seaport Historic District** mit seinen Museumsschiffen entlang einer Vergnügungsmeile. Später verlagerten sich die Hafen-Aktivitäten auf die Westseite der Insel. Auf **Ellis Island** kamen all jene an, die in das Land einwandern wollten. Heute erinnert hier ein ausgesprochen sehenswertes Museum an die Schicksale der über 16 Mio. Menschen, von denen es nicht alle geschafft haben, in das ersehnte Land aufgenommen zu werden.

1 Statue of Liberty

Millionen Einwanderer ersehnten ihren Anblick: Symbol von Freiheit, Glück und Erfolg in der ›Schönen neuen Welt‹.

Tel. 212/363 32 00
www.statuecruises.com
Juli/Aug. tgl. 8.30–18.30 Uhr, sonst tgl. 9–17 Uhr, Tickets unbedingt reservieren, Wartezeit ab Battery Park ca. 2 Stunden, letzte Fähre auf die Insel 15.30 Uhr
Subway 1 South Ferry, Subway 4, 5 Bowling Green, Subway R, W Whitehall Street, Bus M1, M6, M9, M15

Die Freiheitsstatue, die Millionen von Einwanderern willkommen hieß, war einmal selbst eine Immigrantin und ist den New Yorkern zunächst gar nicht so besonders willkommen gewesen.

Um das zu verstehen, muss man an den Anfang ihrer Geschichte zurück und damit nach **Frankreich**. Die Statue – ursprünglich hieß sie ›Freiheit, die die Welt erleuchtet‹ – kam nämlich von dort. Die Franzosen wollten durch diese Gabe ihre Begeisterung für die amerikanische Revolution, »die Vollendung der Französischen Revolution jenseits des Atlantik«

Miss Liberty steht allein auf ihrer Insel und ▷
begrüßt die Besucher New Yorks

ausdrücken und ihrer eigenen Regierung, die den liberalen Geist im Lande gerade unterdrückte, symbolisch eins auswischen. Eigentlich sollte die Statue 1876, zur 100-Jahr-Feier der amerikanischen Unabhängigkeitserklärung aufgestellt werden, doch ihre Finanzierung erwies sich als schwierig. Schließlich gelang es dem Initiator der Aktion, dem Rechtswissenschaftler Edouard de Labourlaye, aber doch noch, die gewaltige Summe von 600 000 Francs aufzubringen, sodass die Dame nach dem Entwurf des Bildhauers Frédéric Auguste Bartholdi gegossen, mit Kupfer drapiert und von innen mit einem schmiedeeisernen Gerüst von Gustave Eiffel versehen werden konnte. Dann wurde die 46 m hohe Figur in ihre Einzelteile zerlegt, in 200 Kisten verpackt und über den Atlantik geschickt.

Im Juni 1885 traf die Statue in New York ein, stieß dort aber keineswegs auf Begeisterung. Die Figur war nämlich ein Danaergeschenk: New York musste das **Podest** finanzieren, und das kostete etwa genausoviel wie die Lady selbst. 100 000 Dollar fehlten noch, als Lady Liberty schon im Hafen lag.

Rettung kam von **Joseph Pulitzer**. »Lasst uns nicht erst auf Millionäre warten« – unter dieser Devise startete er einen groß angelegten Spendenaufruf in seiner Zeitung ›The World‹. Jeder, der etwas gab, konnte seinen Namen gedruckt sehen. Pulitzer brachte auf diese Weise nicht nur binnen eines halben Jahres 101 000 Dollar zusammen – fast alles Einzelspenden unter einem Dollar –, er steigerte auch die Auflage seiner Zeitung um ein Vielfaches.

Am 28. Oktober 1886 war es dann so weit: Die ›Freiheit, die die Welt erleuchtet‹ wurde mit Pomp von Präsident Stephen Grover Cleveland enthüllt. Binnen kurzer Zeit war der ursprüngliche Bedeutungsgehalt der Figur seltsamerweise jedoch

Ellis Island – das Tor zur Neuen Welt

vergessen. Die Franzosen wollten ein Symbol der Völkerfreundschaft und der gemeinsamen Freiheitsliebe schaffen, und nun wurde daraus die Inkarnation der Freiheit amerikanischer Prägung, das Markenzeichen des **Einwandererstaates** schlechthin. Die ›Freiheit, die die Welt erleuchtet‹ wandelte sich zusehends zur ›Mutter der Exilierten‹, die Millionen von Einwanderern aus aller Welt begrüßt. Ihnen wird auch im **Statue of Liberty Museum** (Liberty Island, Tel. 212/363 32 00, tgl. 9.30–17 Uhr) gedacht, das im Sockel untergebracht ist. Es zeigt Habseligkeiten aus der Heimat, Schicksale werden sichtbar, Geschichten erzählt von Erfolg und Assimilation. Auch über die Entstehung und den Bedeutungswandel der Statue kann man sich hier informieren.

Seit 2001 darf man der Dame aus Sicherheitsgründen nicht mehr zu Kopf steigen. Im August 2004 hat man dann ihren Sockel wieder zur Besichtigung freigegeben. An dessen oberem Ende liegt auf ca. 45 m Höhe eine Besucherplattform. Einblick ins Innere der Figur ermöglicht eine durchsichtige Wand am Fuß der Statue.

2 **Ellis Island**

 Millionen von Einwanderern betraten hier zum ersten Mal amerikanischen Boden.

www.statuecruises.com
tgl. 9–18 Uhr, Fährtickets unbedingt reservieren, Wartezeit ab Battery Park ca. 2 Stunden
Subway 1 South Ferry, Subway 4, 5 Bowling Green, Subway R, W Whitehall Street, Bus M1, M6, M9, M15

Ein Lob den Museumspädagogen, die das **Ellis Island Immigration Museum** gestaltet haben. Hier ist es gelungen, Geschichte auf spannende Weise zu präsentieren, Stimmungen einzufangen und dem Betrachter menschliche Schicksale unsentimental nahe zu bringen.

Mehr als 16 Mio. Menschen sahen der ›Insel der Tränen‹ mit Schrecken entgegen. Denn hier wurde zwischen 1892 und 1924 über das Wohl und Weh aller einwanderungswilligen Zwischendeckspassagiere entschieden, ihr Gesundheitszustand und ihre politische Haltung überprüft. Es konnte durchaus passieren, dass einer den Anforderungen des neuen goldenen Landes nicht entsprach und er wieder nach Hause geschickt wurde – **Gesetze**, die je nach dem Ansturm und der politischen Situation im Lande verändert wurden, verwehrten u. a. Kranken, politisch nicht Genehmen sowie ganz und gar Mittellosen den Zutritt ins Land der Freien.

Wer abgeschoben wurde, musste auf der Insel bleiben und das nächste Schiff zurück nehmen. In dem Museum wird anschaulich vor Augen geführt, was das bedeutete – viele der Einwanderer hatten sich verschuldet, um die Überfahrt zahlen zu können, oft war kein einziges Familienmitglied mehr in der Heimat. 3000 Menschen begingen Selbstmord, weil das ›Goldene Land‹ sie nicht wollte, weil sie zu krank, zu klein, zu kriminell oder zu ›anarchistisch‹ waren.

Die Zahl der Amerikaner, die nach Ellis Island fahren, weil sie sehen wollen, wo ihre Eltern oder Großeltern herkamen, ist immens: Mehr als die Hälfte der Menschen, die zwischen 1892 und 1924 ins Land kamen, betraten hier zum ersten Mal amerikanischen Boden. In der großen Halle im **Erdgeschoss** des türmchengekrönten Ziegelgebäudes (1898), der von den Architekten Boring und Tilton stammt, wurden im Durchschnitt 2000 Menschen pro Tag abgefertigt. Nachdem der Kongress 1924 den *National Origin Act* verabschiedet hatte, der Südeuropäern die Einwanderung extrem erschwerte, kamen immer weniger Menschen über Ellis Island ins Land. 1954 wurde die Einwanderungsbehörde hier geschlossen.

Man sollte ausreichend Zeit für den Museumsbesuch einplanen, da man hier Stunden mit den Filmen, Bildern und Erinnerungsstücken verbringen kann.

3 Staten Island Ferry

Roundtrip kostenlos!

Terminal: South Street, am Fuß der Whitehall Street
www.nyc.gov/dot
Subway 1 South Ferry, Subway 4, 5 Bowling Green, Subway R, W Whitehall Street, Bus M1, M6, M9, M15

Die **Fähre** von Manhattan nach Staten Island ist eine kostenlose Touristenattraktion New Yorks. Die Boote stellen die einzige Verbindung zwischen Manhattan und Staten Island dar, das ansonsten nur über die Verrazano Narrows Bridge von Brooklyn oder von New Jersey aus zu erreichen ist. Die Fähre verkehrt Tag und Nacht. Zur Stoßzeit legt sie alle 15 Min. an und ab, nach 23 Uhr stündlich. Die Fahrt durch den Hafen dauert 20–30 Min., der Blick auf die Südspitze von Manhattan ist atemberaubend!

Einst drängten sich hier die Menschen – heute ist Registrationshalle von Ellis Island leer

4 Battery Park mit Castle Clinton

Hier formieren sich die Warteschlangen vor den Fähren zur Freiheitsstatue und nach Ellis Island.

Subway 1 South Ferry, Subway 4, 5 Bowling Green, Subway R, W Whitehall Street, Bus M1, M6, M9, M15, M20

Im 17. Jh., zu Zeiten der Holländer und der ersten englischen Kolonisten, als die Küste noch entlang State und Pearl Street verlief, schützten *Kanonen* das Ufer und die Siedlung – auf diese Zeit geht der Name Battery zurück. Es gab auch einen Festungsbau zur Verteidigung der jungen Stadt. Er befand sich dort, wo heute das U.S. Custom House [Nr. 6] steht und hieß, je nachdem, wer gerade am Ruder war, Fort Amsterdam oder Fort James und Fort George. Eine weitere Umbenennung, die nach der Loslösung der Kolonien von Großbritannien nötig gewesen wäre, ersparte man sich: Das Fort wurde nach der Revolution abgerissen.

Erst 1811, als es im Rahmen des Krieges zwischen England und Frankreich auch zu Übergriffen auf amerikanische Schiffe kam, sah man wieder Bedarf für eine Verteidigungsanlage. So entstand die West Battery, später **Castle Clinton** genannt. Eine militärische Rolle musste Castle Clinton jedoch nie erfüllen, es bekam als *Castle Garden* eine angenehmere Aufgabe zugewiesen: In der ersten Hälfte des 19. Jh. fanden in seinen Mauern Konzerte und Festivitäten aller Art statt.

1855 wurden die Räumlichkeiten einer neuen Bestimmung übergeben und zur Abfertigung von **Immigranten** genützt. 1896 kamen wieder bessere Zeiten: Das *New York Aquarium* zog ein, eine der Hauptattraktionen, die die Stadt damals zu bieten hatte. Als das alte Gemäuer dann in den 1940er-Jahren abgerissen werden sollte, wehrte sich die Bevölkerung und erreichte, dass Castle Clinton zum nationalen Monument erklärt und damit geschützt wurde.

Als Castle Clinton gebaut wurde, lag es noch vor der Küste: der **Battery Park** ent-

◁ *Der Battery Park entstand auf aufgeschüttetem Land, in der Mitte ragt der Glasbüroturm 17 State Street empor*

erischen Künstlers Fritz Koenig, stand von 1973 bis zum Tag der Anschläge im Zentrum eines Brunnens auf der Plaza vor dem World Trade Center. Wie durch ein Wunder wurde die Skulptur beim Zusammensturz der Türme zwar beschädigt, aber nicht zerstört. Der Bedeutungswandel, den das Kunstwerk dabei durchlief, stimmt nachdenklich: Fritz Koenig hatte es als Symbol des Weltfriedens geschaffen, heute erinnert es an den schrecklichsten Terroranschlag in der Geschichte der USA.

Battery Park ist ein **Touristen-Tummelplatz**: Im Castle Clinton werden die Tickets für die Fähren zur Freiheitsstatue und nach Ellis Island verkauft. Im Sommer sind die Wartezeiten immens, doch meist tröstet die Schlangestehenden der herrliche Blick: aufs Meer und die Freiheitsstatue einerseits und auf die Hochhauskette, die die Südspitze Manhattans konturiert, andererseits. Besonders auffallend ist der halbrunde Glas-Büroturm von den Architekten Emery Roth & Sons, der seine Adresse als Namen trägt: **17 State Street** (1989). In dem Haus, das ehemals an dieser Stelle stand, wurde 1819 der ›Moby Dick‹-Autor Herman Melville geboren.

Informationen zu Geschichte und Zukunft der Hochhäuser erhält man im **Skyscraper Museum** (39 Battery Place, Tel. 212/968 19 61, www.skyscraper.org, Mi–So 12–18 Uhr), das sich ein Gebäude mit dem Ritz Carlton Hotel teilt.

stand nach und nach auf aufgeschüttetem Land und wuchs auf das Fort zu. Seine Blütezeit hatte der Park um die Wende vom 18. zum 19. Jh., als in seiner Umgebung die Reichen und Vornehmen New Yorks wohnten und sich in dieser Anlage ergingen.

Zahlreiche **Statuen** und **Denkmäler** sind auf dem Gelände zu bewundern: Da wird *Giovanni da Verrazanos* gedacht, des italienischen Seefahrers und Entdeckers der Bucht von New York und des Hudson River (1524), da steht *Emma Lazarus* (1849–1887), eine jüdische, amerikanische Dichterin, deren Sonett ›The New Colossus‹ am Sockel der Freiheitsstatue angebracht ist. Besonders beeindruckt das 1960 von den Architekten Gehron & Seltzer angelegte *East Coast Memorial*: Acht Granit-Monolithen tragen die Namen von Seeleuten, die im Zweiten Weltkrieg starben.

Seit dem 11. März 2002 erinnert *The Sphere* an all jene, die am 11. September 2001 im World Trade Center umkamen: Die Bronzekugel, ein Kunstwerk des bay-

5 Robert F. Wagner Jr. Park

TOP TIPP
Es grünt so grün im Süden Manhattans.

Zwischen Battery Place und dem Hudson River
Subway 1 South Ferry, Subway 4, 5 Bowling Green, Subway R, W Whitehall Street, Bus M1, M6, M9, M15, M20

Wege und hölzerne Trassen, Bänke und Aussichtsplattformen, dazu Pflanzen, Bäume und der Blick über den Hudson – der in den 1990er-Jahren angelegte Robert F. Wagner Jr. Park, der die Lücke zwischen

Ein idyllischer Ort für für ein ernstes Thema: Im Museum of Jewish Heritage erinnern sich Zeitzeugen an den Holocaust

Battery Park City und dem Battery Park schließt, gehört zu den schönsten Fleckchen Manhattans. In dieses Idyll fügt sich auch **Pier A**, der südlich der Uferpromenade ins Wasser ragt. An dem turmgekrönten, lang gestreckten Gebäude von 1886 legten früher die Feuerwehrboote an, die im Hafenbereich eine wichtige Aufgabe zu erfüllen hatten.

Im Norden des Parks befindet sich das **Museum of Jewish Heritage: A Living Memorial to the Holocaust** (36 Battery Place, Tel. 646/437 42 00, www.mjhnyc. org, So–Di, Do 10–17.45, Mi 10–20, Fr 10–15 Uhr). Der beeindruckende, 1997 fertiggestellte Bau, dessen Grundriss der Form des Davidsterns folgt, stammt von dem Architekten Kevin Roche, der auch den Erweiterungsbau durchführte, den Ende 2003 eröffneten Morgenthau Wing. Das Museum stellt anhand von Bildern, Dokumenten und Augenzeugenberichten die jüdische Kultur und Geschichte im 20. Jh. vor. Insbesondere über den Holocaust wird dabei aus Sicht derer berichtet, die ihn selbst erlebt haben.

6 ## National Museum of the American Indian

Von der Zollbehörde zum Museum der amerikanischen Ureinwohner.

1 Bowling Green, zwischen State Street und Whitehall Street
Tel. 212/514 37 00
www.nmai.si.edu
Fr–Mi 10–17, Do 10–20 Uhr
Subway 1 South Ferry, Subway 4, 5
Bowling Green, Subway R, W Whitehall Street, Subway J, M, Z Broad Street, Bus M1, M6, M9, M15, M20

Bis 1913 war Amerika ein glückliches Land: Es kannte keine Einkommenssteuer. Besonders glücklich waren darüber natürlich die Reichen: Im Jahr 1913 wanderten 60 % des Volkseinkommens in die Taschen von nur 2 % der Bevölkerung. Das Geld, das die Nation brauchte, um ihre Regierung zu finanzieren, erhielt sie durch Zölle. New York als größter Importhafen nahm am meisten ein und leistete sich 1907 dieses prächtige Zollhaus im Beaux Arts-Stil von Architekt Cass Gilbert. Die *Skulpturengruppen*, die die **Fassade** zieren, stellen Asien, Amerika, Europa und Afrika dar. Ihr Schöpfer Daniel Chester

French ist auch bekannt durch seine Lincoln-Statue in Wahington. Die zwölf Figuren über dem Gesims symbolisieren die großen Handelsstädte und -nationen: Griechenland, Rom, Phönizien, Genua, Venedig, Spanien, Holland, Portugal, Dänemark, Deutschland, England und Frankreich. Sehenswert ist auch die *Rotunda* mit Deckengemälden Reginald Marshs. Das ehem. Zollhaus beherbergt heute eine Zweigstelle des **National Museum of the American Indian**. In Wechselausstellungen dokumentiert es die Geschichte der Indianer Nord-, Mittel- und Südamerikas. Ab 2010 soll eine Dauerausstellung vertiefende Informationen bieten.

Der kleine Platz, an den das Custom House grenzt, heißt **Bowling Green**. In den Anfangsjahren der Stadt ließen die Holländer hier ihre Kühe weiden, später übte das Militär Exerzieren, und in der Zeit, in der Amerika um die Unabhängigkeit von Großbritannien kämpfte, wurde Bowling Green zum Brennpunkt der politischen Auseinandersetzung: 1770 hatten die Königstreuen dort eine Statue von George III. aufgestellt, die sie ein Jahr später durch einen Zaun vor unzufriedenen Kolonisten schützen mussten. Allerdings konnte auch dem Regentenabbild kein langes Leben gewähren: 1776, nach der Verlesung der Unabhängigkeitserklärung, stubste das Volk den König vom Sockel und kappte die Kronen, die den Zaun zierten.

7 Fraunces Tavern

Wo George Washington einst feucht-fröhlich Abschied feierte.
54 Pearl Street/Ecke Broad Street
Tel. 212/968 1776
www.frauncestavern.com
Museum Mo–Sa 12–17 Uhr
Subway R, W Whitehall Street, Subway 1 South Ferry, Bus M1, M6, M9, M15, M20

Seit 1762, als Samuel Fraunces das Gebäude erwarb und dort eine Taverne einrichtete, ist Fraunces Tavern ein beliebter Treff. Im 18. Jh. garantierte die Lage am Hafen mit all seinen Aktivitäten und der Poststraße nach Boston vor der Tür einen profitablen Geschäftsgang, heute ist es die Nähe zum Financial District. Darüber hinaus verstand es Samuel wohl auch, mit seinen Gästen umzugehen, denn bald traf sich hier alles, was im vorrevolutionären New York Rang und Namen hatte, und die Pläne, die dort gegen die Briten geschmiedet wurden, würde man heute ›konspirativ‹ nennen.

Über dem Gastraum zeigt das **Fraunces Tavern Museum** Dokumente aus der Geschichte des Gasthauses, Stilmöbel und Dekorationsstücke aus dem 18./19. Jh. Zudem erinnert es an die Ereignisse des Revolutionskriegs – darunter so skurrile Stücke wie ein falscher Zahn George Washingtons. Höhepunkt des Museumsbesuchs ist der originalgetreu eingerichtete *Long Room*. Dort verabschiedete

Die Rotunda im U.S. Custom House ist mit Deckengemälden des New Yorker Künstlers Reginald Marsh (1898–1954) geschmückt

Im Long Room verabschiedete sich 1783 George Washington von seinen Soldaten, heute kann man die stilvolle Einrichtung im Fraunces Tavern Museum besichtigen

sich Washington 1783, nach dem siegreichen Ende des amerikanischen Unabhängigkeitskrieges, von seinen treuen Offizieren – mit reichlich Wein und vielen Emotionen. Washington zog sich damals vorübergehend ins Privatleben zurück.

8 Vietnam Veterans Memorial

Das Denkmal erinnert mit Briefen, Reden und Tagebucheinträgen an den Vietnamkrieg.

Vietnam Veterans Plaza
www.nyvietnamveteransmemorial.org
Subway R, W Whitehall Street,
Bus M1, M6, M9, M15

»Etwas macht mir Sorgen: Werden die Leute mir glauben? Werden sie überhaupt etwas davon hören wollen, oder werden sie vergessen wollen, dass das Ganze je geschehen ist?« Dies ist ein Auszug aus dem Brief eines jungen Soldaten, geschrieben in Vietnam, zu lesen auf einer etwa 23 x 5 m großen, rechteckigen Glasplatte, die auf einem kleinen, mit roten Ziegeln ausgelegten Platz aufgestellt wurde. Die Glaswand ist voll von Texten: Briefe, Reden, Nachrichten legen ein erschütterndes Zeugnis des Krieges ab, den Amerika von 1965 bis 1975 führte. Der Entwurf zu dieser Gedenkstätte (1985, erneuert 2001) stammt von William Britt Fellows und Peter Wormser. Die Texte stellte Joseph Ferrandino zusammen. Entlang des

Walk of Honour tragen Granitstelen die Namen der 1741 New Yorker, die als Soldaten im Vietnamkrieg gefallen sind.

9 Elevated Acre

Eine grüne Oase mit grandioser Aussicht in der Steinwüste Manhattans.

55 Water Street
www.55water.com
tgl. 8–21 Uhr
Subway R, W Whitehall Street,
Bus M1, M6, M9, M15

Grün hat Seltenheitswert im Finanzviertel, und über ein Zimmer mit Aussicht verfügt nur, wer es bis ganz oben hinauf in die Chefetagen geschafft hat. Insofern ist der Elevated Acre, der ›Erhabene Garten‹ auf dem 10 m hohen Eingangsgebäude des gewaltigen Bürogebäudes 55 Water Street eine Sensation. Er ist für jedermann zugänglich, mehrere Aufzüge und eine breite Treppe führen aus der steinernen Welt der Geldspeicher hinauf ins Grüne. Originell gestaltet, konturiert von einem Amphitheater, in dem immer wieder Konzerte stattfinden, bildet er eine wahre Oase der Ruhe. Abends strahlt die Leuchtskulptur *Beacon of Progress* mit der gigantischen Aussicht über den East River und hinüber zur Silhouette von Brooklyn um die Wette.

10 India House mit Hanover Square

Reich ornamentierte Feuerleitern wie fürs Chambre séparée.

1 Hanover Square
Subway 2, 3 Wall Street, Bus M9, M15

Gebaut wurde der Backstein-Palast 1854 nach Plänen von Richard F. Carman als Sitz der Hanover Bank. Nach einigen Besitzerwechseln beherbergt er seit 1914 den privaten *India House Club* (www.indiahouseclub.org). Bemerkenswert sind die **Feuerleitern**. Sie sind so reich verziert, dass man glauben möchte, sie wären nicht als Notausgang konzipiert, sondern als Zugang zum Chambre séparée einer begehrenswerten Dame. Im Erdgeschoss des Gebäudes befindet sich heute **Harry's Café & Steak** (Tel. 212/785 92 00, www.harrysnyc.com), in dem man Steaks und guten Wein genießen kann.

Das India House steht an einem kleinen, hübschen Platz, dem Hanover Square, der wie eine Oase in der hektischen Finanzwelt liegt. Mit Steinen von den britischen Inseln und Pflanzen aus königlichen Gärten entstand ein Memorial Garden, der an die britischen Opfer der Attacke auf das World Trade Center erinnert.

Die Verbindung zum Königshaus hat Tradition: Der Name Hanover Square ist ein Relikt aus der Zeit der Monarchie – der britische König George I. stammte aus dem Hause Hannover. Früher wurde der Platz auch Printing House Square genannt: Im Haus 81 Pearl Street stellte **William Bradford** 1693 die erste Druckmaschine in den Kolonien auf. Doch das war nicht seine einzige Pioniertat. Er war es auch, der 1725 die erste Zeitung New Yorks herausgab, die ›New York Gazette‹.

Um 1765 hatte sich Hanover Square zum **Geschäftszentrum** der Stadt entwickelt. Der East River reichte damals, vor der Landaufschüttung, fast bis hierher: Hanover Square war eine feine Wohnadresse. Doch dann zerstörte der große Brand von 1835 sämtliche Bauwerke aus dieser Zeit. Er brach am 17. Dezember an der Ecke Hanover Square und Pearl Street aus und vernichtete einen Großteil des Gebiets zwischen Coenties Slip, South, Broad und Wall Street. Mehr als 600 Gebäude brannten in den drei Tagen nieder. Feuerschutz war damals Sache privater Unternehmer, und die konkurrierenden Brigaden hatten sich tagelang gestritten, in wessen Zuständigkeitsbereich der Brand denn nun fiele – solange, bis dann für alle genug zum Löschen da war.

Wie der Vater, so der Sohn: John D. Rockefeller senior (links) und junior, 1925

Die Rockefeller-Dynastie

›26 Broadway‹ steht mit goldenen Lettern auf Quadersteinen, die wirken als gehörten sie zu einer Renaissance-Festung. In dem wuchtigen, 1922 von Carrère & Hastings errichteten Gebäude residierte einst die Standard Oil Company, jene Gesellschaft, mit der die Familie Rockefeller zu ihrem sagenhaften **Reichtum** kam. John D. Rockefeller hatte die Firma 1870 gegründet, elf Jahre nachdem in Pennsylvania das erste Öl

gefunden worden war. Rockefeller beteiligte sich nicht an der Förderung des schwarzen Goldes, er investierte sein erstes Geld in eine Raffinerie und bereits 1879 kontrollierte er mehr als 90 % des Geschäftes. Ob Verarbeitung, Transport, Vermarktung – alles, was mit Öl zu tun hatte, lief durch Rockefellers Hände.

Obwohl verschiedentlich gerichtliche Schritte unternommen wurden, um seine Monopolstellung zu beenden, gelang es Rockefeller, bei jeder Aufsplitterung seines Konzerns erneut Gewinn zu machen. Als er sich 1911 aus dem Geschäft zurückzog, wurde sein Vermögen auf eine Milliarde Dollar geschätzt. Rund die Hälfte dieses Geldes stiftete der Firmengründer für **gemeinnützige Zwecke**. Sein Sohn John D. Jr. und dessen Nachkommen taten es ihm nach. Obwohl New York sich nicht über einen Mangel an Millionären beklagen kann – hier leben immerhin 41000 Menschen, die mehr als 10 Mio. Dollar besitzen –, und die Philanthropie unter den Reichen zum guten Ton gehört, gibt es doch keine Familie, die mehr für diese Stadt getan hat als die Rockefellers. Rockefeller Center, Riverside Church, Cloisters, Lincoln Center, United Nations – die Liste der Bauten, die die Familie ganz oder teilweise finanziert hat, ließe sich fortsetzen. Wann immer New York Großes plant, ruft es nach seinen Rockefellers. Und die zahlen. Darauf kann die Stadt am Hudson bauen.

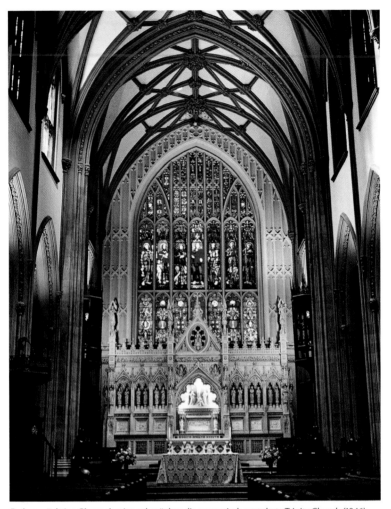

Farbenprächtige Glasmalereien schmücken die neogotisch gestaltete Trinity Church (1846)

11 Trinity Church

New Yorks berühmteste Kirche.

Broadway/Ecke Wall Street
www.trinitywallstreet.org
Subway 4, 5, 2, 3 Wall Street, Subway 1,
R, W Rector Street, Subway J, M, Z
Broad Street, Bus M1, M6

1698, als die erste Trinity Church an dieser Stelle erbaut wurde, war die Welt noch in Ordnung: Die Kirche war der größte Bau am Ort, alles überragend und Respekt gebietend. Nicht in Ordnung war, dass das Gotteshaus 1776, im Jahr der Unabhängigkeitserklärung, als britische Truppen gerade die Besetzung New Yorks übernommen hatten, in Flammen aufging. Erneut aufgebaut in den Jahren 1788–90 und abgerissen 1839, wurde die Kirche im Jahr 1846 nach Plänen von Richard Upjohn neugotisch wieder errichtet. Noch immer war es ein würdiges Gebäude mit einem eleganten Glockenturm, das aus dem Meer der anderen Häuser herausragte.

In dieser Form blieb Trinity Church bis heute erhalten – doch, wie hat sich die Umgebung gewandelt! Turmhohe Bauten umstehen die Kleine. Blickt man die Wall Street hinunter, wirkt die Kirche zwischen den Fassaden der Bankgebäude wie ein Spielzeughaus aus dem Baukasten eines Riesen.

Was Trinity Church an relativer Höhe verloren hat, macht sie jedoch in der Breite wett: Die kleine Kirche thront inmitten einer Grünfläche, eines parkartigen **Friedhofs**. Hier ruhen unter anderen der Politiker Alexander Hamilton, der Erfinder des Dampfbootes Robert Fulton und der Publizist William Bradford.

Insgesamt besitzt die Kirche ringsum Hunderte von Quadratmetern unbebauten Landes, und das in einer Gegend, in der mit die höchsten Immobilienpreise der Welt gezahlt werden. Dass sich Trinity Church im 20. Jh. in dieser Gegend behaupten kann, verdankt sie der britischen Krone, die der Episkopalischen Kirche im 17. Jh. das ganze Land zwischen Christopher und Fulton Street, Broadway und Hudson River überließ.

Die **Bronzetüren** der Trinity Church entwarf Richard Morris Hunt nach dem Vorbild des Baptisteriums in Florenz. Im **Inneren** zeichnet Frederick Clarke Withers für den *William-Backhouse-Astor-Memorial-Altar* (1876) mit Retabel verantwortlich. Die *Chapel of all Saints* gestaltete 1913 Thomas Nash. 1965 schließlich wurde der *Bishop-Manning-Memorial-Wing* von Adams & Woodbridge ausgestattet. Mehr über die Geschichte des Gotteshauses erfährt man im **Trinity Museum** (Tel. 212/602 08 72, Mo–Fr 9–11.45 und 13–15.45, Sa 10–15.45, So 13–15.45 Uhr, Führung tgl. 14 Uhr) hinter dem Altar.

12 Wall Street

Das Zentrum des New Yorker Financial Districts.

Subway 4, 5, 2, 3 Wall Street, Subway 1, R, W Rector Street, Subway J, M, Z Broad Street, Bus M1, M6, M9, M15

1653 errichteten Holländer eine hölzerne **Befestigungsmauer**, mit der sie ihre Siedlung nach Norden hin schützten. Das Stadttor befand sich an der Ecke zur Beaver Street. War es wirklich ein ›Wall‹? Als 1664 die Engländer im Hafen von Nieuw Amsterdam erschienen, machte er auf jeden Fall nicht viel her. Und die Bürger hatten auch keine große Lust, dem Aufruf des damaligen Gouverneurs Peter Stuyvesant zu folgen und die holländische Stadt gegen die Briten zu verteidigen, war doch ohnehin schon die ganze restliche Ostküste britisch. Also wurde aus Nieuw Amsterdam New York! Auch der Wall verschwand bald, er musste der ex-

pandierenden Stadt weichen. Ein Sklavenmarkt etablierte sich in der Gegend, später dann ein Getreidemarkt.

1792 benötigte der junge Staat Geld, da er schwer unter der finanziellen Belastung litt, die die Unabhängigkeit mit sich gebracht hatte. Man beschloss, Anleihen auszugeben. Um die Bedingungen für den Handel festzulegen, kamen 24 Makler zusammen: Sie trafen sich unter einer Platane auf der Wall Street und gründeten die New Yorker Börse.

Nur schlechte Geschäftsleute stehen lange unter Bäumen: Noch in demselben Jahr bezogen die Börsianer Räume des *Tontine Coffee House* an der Ecke Wall/Water Street. Und dann bauten sie in der Broad Street, wo die Börse noch heute steht. Die Straße blieb jedoch ein beliebter Ort, um Geschäfte abzuschließen – die Zeichensprache der Börsianer soll hier als Verständigungsmittel entstanden sein: Die Händler auf dem Gehsteig informierten ihre Partner im Haus darüber, ob gekauft oder verkauft werden sollte.

Wall Streets **Blütezeit** kam Ende des 19. Jh. Die industrielle Revolution hatte die Welt verändert, der amerikanische Sezessionskrieg, der Bürgerkrieg zwischen den Nord- und Südstaaten, hatte einigen Leuten immense finanzielle Gewinne gebracht. Small Business war passé: Es entstanden große Korporationen, die für ihre Projekte mehr Geld brauchten, als sie selbst besaßen. Die Kapitalbesorgung übernahmen die Banken. Wertpapiere fanden reißend Absatz, die Wall Street prosperierte und wurde binnen kurzem nicht nur zum Synonym für Wertpapierhandel, sondern auch zum Seismographen der Weltwirtschaft. Ende Oktober 1929 wurde das sehr drastisch deutlich: Nach Jahren schier unaufhaltsam steigender Börsenkurse platzte die Spekulationsblase. Die Kurse an der Wall Street und in der Folge an allen anderen Börsenplätzen fielen, es kam zum **Börsenkrach** und zur Weltwirtschaftskrise.

Und obwohl im Jahr 2009 angesichts abstürzender Immobilienpreise und taumelnder Investmentbanken mancher Börsianer Parallelen zur Depression nach 1929 zieht: Am ständigen Auf und Ab der Kurse wird sich wohl auch in Zukunft nichts ändern. Welche Folgen die dramatischen Verluste der Großbanken allerdings für New York haben werden, dessen Wirtschaft, Museen und Kultur unmittelbar am Tropf der Wall Street hängen, ist noch nicht absehbar.

Im Zentrum des Geschehens steht die 1903 erbaute **New York Stock Exchange**, die der Wall Street nur die schmucklose Seite zeigt – die prächtige Fassade des Geldtempels mit dem säulengeschmückten Portikus ist zur Broad Street gerichtet. Seit 2001 ist die Börse für Touristen nicht mehr zugänglich.

Sehenswert ist auch das 283 m hohe Gebäude (1930) in 40 Wall Street, das einst mit dem Chrysler Building [s. Nr. 54] um den Titel des höchsten Wolkenkratzers der Welt kämpfte. Zunächst gewann es ihn auch, musste die Trophäe jedoch noch im selben Jahr an den dann fertig gestellten Konkurrenten abgeben, der den Rekord allerdings auch nur einige Monate halten konnte. 1995, als viele Büroräume in dieser Gegend leer standen, erwarb der Unternehmer Donald Trump das Gebäude und ließ es aufwendig zum *Trump Building* restaurieren.

Hinter der ehrwürdigen Fassade der New York Stock Exchange dreht sich alles um's Geld

13 **Federal Hall National Memorial**

Die Geburtsstätte der amerikanischen Unabhängigkeit.

28 Wall Street
Tel. 212/825 68 88
www.nps.gov/feha
Mo–Fr 9–17 Uhr
Subway 4, 5, 2, 3 Wall Street, Subway 1, R, W Rector Street, Subway J, M, Z Broad Street, Bus M1, M6, M9, M15

Dieser vereinfachte Parthenon nach Plänen der Architekten Town & Davis, John Frazee und Samuel Thompson ist eines der besten Beispiele des Greek Revival in

New York. Er wurde in den Jahren 1834–42 zur Erinnerung an die vorher an dieser Stelle stehende Federal Hall errichtet, in der sich bedeutende historische Ereignisse abgespielt hatten: 1735 zum Beispiel fand hier ein Prozess statt, der in die Pressegeschichte einging: Peter Zenger, Herausgeber der Zeitung ›New York Weekly Journal‹, stand vor Gericht, angeklagt der »aufrührerischen Verleumdung« gegen die königliche Regierung – er hatte den britischen Gouverneur der Korruption bezichtigt. Zu Recht, wie der Prozess bewies. Peter Zengers Freispruch war ein wichtiger Schritt auf dem Weg zur Pressefreiheit.

41 Jahre nach dem Prozess wurde an dieser Stelle noch etwas anderes verkündet, was den damals herrschenden Briten gar nicht gefiel: die **Unabhängigkeitser-**klärung, die am 4. Juli 1776 vom Kongress in Philadelphia angenommen und unterzeichnet wurde. New York war die einzige Kolonie, die nicht unterschrieb: Das hinderte die Aufständischen aber nicht daran, das Dokument 14 Tage später vor dem Rathaus, der Federal Hall, zu verlesen.

Es war noch ein weiter Weg von der Erklärung der Unabhängigkeit bis zur Bildung eines funktionsfähigen Staates: Erst 1787 einigte man sich auf eine gemeinsame Verfassung, und 1789 wurde der erste Präsident der Vereinigten Staaten inauguriert: Am 30. April leistete George Washington vor dem New Yorker Rathaus seinen Amtseid. Heute erinnert daran die **Statue Washingtons** vor dem Gebäude, die John Quincy Adams 1883 schuf.

Bauen mit und ohne Grenzen

Ende des 19. Jh. begann Manhattan, in den Himmel zu wachsen: Die Erfindung des Fahrstuhls und der Einsatz neuer Stahlskelett-Konstruktionen machten es möglich, die expandierende Wirtschaft verlangte nach Büro- und Geschäftsräumen. Längst stand die Kirche nicht mehr im Dorf, Trinity Church hatte ihre überragende Stellung eingebüßt, 1913 entstand mit dem Woolworth Building [s. Nr. 22] gar eine ›Kathedrale des Kommerzes‹.

Bauen durfte jeder wie er wollte – kein Gesetz setzte dem Streben nach Höhe oder der Fantasie der Architekten Grenzen. Das änderte sich nach dem Eklat mit dem Equitable Building [Nr. 14]. Wollte New York sich nicht in ein Schattenreich verwandeln, war Handlungsbedarf gegeben. Und so trat 1916 das **erste Zoning Law**, ein Baugesetz, in Kraft. Es schrieb eine Abstufung des Baukörpers vor, eine Gliederung in Sockel, Turm und Spitze. Diese ›Hochzeitskuchen-Form‹, idealtypisch verkörpert vom Empire State Building, prägte von nun an das Stadtbild, wobei es noch immer keine Höhenbegrenzung gab – außer der von der technischen Machbarkeit gesetzten. So ist vom Auftraggeber des Empire State Building überliefert, dass er einen dicken Bleistift auf den Tisch stellte und seinen Architekten fragte, wie hoch er bauen könne, ohne dass das Gebäude umfalle.

In den 1950er-Jahren änderten sich die technischen Möglichkeiten und der Geschmack. Die Vorhangfassade, eine Gebäudehülle aus Glas, erstmals beim Bau des Sekretariatsgebäudes der United Nations realisiert, wurde en vogue, der Bauhausstil bzw. International Style setzte sich durch. Der Bau des Seagram Building [s. Nr. 66] führte 1961 zum Erlass des **zweiten Zoning Law**. Dieses Baugesetz erlaubte es nun, Höhenbegrenzungen, die zwar nicht absolut, aber für die einzelnen Stadtteile inzwischen vorgegeben waren, zu überschreiten, wenn der Bauherr öffentlich zugänglichen Raum schuf. Also einen Platz anlegt, Sitzmöglichkeiten in einem begrünten Foyer schafft oder ein kostenlos zugängliches Museum einrichtet.

Das war gut gemeint, führte aber architektonisch nicht immer zu überzeugenden Ergebnissen. Der vorherrschende Baustil der 1960er- und 1970er-Jahre brachte reihenweise gesichtslose Glasklötze auf zugigen Plazas hervor, die keinen Fußgänger zum Verweilen einladen.

Wer sich die Auswirkungen der beiden Gesetze drastisch und plastisch vor Augen führen will, sollte sich das Rockefeller Center [s. Nr. 62] ansehen: Hier die Harmonie der sich zurücknehmenden Bauten aus den 1930er-Jahren, dort die banale Erweiterung aus den 1960er- und 1970er-Jahren.

14 Equitable Building

Ein Haus macht Gesetze.

120 Broadway zwischen Pine und Cedar Street
Subway 4, 5, 2, 3 Wall Street, Subway 1, R, W Rector Street, Subway J, M, Z Broad Street, Bus M1, M6, M9, M15

Noch heute wirkt dieses Gebäude (1915) wuchtig, und dabei sind wir doch einiges gewöhnt. Für die New Yorker muss es damals ein absolutes Monster gewesen sein: vierzig Stockwerke hoch und einen ganzen Block einnehmend! Und das alles ohne Charme, ohne fantasievolle Einfälle des Architekten Ernest R. Graham. Vor allem aber tauchte das H-förmige Gebäude, das ohne einen einzigen Rücksprung gebaut worden war, die ganze Umgebung in Schatten. Der Proteststurm war derart heftig, dass die Stadtväter sich veranlasst sahen, 1916 das erste **Baugesetz** (Zoning Law) des Landes zu erlassen.

Neben dieser Geschichte ist das interessanteste am Equitable Building seine **Lobby**, durch die man auf die Nassau Street gelangt. Wenn Sie ›gotische‹ Lifttüren sehen wollen – werfen Sie auch einen Blick in die Lobbys der gegenüber liegenden Gebäude **Trinity** und **U. S. Realty Buildings** (111 und 115 Broadway; 1905 und 1907, beide von Francis H. Kimball).

15 New York Chamber of Commerce

Mit dem U. S. Custom House verwandt.

65 Liberty Street
Subway 4, 5 Fulton Street, Subway A, C, Broadway – Nassau Street, Subway J, M, Z Fulton Street, Subway R, W Cortlandt Street, Bus M1, M6, M9, M15

Das Gebäude ist zierlicher als das U. S. Custom House [s. Nr. 6] und liegt versteckt zwischen Broadway und Nassau Street – aber die Ähnlichkeit lässt sich nicht verleugnen. Das New York Chamber of Commerce, 1901 nach Plänen von James B. Baker errichtet, ist ebenfalls ein Bau im Beaux-Arts-Stil. Zwischen den ionischen Säulen standen früher drei Skulpturengruppen, die 1927 entfernt wurden – Tauben und Umweltverschmutzung hatten ihnen zu sehr zugesetzt. Heute hat hier die taiwanesische *Mega International Commercial Bank* ihren Sitz. Von innen kann man das Gebäude leider nicht besichtigen.

16 Federal Reserve Bank of New York

Wo die Banken hingehen, wenn sie Geld brauchen.

33 Liberty Street
www.newyorkfed.org
Subway J, M, Z Broad Street, Subway 2, 3 Wall Street, Bus M1, M6, M9, M15

Was man von dem 1924 errichteten Gebäude sieht, ist nur die Spitze des Geldberges: In unterirdischen Gewölben lagern, über fünf Stockwerke verteilt, die Goldvorräte der verschiedensten Nationen und damit die größten **Goldbestände** der Welt. Finanzielle Transaktionen zwischen den Staaten spielen sich hier unter der Erde ab – praktisch und sicher.

In den ganzen USA gibt es nur zwölf Federal Reserve Banks. Sie versorgen ihre Mitgliedsbanken mit Geld und Kapital und übernehmen auch deren Überwachung. Eine wichtige Funktion also, da ist es nicht verwunderlich, dass sich die Architekten York und Sawyer beim Bau des Bankgebäudes dorthin orientierten, wo der Ursprung des modernen Bankwesens zu suchen ist, nach Italien. Genauer – nach Florenz zur Zeit der Renaissance: Die Ähnlichkeit mit dem *Palazzo Strozzi* ist gewollt. Den besten Blick auf das trutzige Gebäude hat man von Osten. Der Bau, der einen ganzen Block einnimmt, wird auf der Ostseite schmaler, da er sich dem Lauf der Maiden und der Liberty Street anpassen muss. An ihrem Treffpunkt bilden die beiden Straßen die kleine **Louise Nevelson Plaza**, benannt nach der Künstlerin, die die *Skulpturen* ›Shadows and Flags‹ auf dem Platz 1978 schuf.

17 South Street Seaport Historic District

Hafenatmosphäre auf Museumsschiffen und entlang der Flaniermeile.

Zwischen John Street und Peck Slip, Water Street und dem East River, mit Pier 15, 16, 17 und 18
www.southstreetseaport.com
Subway 2, 3 Fulton Street, Bus M9, M15

Die Erkundungstour durch den historischen Hafen von New York beginnt am **South Street Seaport Museum** (12 Fulton Street, Tel. 212/748 87 46, www.southstseaport.org, April–Okt. Di–So 10–18 Uhr, Nov.

Die Ambrose, Jahrgang 1908, geleitete einst Handelsschiffe sicher über den Atlantik, seit 1968 ist sie eines der Museumsschiffe im South Street Seaport Historic District

–März Fr–So 10–17 Uhr). Neben Eintrittskarten für die Museumsschiffe erhält man hier Informationen über Schiffsfahrten und Freilichtkonzerte. Die Geschichte des South Street Seaport lässt eine ständige Ausstellung lebendig werden.

Wo früher die Fischer ihre Boote festmachten, dümpeln jetzt die ›Ambrose‹, ein ehem. Lotsenschiff, das viermastige Segelschiff ›Peking‹ und die ›Wavertree‹, ein Dreimaster sowie die ›Letti G. Howard‹ und die ›W. O. Decker‹, allesamt sauber polierte **Museumsschiffe**, die an die Zeit erinnern, als hier New Yorks wichtigster und größter Hafen lag.

Wirkliche Bedeutung als **Hafenstadt** erhielt New York erst nach dem Krieg, den Amerika 1812–14 gegen England führte. Kriegsbedingte Handelssperren hatten zur Folge, dass importierte Waren knapp und teuer wurden. Viele britische Kaufleute sahen die Chance, gute Geschäfte zu machen, und ließen sich in New York nieder. 1818 richtete man die erste regelmäßige Schiffsverbindung zwischen New York und Liverpool ein, und als 1825 der Eriekanal fertig gestellt war, der Buffalo mit Albany und damit die Großen Seen mit New York verband, rückte New York als Hafenstadt an erste Stelle, vor Boston, Philadelphia und New Orleans.

Die Blütezeit von South Street Seaport jedoch dauerte nur ein paar Jahrzehnte: In den 1860er-Jahren ersetzten Ozeandampfer die Segelschiffe. Sie hatten einen größeren Tiefgang und konnten nicht mehr am Ufer des East River anlegen. So blieb South Street Seaport dem Regionalverkehr überlassen. Für die großen Dampfschiffe baute man die weit ins Wasser hinein ragenden Hudson Piers und die Aktivitäten verlagerten sich auf die westliche Südspitze Manhattans [s. S. 36]. South Street Seaport verfiel.

Das 1967 eingerichtete **South Street Seaport Museum** war die erste Institution, die sich in dem Hafenviertel etablierte. Die meisten Attraktionen des Museumsareals befinden sich in der Water Street zwischen Fulton und Beekman Street: eine *Fotogalerie*, eine *Druckerei* aus dem vorigen Jahrhundert und *Ausstellungsräume*. Die *Schiffe* an den Landungsbrücken sind zu besichtigen, auch *Hafenrundfahrten* werden angeboten.

Aber South Street Seaport ist mehr als ein Museum. Es ist Einkaufszentrum, Schlemmer- und Vergnügungsparadies, Boutiquen- und Galerienland. Moderne Marktgebäude, wie das **Fulton Market Building** (11 Fulton Street, Benjamin Thompson & Assocs., 1983) und der **Pier Pavillon** (Benjamin Thompson & Assocs., 1984) auf Pier 17 verwandelten die Gegend in eine Flanier- und Einkaufsmeile. Sachkundig restauriert, zeigen die roten **Backsteinhäuser** aus dem 19. Jh. ein freundliches Gesicht.

Schwer vorzustellen, dass einst in dieser Gegend mehr Verbrechen geschahen als in der gesamten übrigen Stadt. Dass 464 Kneipen und Getränkegeschäfte auf durstige Matrosen warteten und eine wahrscheinlich ebenso große Zahl von käuflichen Mädchen. Dass die Bewohner der Hafengegend – 22 000 Menschen – so eng aufeinander lebten, dass Pocken, Cholera und Tuberkulose sich schrankenlos ausbreiten konnten.

Davon ist heute in den revitalisierten Gebäuden und Straßenzügen nichts mehr zu spüren. Als architektonische Zeitzeugen jedoch sind sie interessant: Der historische Distrikt von South Street Seaport umfasst elf Häuserblöcke und drei Piers. Die Gebäude stammen aus dem 18. und – überwiegend – aus dem frühen 19. Jh. Prunkstück der Anlage ist **Schermerhorn Row** an der Südseite der Fulton Street, eine Häuserzeile des Architekten Peter Schermerhorn, die aus kommerziellen Bauten im Georgian-Federal- und Greek Revival-Stil besteht. Dort sind interessante wechselnde Ausstellungen des Museums zu sehen.

18 Battery Park City mit World Financial Center

New York entdeckte sich mit diesem famosen Stadtpark als Metropole am Wasser.

Zwischen Pier A und Battery Park, Chambers Street, West Street und dem Hudson River
www.batteryparkcity.org
www.bpcparks.org
Subway 1, R, W Rector Street, Subway 1, 2, 3, A, C, Chambers Street, Subway 4, 5 Wall Street, Subway E World Trade Center, Bus M1, M6, M9, M20, M22

Die Geschichte wiederholt sich: So, wie einst South Street Seaport [s. Nr. 17] auf-

gegeben wurde, verlor auch der Hafen am Hudson in den 1950er-/60er-Jahren seine Bedeutung. 110 Piers und 24 Fährbrücken waren sinnlos geworden. Einerseits deshalb, weil mit der Erschließung des Luftraums die Bedeutung der Schifffahrt generell zurückgegangen war, andererseits, weil heute Containerschiffe unterwegs sind, zu deren Entladung man riesige Stapelflächen benötigt. Die gab es in Manhattan nicht, daher wandten sich die Reeder nach Brooklyn oder Newark. Die Hafen- und Werftanlagen, Schuppen und Bahngleise am Hudson verfielen.

Da das Wasser seine wirtschaftliche Bedeutung verloren hatte, taten die New Yorker lange Zeit so, als existiere es nicht. Wenn man nicht gerade im Battery Park stand und auf die Fähre nach Liberty Island wartete, hatte man in Manhattan nirgends das Gefühl der Nähe zum Meer oder zu zwei mächtigen Flüssen: Die Stadt schottete sich gegen das Wasser ab, an den Ufern von Hudson und East River liefen die Highways entlang und schnürten die Wohnfläche von der Küste ab. 374 km **Uferstreifen** hat diese Stadt, und auf der Insel Manhattan gab es keine einzige Uferpromenade. Noch in den 1970er-Jahren wagten sich nur Lebensmüde in die Nähe des verfallenen Piers am Hudson, gab es hier doch allerlei zwielichtige Gestalten.

1966 begannen die **Bauarbeiten** fürs World Trade Center. Was die Bagger aushuben, landete im Fluss: über 1 Mio. m^3 Erde und Glimmerschiefer. Nach dem Gesetz wird neu gewonnenes Land Eigentum des Staates, nicht der Stadt. Damit war hier der Staat New York um 37 ha gewachsen und machte sich nun Gedanken, wie das Land zu nutzen sei. Zum Glück für Manhattan scheiterten die ersten Pläne, fantasielose Reißbrettentwürfe, am fehlenden Geld.

So kam es, dass man sich dem Projekt erst 1979 wieder zuwandte. Mit neuen Stadtplanern, Alexander Cooper und Stanton Eckstut, und neuen, für New York revolutionären Ideen: Im Südwesten Manhattans sollte eine Stadt entstehen, in der 30 000 bis 35 000 Menschen leben und etwa genauso viele arbeiten würden. Eine Stadt der menschenfreundlichen Maße, die nach ganz genauen Vorgaben zu errichten war. Nicht nur Gebäudehöhe und Baumaterialien waren vorgegeben, jedes Detail – Simse, Balkone, Traufen – war Teil des Gesamtplans, sogar der Belag der Wege und Plätze, die Baumsorten, das Design der Bänke und Laternen wur-

Die untergehende Sonne spiegelt sich im World Financial Center mit Wintergarden (rechts)

de festgelegt. Derart dirigistische Bauvorschriften mögen für einen Mitteleuropäer nichts Neues sein, doch für New York, wo sich – von geringen Einschränkungen abgesehen – jeder architektonisch austoben kann, war das Battery-Park-City-Projekt eine Sensation. Allein die Flächennutzung rief Begeisterungsstürme hervor: 42 % Wohnbereich, 9 % gewerbliche Nutzung, 30 % unbebaute Fläche (Parks, Plätze), 19 % Straßen. Fast die Hälfte des Areals ist also öffentlicher Raum, der von der Bevölkerung angenommen wird.

Auf der 2 km langen **Uferpromenade** geht es im Sommer zu wie auf dem Lido von Venedig. Mittags sitzen Geschäftsleute in Kostüm und Anzug auf den Stufen der 14 000 m² großen **Plaza**, die zum Wasser hinunterführen, und verspeisen ihre Sandwiches aus der Tüte, Familien mit Kindern breiten ihren Lunch auf den granitenen Picknicktischen aus. Der Hudson glitzert in der Sonne, die Freiheitsstatue hält die Fackel hoch – New York hat sich als Stadt am Wasser wieder entdeckt!

In den Wintermonaten flieht man vor dem kalten Wind vom Wasser unter den Glassturz: 38 m ist er hoch, 36 m breit und 61 m lang – doppelt so groß wie die Halle des Grand Central Terminal [s. Nr. 53]. Hier stehen palmenbeschattete Tische und Bänke, Musiker spielen auf, regelmäßig

TOP TIPP finden Ausstellungen und Konzerte statt. Dieser **Wintergarden** ist ein ›Geschenk‹ des Bauherren des **World Financial Center** (1986), des kommerziellen Zentrums der Battery Park City. Das World Financial Center besteht aus vier Türmen aus Glas und Granit, 34 bis 51 Geschosse hoch. Der Architekt Cesar Pelli griff eine alte Tradition wieder auf, stufte die Gebäude nach oben hin zurück und setzte ihnen kupferne Dachkronen auf: eine Mastaba, eine Stufenpyramide, eine Pyramide und eine Kuppel. In den unteren Geschossen verwandte er überwiegend dunklen Granit, je höher er baute, desto heller wählte er den Stein, desto

mehr Glas fand Verwendung. Jeder der vier Bauten hat eine prächtige Lobby, für deren Ausstattung bis zu 27 Sorten Marmor herbeigeschafft wurden. Cesar Pelli wollte »Bauten des Himmels« schaffen, die »sich nach dem Himmel sehnen, sich mit dem Himmel vermählen«. Wie gut ihm das gelungen ist, ist heute nicht mehr erkennbar. Seine Türme waren Teil einer Gesamtkomposition und bildeten das leichte, spielerische Gegengewicht zu den beiden strengen Monolithen des World Trade Center. Heute stehen sie, gleichsam ihres Rückgrats beraubt, bezuglos und verloren in der beschädigten Skyline.

Wie ein von Säulen getragener Globus wirkt das großzügige Glasdach des Wintergarden hier

An Ground Zero gedenkt eine provisorische Ausstellung den Opfern des 11. September 2001

19 Ground Zero

Ort der Trauer und des Neuanfangs.

Zwischen Church und West, Liberty und Vesey Street
www.panynj.gov
Subway E, PATH World Trade Center, Subway R, W Cortlandt Street, Subway 4, 5 Fulton Street, Bus M1, M6, M9, M15, M20, M22, M103, B51

Noch nie wurde in New York so ausgiebig über Architektur diskutiert wie anlässlich der Wiederbebauung des Areals um Ground Zero. Da keiner der Pläne, die nach der Zerstörung des World Trade Center eingereicht worden waren, dem Gedenken an den 11. September 2001 und dem Symbolgehalt des Ortes angemessen schienen, kam es zur Ausschreibung eines Architekturwettbewerbs.

Im März 2003 wurde dann der Entwurf von *Daniel Libeskind*, dem Architekten des viel beachteten Jüdischen Museums in Berlin, prämiert. Sein symbolträchtiger, ›Gärten der Welt‹ genannter Masterplan sah u. a. einen Turm vor, dessen Höhenmaß von 1776 ft (530 m) das Jahr der Unabhängigkeitserklärung der USA zitieren und zugleich das höchste Gebäude der Welt sein sollte. In seinem Inneren sollten fünf Botanische Gärten mit jeweils charakteristischer Flora die fünf Kontinente symbolisieren. Weitere Wolkenkratzer unterschiedlicher Höhe und Gestaltung gruppierte er um zwei öffentliche Plätze.

Ihre Ausrichtung zum Sonnenstand konzipierte Libeskind so, dass sie alljährlich am 11. September – zwischen 8.26 Uhr, als das erste Flugzeug in das WTC einschlug, und 10.28 Uhr, als der zweite Turm in sich zusammenfiel –, keine Schatten auf die Plätze geworfen hätten. So der ursprüngliche, symbolisch extrem aufgeladene Entwurf.

Nach der Entscheidung für das Libeskind-Konzept entwickelte sich die Projektgestaltung zu einer Farce. Nachdem man Libeskind zunächst zur Zusammenarbeit mit seinem Konkurrenten David Childs zwang, wurde er anschließend völlig entmachtet. Die Polizei stellte Sicherheitsmängel fest und potentielle Großmieter zogen sich zurück.

Lange Zeit lag die Grube dann brach, ein Bauplatz ohne Arbeiter, an dessen Zaun sich die Touristen die Nase platt drückten. 2006 wurde ein Spiegelturm von Childs am Nordrand des Areals fertiggestellt und erst 2007, kurz vor dem sechsten Jahrestag der Terroranschläge, informierte der Pächter des Geländes, Larry Silverstein, die Öffentlichkeit über den Stand der Dinge: Das neue World Trade Center soll 2013 vollendet sein. In den so genannten ›footprints‹, wo die Zwillingstürme standen, wird ein Gedenkpark für die Opfer entstehen.

Rund 600 Arbeiter sind nun auf dem Ground Zero aktiv, gebaut werden neben dem *Freedom Tower* und dem *Memorial* drei neue Hochhäuser, ein unterirdisches

Museum und ein von Santiago Calatrava entworfener Großbahnhof (Eröffnung 2014). Die Gebäude sollen ein spiralförmiges Ensemble bilden, in dessen Mitte die Gedächtnisstätte liegt, und bei dem jeder der vier geplanten Türme etwas niedriger ist als der benachbarte. Turm 2 wird nach den Entwürfen von Norman Foster gebaut, für Turm 3 zeichnet Richard Rogers verantwortlich, für Turm 4 der Japaner Fumihiko Maki.

20 St. Paul's Chapel

Die Londononer Kirche St. Martin in the Fields am Broadway?

209 Broadway zwischen Fulton und Vesey Street
Tel. 212/233 41 64
www.saintpaulschapel.org
Subway 4, 5 Fulton Street, Subway A, C Broadway – Nassau Street, Subway J, M, Z Fulton Street, Bus M1, M6, M9, M15, M20, M22, M103, B51

Das Material ist aus der Neuen, der Entwurf aus der Alten Welt: In Glimmerschiefer – Manhattan Schist – und Brownstone präsentiert sich hier die Londoner Kirche St. Martin in the Fields. Der Erbauer von St. Paul's Chapel (1764–66), Andrew Gautier, nahm sich die Freiheit, das Werk jenseits des Atlantiks nachzubauen. Das war übrigens damals weder unüblich noch verwerflich – während der Kolonialzeit und in den Anfangsjahren der Republik richteten sich die Baumeister bevorzugt nach europäischen Vorbildern. Der Turm entstand erst 1794 nach Plänen von James Crommelin Lawrence.

St. Paul's ist sowohl älteste Kirche als auch ältestes städtisches Gebäude Manhattans. Hier hat schon George Washington gebetet und auf die Messe anlässlich seiner Vereidigung zum Präsidenten fand 1789 hier statt. Die Gestaltung des Altars stammt von dem im Alter von 22 Jahren nach Amerika eingewanderten Architekten Pierre l'Enfant. Auf dem von Wolken und Blitzen umhüllten Berg Sinai übergibt Gott die Gesetzestafeln mit den Zehn Geboten.

Dass das Gebäude den 11. September 2001 unversehrt überstand, grenzt an ein Wunder: Direkt hinter dem alten Friedhof brannte der Turm des World Trade Center Nr. 5. Bilder, die nach dem Zusammenbruch der Türme entstanden, zeigen die kleine Kirche, gehüllt in eine schwarze

Der 11. September 2001

Sie waren die höchsten Gebäude der Welt – wenn auch nur für ein paar Monate. Sie waren die höchsten Gebäude New Yorks, 110 Stockwerke, 412 Meter, zwei Türme inmitten eines Komplexes von insgesamt sieben Bauwerken, die das World Trade Center bildeten.

Die Zwillingstürme waren ein Meisterwerk der Ingenieurskunst, jeder versehen mit einem Stahlgerüst, das einer Windgeschwindigkeit von 240 km/h standhalten konnte, und auch den Einschlag der beiden Boeing 767 am 11. September 2001 zunächst überstand. Schwankend zwar, aber die Türme standen noch, nachdem sich die Flugzeuge in ihre Seiten gebohrt hatten. 41 Minuten dauerte es, bis der Nordturm in sich zusammenfiel, 56 Minuten hielt der Südturm, bevor er kollabierte. Zeit, in der sich noch viele Menschen in Sicherheit bringen konnten. Was den Zusammenbruch schließlich verursachte, war die Hitze. Zigtausend Liter Kerosin brannten, den Temperaturen von 1000° Celsius waren die Stahlgerüste nicht gewachsen.

Bilder von diesem Tag und seinen Folgen gingen um die ganze Welt. Bilder der Ruinen, die, einer gotischen Kathedrale gleich, in den rauchgeschwängerten Himmel ragten, Bilder der Aufräumarbeiten und immer wieder Bilder von Menschen, die von der Katastrophe direkt betroffen waren. Als Davongekommene, als trauernde Hinterbliebene, als Polizisten, Feuerwehrleute.

Auch wer noch nie in New York war, hat unzählige Male gesehen, wie dramatisch sich die Skyline verändert hat. Und wer die Stadt kennt, wird feststellen, dass sich der Verlust nicht nur bemerkbar macht, wenn man von New Jersey oder Brooklyn auf Lower Manhattan blickt. Selbst New Yorker standen lange orientierungslos an den Rolltreppen, wenn sie in Midtown oder im Village aus der U-Bahn stiegen: Früher genügte ein Blick, und man wusste, wo Süden war. Tag und Nacht diente die Silhouette der Türme als Orientierungspunkt, als Abschluss der Avenues, die nun scheinbar endlos ins Nichts zu eilen scheinen.

Als das World Trade Center 1973 eröffnet wurde, war es ein eher ungelieb-

Oben: *Die beiden Türme des World Trade Center dominierten die Skyline von Manhattan in unvergleichlicher Weise*
Unten: *So sieht die Zukunft von Ground Zero aus*

tes Kind. Man warf dem Architekten Minoru Yamasaki Fantasielosigkeit vor, nannte sein Werk »banale Monolithen«. Mit der Zeit jedoch gewannen die New Yorker die beiden Türme, die wie Ausrufezeichen in den Himmel über Manhattan ragten, lieb. Sie wurden zum Symbol New Yorks, zum Symbol der Moderne, der Macht und der Geldes. Zum Symbol Amerikas schlechthin – und damit auch Inbegriff dessen, was Kritiker der Großmacht USA und der westlichen Welt insgesamt vorwerfen. Die Terroristen wählten ihr Ziel mit perfider Präzision. Der Satz, dass »dieser Tag die Welt verändert hat«, mag inzwischen abgedroschen klingen, aber er entbehrt nicht der Wahrheit.

Heute erinnert das **Tribute WTC Visitor Center** (120 Liberty Street, www.tributewtc.org, Mo, Mi–Sa 10–18, Di 12–18, So 12–17 Uhr), das Angehörige von Opfern eingerichtet haben, an diesen Tag.

Wolke aus Rauch, Staub und Geröll. Angrenzende Häuser wurden schwer beschädigt – in St. Paul's ging nicht einmal ein Fenster zu Bruch.

Bereits am 15. September, es gab weder Strom noch Telefon, trafen die ersten **Freiwilligen** mit Kleidung und Essen ein. Und dann sprach es sich schnell herum unter den vielen, die an den Aufräumarbeiten beteiligt waren, dass man in St. Paul's warme Mahlzeiten, einen Platz zum Schlafen und alles Lebensnotwendige finden konnte, nicht zuletzt auch spirituellen und psychologischen Beistand.

Der **sakrale Ort** wurde in den Monaten nach den Anschlägen zum Gedenkort: Der gesamte Zaun, der das lang gestreckte Grundstück umgibt, war mit Blumen, Fahnen, Solidaritätsadressen, Fotos, Gedichten und Gebeten, Teddybären und Baseballmützen bedeckt. Einige der Relikte, die an 9/11 erinnern, sind heute in der Ausstellung ›Unwavering Spirit: Hope and Healing at Ground Zero‹ (Standhafter Geist: Hoffnung und Heilung am Ground Zero) in der Kirche zu sehen.

21 New York Evening Post

Geschichte einer ›Zeitungsmeile‹.

20 Vesey Street zwischen Church Street und Broadway
Subway E World Trade Center, Subway 4, 5 Fulton Street, Subway 2, 3 Park Place, Bus M1, M6, M15, M22, M103, B51

Das Verlagsgebäude der ›New York Evening Post‹ wurde 1906/07 nach Entwürfen von Robert D. Kohn mit reizvollen Jugendstilornamenten errichtet. Die Skulpturen an seiner Fassade stammen von Gutzon Borglum, dem Schöpfer der berühmten monumentalen Präsidentenköpfe im Mount Rushmore (South Dakota). Es ist eines der schönsten Bauwerke der einstigen *Zeitungsmeile* New Yorks.

Zwischen 1840 und der Jahrhundertwende hatten in dieser Gegend alle großen Zeitungen New Yorks ihre Stammhäuser. Die Zeitungsmeile begann dort, wo Centre Street und Park Row aufeinandertreffen und heute die Pace University residiert. Sie trug im Volksmund den Namen ›**Newspaper Row**‹ und zog sich nach Süden bis zur Fulton Street. Dort hatte die ›N. Y. Evening Post‹ ihr erstes Redaktionshaus, 1906 zog sie um in die Vesey Street, seit 1934 erscheint sie unter dem Namen ›New York Post‹. Die 1801 von

Alexander Hamilton gegründete Zeitung war vermutlich das konservativste unter den täglich erscheinenden Blättern, während die in deutscher Sprache gedruckte ›New Yorker Staats-Zeitung‹ für ihre Liberalität bekannt war.

Unter den 15 Zeitungen, die um 1895 hier Seite an Seite an der Newspaper Row standen, war auch die **New York Times**. Ihr *Verlagshaus* befand sich an der Park Row 41, das Gebäude aus dem Jahr 1889 von George B. Post gehört heute zur *Pace University*. Mit dem Umzug der ›Times‹ 1904 begann der Exodus der Zeitungsverlage. Heute erinnert nur noch der **Printing House Square** zwischen Park Row, Nassau und Spruce Street an die publizistische Vergangenheit der Gegend. Die *Statue* auf dem kleinen Platz stammt von Ernst Plassman (1872) und zeigt Benjamin Franklin, der sich ja nicht nur als Diplomat, Staatsmann und Erfinder einen Namen machte, sondern auch als Zeitungsverleger.

Neben dem Evening Post Building steht das interessante **New York County Lawyers Association Building** mit seiner dreigegliederten Fassade. Es wurde 1930 von Cass Gilbert errichtet und gehört zu seinen schlichteren Werken – wie man im Vergleich mit dem U.S. Custom House [s. Nr. 6] und dem Woolworth Building [s. Nr. 22] feststellen kann.

22 Woolworth Building

»Kathedrale des Kommerzes« befand ein Geistlicher, doch für die New Yorker ist es das »schönste kommerzielle Gebäude der Welt«.

233 Broadway
Subway 2, 3 Park Place, Subway 4, 5 Fulton Street, Subway E World Trade Center, Bus M1, M6, M15, M22, M103, B51

Als Frank Winfield Woolworth 1879 in Utica New York sein erstes Geschäft gründete, führte er keine Ware, die teurer als fünf Cent war. Seltsamerweise kam er damit nicht an, der Laden ging ein. Beim zweiten Anlauf hatte er mehr Glück, vielleicht, weil er die Preise erhöhte. Nun gab es Waren für fünf und zehn Cent: Der ›Nickel and Dime Store‹ war geboren und wurde ein Welterfolg. 1913 besaß F. W.

Das neogotisch gestaltete Woolworth Building ist eines der schönsten Gebäude New Yorks ▷

Seit 1883 gelangt man über die Brooklyn Bridge von Brooklyn nach Manhattan, dessen Hochhäuser hier eine schöne Kulisse bieten

Woolworth so viel Geld, dass er sich in New York ein neogotisches Geschäftshaus erbauen lassen konnte, einen wahren Palast, üppig genug, um seine Person, seine Kaufhäuser und seine Erfolgsstory zu glorifizieren. In der dreistöckigen **Eingangshalle**, die eine blau, grün und golden schimmernde Mosaikdecke überspannt ist er zu sehen: Er sitzt unter der Balkonbrüstung, karikiert als Gnom, der seine 5-Cent-Stücke zählt. Ihm gegenüber hält der ebenfalls in Stein verewigte Baumeister Cass Gilbert ein Modell des 241 m hohen Woolworth Building im Arm, das immerhin bis 1930 das höchste Gebäude der Welt war.

23 Brooklyn Bridge

Diese prachtvolle Hängebrücke verbindet Manhattan und Brooklyn.

Zwischen Park Row in Manhattan und Adams Street in Brooklyn Subway 4, 5, 6 Brooklyn Bridge – City Hall, Subway J, M, Z Chambers Street, Subway A, C High Street, Bus M9, M15, M22, M103, B51

Die Idee kam John A. Roebling, als er im Stau steckte. Staus sahen damals – wir schreiben das Jahr 1853 – noch etwas anders aus als heute, sie wirkten aber sicher nicht minder nervtötend, und dieser spezielle war ob der Kälte besonders unangenehm. Roebling steckte nämlich mit der Fähre zwischen Eisschollen auf dem East River fest. Dass ihm in dieser Situation die Idee kam, das *Verkehrsproblem*

zwischen Manhattan und Brooklyn durch den Bau einer Brücke zu lösen, war naheliegend. **Johann Augustus Roebling** hatte am Königlichen Polytechnikum in Berlin studiert und als Ingenieur abgeschlossen. 1831 war er ausgewandert und hatte sich zunächst als Farmer in Pennsylvania niedergelassen. Ziemlich bald realisierte er, dass ihm die Technik näher lag als die Scholle, und damit begann seine Erfolgsstory: 1841 gründete er die erste Drahtseilfabrik Amerikas, fünf Jahre später baute er seine erste *Hängebrücke*. Er wurde bekannt und ein gesuchter Ingenieur, war an Projekten wie der Brücke über die Ohio und der Eisenbahnbrücke über die Niagara-Schlucht beteiligt.

Nach jenem Stau entwickelte sich die Brooklyn Bridge für ihn zur fixen Idee: »das größte Ingenieurwerk des Kontinents und des Zeitalters« wollte er schaf-fen, die höchste und längste Hängebrücke der Welt. 16 Jahre dauerte es, bis seine Pläne genehmigt waren, und als es endlich soweit war und er einen Platz für die Brückenpfeiler suchte, zerquetschte ihm ein von einer Fähre verschobener Steg den Fuß. Zwei Zehen mussten amputiert werden, binnen drei Wochen starb er an Wundstarrkrampf – erster von 27 Toten, die der Brückenbau forderte.

Sein Sohn Washington übernahm die Leitung des Projekts. Er war kurz vor dem Tod des Vaters aus Europa zurückgekommen, wo er mit seiner Frau Emily die Caisson-Technik studiert hatte. **Caissons** sind Kästen ohne Boden, die unter Wasser versenkt und tief verankert werden, um als Fundamente für Brückentürme zu dienen. Pressluft verhindert das Eindringen von Wasser in die Kästen. Die Roeblings arbeiteten mit den größten Cais-

Den City Hall Park schmückt die Jacob Wrey Mould Fountain (1871), rechts lugt das Municipal Building (1914) über das Grün

sons, die jemals benutzt worden waren, jeder hatte die Ausmaße eines Fußballfeldes. Dort unten standen die Arbeiter – Einwanderer aus Irland, Italien und Deutschland – und gruben sich mit Stemmeisen und Spitzhacken Zentimeter um Zentimeter in den Flussgrund. Die Arbeitsbedingungen waren grauenvoll. Das Atmen und Sprechen in den Pressluftkammern fiel schwer, die Hitze war unerträglich. Knapp drei Jahre nach Baubeginn trat unter den Arbeitern eine seltsame Krankheit auf, sie litten unter Schwindel, Muskel- und Gelenkschmerzen, einige starben. Die Ärzte waren ratlos, verordneten mehr Schlaf und warme Kleidung. Heute weiß man, dass es sich um die *Caissonkrankheit* handelte, die auftritt, wenn Menschen Überdruckkammern zu schnell verlassen.

Auch Roebling erkrankte. Nach einem zweiten Zusammenbruch blieb er gelähmt und litt unter rasenden Schmerzen, die er nur mit Morphium bekämpfen konnte. Doch seine Brücke gab er nicht auf. Zehn Jahre lang saß er im Rollstuhl am Fenster seines Hauses in Brooklyn und beobachtete mit dem Fernrohr den Fortgang der Arbeiten. Dass diese in seinem Sinne vorangehen konnten, ist seiner Frau Emily zu verdanken. Sie übernahm die Leitung der gigantischen Baustelle, sorgte dafür, dass die Qualitätsansprüche der Roeblings erfüllt wurden, wandte Intrigen ab, vermittelte, verhandelte. Sie führte ein Werk zu Ende, das in jeder Phase eine **Pioniertat** war, ob unter Wasser oder in der Höhe, wo tonnenschwere Kabel gespannt und verlegt werden mussten.

Das Fest, mit dem die Brücke am **24. Mai 1883** eröffnet wurde, muss grandios und der Bedeutung der Brücke als ›achtem Weltwunder‹ angemessen gewesen sein. Schon am ersten Tag spazierten 150 000 Menschen über die Brückenpromenade, und als der Zirkusmann Barnum wenig später 21 Elefanten hinübertrampeln ließ, waren auch Skeptiker von der Haltbarkeit der Brooklyn Bridge überzeugt. Dass sie Jahre später die Umstellung auf die Massenmotorisierung – heute fahren etwa 103 000 Autos pro Tag über die Brücke – genausogut verkraftete wie die Elefantenherde, ist eine posthume Bestätigung der großartigen Leistung der Familie Roebling.

24 Sun Building

Das erste große Warenhaus Amerikas ist ein schmucker italienischer Marmorpalast.

280 Broadway
Subway R, W City Hall, Subway A, C
Chambers Street, Subway J, M, Z
Chambers Street – Brooklyn Bridge,
Bus M1, M6, M22

Eigentlich müssten Bloomingdale's und Macy's ihm ein Denkmal setzen: A. T. Stewart hat hier, Ecke Chambers Street und Broadway, das erste große **Warenhaus** Amerikas eröffnet. Das Gebäude wurde 1846 nach Plänen der Architekten Trench & Snook im Stil eines italienischen Palazzo und ganz aus weißem Marmor gebaut. Daher nannte man diesen **A. T. Stewart Dry Goods Store** auch ›Marble Palace‹. Stewart war mit seinem Geschäft so erfolgreich, dass er bald expandierte und schließlich 1876 als zweitreichster Mann

Amerikas starb. Die ›Dry Goods‹, mit denen er sein Vermögen machte, sind übrigens Textilien. Das Gebäude wurde 1917 von der Zeitung ›New York Sun‹ aufgekauft, die ihm seinen heutigen Namen gab. Die hübsche Uhr an der Ecke Broadway und Chambers Street stammt aus dieser Ära.

25 Civic Center

Regierung, Verwaltung und Justiz: Alle Macht geht vom Civic Center aus.

Zwischen Brooklyn Bridge, Foley Square, Broadway und City Hall Park Subway R, W City Hall, Subway 4, 5, 6 Brooklyn Bridge – City Hall, Subway J, M, Z Chambers Street – Brooklyn Bridge, Bus M1, M6, M15, M22, M103, B51

Der **City Hall Park** war im 18. Jh. der ›Common‹, eine freie Rasenfläche, die allen gehörte und zum Weiden des Viehs, für

Versammlungen und militärische Übungen genutzt wurde. Schon damals standen hier öffentliche Gebäude wie Gefängnis, Pulverturm, Armenhaus und der Galgen. Wo heute der **Foley Square** liegt, befand sich einst ein Teich, der 1811 trockengelegt wurde. Zwischen Park und Platz spielt sich heute das politische Leben New Yorks ab.

Einen Spaziergang zu den wichtigsten Gebäuden (von Süden nach Norden) beginnt man am besten bei der **City Hall** (City Hall Park, Tel. 212/788 26 56, www. nyc.gov, Besichtigung nur nach Reservierung etwa einen Monat im Voraus), dem **Rathaus** New Yorks. Sie ist einer der elegantesten Bauten New Yorks. Als die Stadt Anfang des 19. Jh. nach Norden expandierte, zog das Rathaus mit. Der alte Bau an der Wall Street wurde abgerissen, für die dritte City Hall in der Geschichte New Yorks wählte man den Common als Baugrund. Den Architektenwettbewerb und die damit verbundenen 350 Dollar

Die elegante City Hall mit ihrer schmucken, von Justitia bekrönten Kuppel

gewannen Joseph F. Mangin und John McComb Jr., ein Franzose und ein Schotte, die beide länderspezifische Ansätze einbrachten. So vereint die City Hall (1812) Anklänge der französischen Renaissance und des englischen Georgian Style. Nicht belegt ist, von wem die Idee stammt, bei der Ausgestaltung der Nordseite zu sparen: Während die Frontpassage mit Marmor verkleidet wurde, verwendete man für die Nordseite nur billigen Backstein. Argument der Bauherren: »Es werden doch nur ein paar Dorftrottel im Norden wohnen; darum (…) einfache Ziegel nach hinten.« Bei der Restaurierung 1956 nach Plänen von Shreve, Lamb & Harmon widerfuhr dem Norden endlich Gerechtigkeit: Das ganze Gebäude wurde in Alabama-Kalkstein gekleidet. Bei der Besichtigungstour lohnt besonders der Blick in die **Lobby**, eine *Rotunda* mit Kuppeldach und einem prächtigen freitragenden Marmortreppen-Aufgang, der zu einer Galerie mit korinthischen Säulen führt. Von dort gelangt man in den *Governor's Room*, in dem historische Möbel und Porträts von wichtigen Staatsmännern ausgestellt sind.

In Richtung Norden kommt man zum schmucken viktorianischen **Old New York County Courthouse**, auch **Tweed Courthouse** (52 Chambers Street, Tel. 212/788 26 56, Besichtigung nur nach Reservierung etwa einen Monat im Voraus), das 1861–81 nach Plänen von John Kellum und Leopold Eidlitz erbaut wurde. Benannt ist es nach dem Politiker William M. Tweed, der bei dem Bau 10–14 Mio. Dollar öffentlicher Gelder in seine eigene Tasche wirtschaftete. Auch hier lohnt sich der Blick in die Eingangshalle.

Surrogate's Court/Hall of Records (31 Chambers Street) ist ein prächtiger Beaux Arts-Bau, der 1899–1911 nach Entwürfen der Architekten John R. Thomas und Horgan & Slattery entstand: Acht korinthische Säulen dominieren die Fassade, Skulpturengruppen und Statuen setzen dramatische Akzente. Die großartige *Eingangshalle* erinnert an die Pariser Oper, auch wenn sie bescheidenere Ausmaße hat. Der Gebäudeinhalt ist da nüchterner: Neben dem Stadtarchiv ist hier das Nachlassgericht untergebracht.

Eine architektonisch gute Lösung wurde für das **Municipal Building** (Centre

Street bei der Chambers Street) gefunden: Der 1914 von McKim, Mead & White gestaltete, mächtige Bau erdrückt die niedrigere City Hall nicht, sondern bildet einen interessanten Kontrastpunkt zu dem eleganten Rathaus.

Das 1936 erbaute **United States Courthouse** (40 Centre Street) mit seiner wuchtigen Säulenhalle trägt eine goldene Pyramide. Sie ist ein Markenzeichen der Architekten Cass Gilbert und Cass Gilbert Jr. Hier werden Angelegenheiten auf Bundesgerichtsebene verhandelt.

Das sechseckige **New York County Courthouse** (60 Centre Street) wurde 1926 fertiggestellt. Sein mächtiger Portikus mit korinthischen Säulen gereicht dem Gebäude nicht gerade zum Vorteil, aber der Entwurf von Guy Lowell ging als Sieger aus einem Wettbewerb von 1912 hervor. Die Justiz heischt Respekt, auch wenn hier nur ›niedere Gerichtsbarkeit‹ stattfindet.

Am **Criminal Courts Building** (100 Centre Street), das 1939 nach Plänen von Harvey W. Corbett und Charles B. Meyers im Art déco-Stil entstand, ist es vor allem nachts interessant, wenn hier Recht gesprochen bzw. entschieden wird, ob von der Polizei festgesetzte Übeltäter in eine Zelle müssen oder mit einer Verwarnung davon kommen. Die Sitzungen sind öffentlich.

26 Tribeca

Das Goldene Dreieck der Meisterköche.

Zwischen Canal Street, West Street, West Broadway und Chambers Street Subway 1, 2, 3 Chambers Street, Subway 1, A, C, E Canal Street, Bus M20

Das Kürzel Tribeca steht für ›**Tri**angel **be**low **Ca**nal Street‹ (Dreieck unterhalb der Canal Street). Der Erfinder dieser Abkürzung war ein cleverer Immobilienmakler, der Mitte der 1970er-Jahre vorausahnte, dass in den sich leerenden Markt-, Fabrik- und Lagerhallen eine ähnliche Entwicklung einsetzen würde wie in SoHo. Außerdem fand er den Namen ›Tribeca‹ schicker und verkaufsfördernder als ›Lower West Side‹.

Mit beiden Annahmen behielt er Recht. **Künstler**, die sich SoHo nicht mehr leisten konnten, zogen schon in den 1980er-Jahren nach Tribeca, wo sie ähnlich gute Arbeitsbedingungen vorfanden: Die großen Hallen eigneten sich hervorragend als Proberäume, Ateliers oder Studios. Und als die Künstler sich hier niedergelassen hatten, wurde Tribeca schick und zog bald auch Spitzenköche an, die hier Manhattans Gourmettempel eröffneten. Heute hat sich die Szene zwar nach Midtown verlagert,

Der Tribeca Grill bietet gute Steaks und guten Wein in stimmungsvoller Atmosphäre

doch einige der guten Häuser sind geblieben. Dazu gehören das **Odeon** (145 West Broadway, Tel. 212/233 05 07, www.theodeonrestaurant.com), das erste Restaurant, das sich 1980 in diese Gegend wagte, das **Chanterelle** (2 Harrison Street, Tel. 212/966 69 60, www.chanterellenyc.com) und der **Tribeca Grill** (375 Greenwich Street, Tel. 212/941 39 00, www.myriad restaurantgroup.com). Einer der Besitzer des Tribeca Grill ist der Schauspieler Robert de Niro. Das Restaurant ist ein Magnet für Künstler und Models: wenige Arrivierte und viele, die hoffen, hier entdeckt zu werden.

Robert de Niro ist auch einer der Begründer des erfolgreichen **Tribeca Film Festival** (www.tribecafilmfestival.org), das seit 2002 jeweils im Frühling Cineasten aus aller Welt anlockt. Gegründet wurde es als Reaktion auf die Anschläge vom 11. September 2001 und hat sich seitdem zu einem der erfolgreichsten Filmfestivals der Welt entwickelt.

Architektonisch ist Tribeca nicht so geschlossen wie SoHo. Dennoch lassen sich bei einem Bummel durch die Seitenstraßen interessante Bauten entdecken: Alte Warenhäuser, Backsteinlager, Gusseisenkonstruktionen, Relikte aus dem frühen 19. Jh. Besonders interessant sind die Harrison Street Houses, zweigeschossige Wohnhäuser aus dem 18. und frühen 19. Jh., die zum Großteil von der Washington Street hierher transportiert und restauriert wurden.

27 Chinatown

Die größte chinesische Siedlung außerhalb Asiens.

www.explorechinatown.com
Subway 6, J, M, Z, N, Q, R, W Canal Street, Bus M22, M103, B51

Ursprünglich nahm Chinatown das Gebiet zwischen den Straßen Canal, Baxter,

Etwas grüner Tee gefällig? Die Auswahl ist groß und kommt direkt aus dem Mutterland des Tees

Worth, Park und Bowery ein. Diese alten Grenzen sind heute allerdings nicht mehr gültig, Chinatown wächst und wächst. Little Italy hat es schon fast verschlungen, an der Grenze zu SoHo ist es bereits angekommen und auch nach Osten dehnt es sich aus. Wo einst die jüdische Gemeinde der Lower East Side lebte, bedecken nun chinesische Schriftzeichen die Wände, tauchen Pagoden und Löwenstatuen auf, ziehen Restaurants und Imbissstuben ein.

Entstanden ist Chinatown Ende der 1870er-Jahre als eine reine Männerstadt [s. S. 50]. Heute ist sie mit rund 200 000 Einwohnern die größte chinesische Siedlung außerhalb Asiens. Das Zentrum des Viertels bildet der zum asiatischen Garten umgestaltete **Columbus Park**. Den alten Pavillon zieren goldene Drachen, hier treffen sich Chinesen zum allmorgendlichen Tai Chi, Männer sitzen über ihre Brettspiele gebeugt, Wahrsagerinnen bieten ihre Dienste an.

◁ *Auch an den Laternen erkennt man, dass man hier in Chinatown ist*

Das Museum of Chinese in America zeigt historische Fotos, Instrumente, Kleidungsstücke und andere interessante Objekte zur Geschichte der chinesischen Einwanderer in den USA

Chinatown – Zuflucht im Osten

Als P. T. Barnum 1841 am Broadway sein ›American Museum‹ eröffnete, zeigte er neben Zwergen und anderen Außergewöhnlichkeiten auch einen Chinesen – damals noch eine bestaunenswerte Attraktion. Die **Masseneinwanderung** der Chinesen in die USA setzte erst Mitte des 19. Jh. ein und tangierte die Bewohner der Ostküste am Anfang überhaupt nicht – der Osten hatte sich seine billigen Arbeitskräfte immer aus Europa geholt. Die ersten Chinesen kamen nach Kalifornien. Sie schufteten für einen Hungerlohn in den nach dem Goldrausch entstandenen Minen und bauten die Eisenbahn.

Die Schwierigkeiten begannen in den 1870er-Jahren. Je zahlreicher die Chinesen wurden – 1880 stellten sie fast ein Zehntel der kalifornischen Bevölkerung dar – und je schwieriger sich die wirtschaftliche Situation des Landes gestaltete, desto größeren Feindseligkeiten sahen sich die Asiaten ausgesetzt. Sie wurden misshandelt, verloren die Arbeit und ihren Besitz. Die antichinesische Stimmung war so aufgeheizt, dass 1882 von der US-Regierung ein Gesetz erlassen wurde, das chinesischen Arbeitern die Einreise verbot. Dieses Gesetz wurde erst 1943 gelockert. Diejenigen, die schon im Lande waren, zogen auf der Suche nach Arbeit, nach dem Schutz einer Gemeinschaft nach Osten. So entstanden die **Chinatowns** in den Städten an der Ostküste. Wie schnell sie wuchsen, zeigen die Zahlen aus New York: 1870 lebten 29 Chinesen in dem Teil der Lower East Side, der später Chinatown genannt wurde, 1890 waren es schon 3000, eine autarke Gemeinschaft, isoliert vom weißen New York durch ihre Sprache, ihre Religion und die Angst vor der Außenwelt. Chinatown war eine reine **Männerstadt** – noch 1965, als hier bereits 20 000 Menschen lebten, war die Zahl der Frauen gering. Organisationen bildeten sich, die das soziale und wirtschaftliche Leben regelten und den Männern ohne Familie Halt gaben.

Eine neue Fluchtwelle setzte nach der Ankündigung Großbritanniens ein, Hongkong 1997 an China zurückzugeben. Chinatown wuchs weiter. Heute leben hier rund 200 000 Asiaten. Über die bewegende Geschichte von Chinatown und seinen Bewohnern informiert das **Museum of Chinese in America** (70 Mulberry Street, 2. Stock, (211–215 Centre Street), Tel. 212/619 47 85, www.mocanyc.org, Di–Sa 12–18 Uhr).

Chinatown präsentiert sich als **exotische Welt** mit vielen Geschäften und Verkaufsständen in engen Straßen, auf denen sich Früchte und Gemüse, Fische, Krabben, Muscheln türmen, mit schmalen Restaurants, in deren Fenster rot gebeizte Enten hängen. Unter den Menschen, die in fremdartigem Singsang aufeinander einreden, fühlt man sich wie auf einem anderen Kontinent. Wäre da nicht die Spitze des Empire State Building, die nachts über den Dächern leuchtet, man könnte sich in Hongkong oder Taipeh glauben.

Ob Fremde oder Manhattanites, wer hierher kommt, will die Einkaufsmöglichkeiten nutzen – Tee, Ginseng, Möbel, Porzellan, Kleinkitsch made in China. Oder man will die Köstlichkeiten der chinesischen Küche genießen. Chinatown bietet Hunderte von Restaurants, meist kleine, immer volle Familienbetriebe, die in schlichtem Ambiente Köstlichkeiten aus den chinesischen Provinzen servieren.

An Samstagen muss man mit langen Schlangen vor den beliebtesten Restaurants rechnen, Vorbestellungen werden nicht angenommen. Auch am Sonntag Vormittag ist es recht voll: Da pilgern die New Yorker zum **Dim Sum Brunch** nach Chinatown. Dim Sum wird in großen Hallen serviert; die Kellner kommen mit Wägelchen vorbei, auf denen verschiedene Speisen stehen. Man nimmt, was

Die Märkte von Chinatown sind berühmt für ihre frischen, exotischen Zutaten, doch auch Gurken kann man hier erstehen

man will – bezahlt wird nach der Anzahl und Art der Teller, die man vor sich aufgestapelt hat. Was die Preise betrifft, so sind sie noch immer reell in Chinatown, und das ist sicher auch mit ein Grund, warum sich die Gegend so großer Beliebtheit bei Touristen und Einheimischen erfreut.

Zum Chinesischen Neujahrsfest machen riesige Drachen die Straßen von Chinatown unsicher

Von SoHo bis zur 30th Street

»Die Rolle des Künstlers in New York besteht darin, dass er ein Viertel so attraktiv macht, dass es sich die Künstler nicht mehr leisten können, dort zu leben.« Dieser Satz von Ed Koch, Ex-Bürgermeister von New York, kann als Leitmotiv für den Spaziergang durch SoHo, die Villages und Chelsea dienen. Beginnend mit **Greenwich Village**, wo die Boheme in den 1920er-Jahren fröhliche Urstände feierte, wurden die Stadtviertel nördlich von Canal Street nach ihrem Niedergang allesamt von Künstlern als billige Quartiere entdeckt und zu neuem Leben erweckt. Mit dem Effekt, dass die alte Bausubstanz in den Wohn- und Gewerbegebieten erhalten blieb und heute weite Teile unter Ensembleschutz stehen. Als Greenwich Village zu teuer wurde, lenkten die jungen Kreativen ihre Schritte nach **SoHo**, **Tribeca** und ins **East Village**. SoHo ist heute fest in der Hand von Designerläden und edlen Restaurants und so hat sich das Galerieviertel Manhattans ins westliche **Chelsea** verlagert.

28 SoHo

Vom Künstlerviertel zum Einkaufszentrum.

Subway N, R, W Prince Street, Subway A, C, E Canal Street, Bus M1, M5, M6, M21

Gegen Mitte der 1960er-Jahre begann der wirtschaftliche Aufstieg von SoHo, das bis dahin ein Viertel der verlassenen Lagerhallen war. Für diesen Ruck sind vier große Uptown-Galeristen – Leo Castelli (1907–1999), Andre Emmerich, John Weber und Ileana Sonnabend (1914–2007) verantwortlich. Sie hatten am West Broadway ein Gebäude gekauft – in der Absicht, Kunst dort anzubieten, wo sie produziert wurde, nämlich ›South of Houston Street‹. Dieses Viertel war in den 1960er-Jahren zunehmend für junge, noch nicht arrivierte **Künstler** attraktiv geworden, die die Mieten in Chelsea und Greenwich Village nicht mehr zahlen konnten und in den ›Lofts‹, den Lagerhallen der ehemaligen Fabrikgebäude, ideale Räumlichkeiten für Ateliers und Studios vorfanden.

Nachdem SoHo von den **Uptown-Galeristen** entdeckt worden war, setzte langsam, aber stetig ein Prozess ein, der seit Ende der 1990er-Jahre abgeschlossen ist und im Amerikanischen mit dem Ausdruck **Gentrification** beschrieben wird, was nichts anderes bedeutet, als dass sich eine ehemalige Schmuddelecke in ein teures, schickes Viertel verwandelt. Diesen Prozess leiten, wie am Fall SoHo exemplarisch zu sehen ist, in der Regel die Künstler ein, ihnen folgen die Galeristen, in deren Schlepptau sich exklusive Geschäfte, Boutiquen, Restaurants sowie angesagte Jazz- und Rockklubs ansiedeln. Dann kommen die Immobilienhändler und vermarkten das ›Künstlerviertel‹. Nun ziehen all jene zu, die den Wert einer kreativen Adresse zu schätzen wissen und die Nähe zur Boheme suchen: Banker, Werbefirmen, Zahnärzte und Rechtsanwälte. Zu diesem Zeitpunkt gibt es dann eine ›Szene‹, aber die Künstler sind bereits in das nächste Viertel weitergezogen, denn nur noch die Arrivierten können sich die ständig steigenden Mieten leisten.

SoHos mittellose Kreative suchten sich bereits in den 1970er-Jahren eine neue Bleibe, sie wichen nach Tribeca [s. Nr. 26] aus. Nachdem auch dort die Gentrifi-

◁ *Oben: Auf den Straßen von Soho kann man sich eleganten Schmuck kaufen und anschließend zum Rendez-vous verabreden*
Unten: *Zum Beispiel auf einen Kaffee beim gemütlichen Bäcker Le Pain Quotidien*

cation begann, zogen sie in den 1980er-Jahren in die Lower East Side [s. Nr. 31], machten auch dieses Viertel gesellschaftsfähig und damit für ihresgleichen ebenfalls unbezahlbar.

In der zweiten Hälfte der 1990er-Jahre erreichte die Gentrification ihren Höhepunkt und Abschluss. New York boomte, der Stadt ging es so gut wie nie, Touristen kamen zu Hauf und das hübsche SoHo wandelte sich zum großen Einkaufszentrum. Jeder Designer, der etwas auf sich hält, ist hier vertreten, überall regiert der Konsum, die Kunst spielt nur noch eine Statistenrolle. Die ernst zu nehmenden Galeristen zogen ihre Konsequenzen: Pat Hearn war die erste, die SoHo verließ, Ende der 1990er-Jahre gingen dann auch Castelli und Sonnabend.

Dass Kunst und Kommerz sich befruchten können, zeigt der von Stararchitekt Rem Koolhaas gestaltete **Prada-Flagship-Store** (575 Broadway.) Interessant ist auch das **Museum of Comic and Cartoon Art** (594 Broadway, Suite 401 (4. Etage), zwischen Houston und Prince Street, Tel. 212/254 35 11, www.moccany.org, Di–Sa 12–17, Do 12–18 Uhr), das thematisch breit gefächerte Wechselausstellungen vom klassischen Cartoon über Anime und Webcomics bis hin zu Superheldenmonstern bietet.

Auch sonst kann man SoHo sehr gut genießen, ist es doch eine der hübschesten Gegenden Manhattans. Große Teile des Viertels stehen unter Ensembleschutz, denn nirgends findet man schönere *Cast Iron Bauten*. Besonders empfehlenswert ist ein Spaziergang durch die **Greene Street** und die **Broome Street**. Anschließend kann man einen Blick auf das 1904 erbaute **Little Singer Building** (561 Broadway) werfen, das durch seine ausgefallene Fassade mit Glas- und Terracotta-Elementen fasziniert. Die Pläne zu dem Art Nouveau-Bau stammen von Ernest Flagg. Ebenfalls ein ›Muss‹ in dieser Gegend ist das **Haughwout Building** (487 Broadway), das 1857 nach Entwürfen von John P. Gaynor errichtet wurde. Es gilt als ›Parthenon der Cast Iron-Architektur in Amerika‹. Die *Fassade* orientiert sich an den Werten der Alten Welt – korinthische Halbsäulen rahmen die Fenster, palladianische Bogen ziehen sich über vier Stockwerke. Im *Inneren* hingegen wurde von Elisha Graves Otis ein zukunftweisendes Gerät installiert: der erste sichere Personenaufzug der Welt, damals noch dampfgetrieben.

Marmor, Stein und Eisen bricht

Ganz SoHo ist aus Eisen gebaut. Wer's nicht glaubt, sollte sich eine Stelle suchen, an der die Farbe abgeblättert ist und sich selbst überzeugen. Was sich hier als Marmor, Ziegel oder Sandstein geriert, ist **Gusseisen**. Folgerichtig heißen die 26 Blöcke, die zwischen West Broadway und Crosby Street, zwischen Canal/Howard Street und West Houston Street unter Ensembleschutz gestellt wurden, denn auch **Cast Iron Historic District**.

Gusseisen wurde im 19. Jh. als Baumaterial populär; die Technik, vorfabrizierte Teile miteinander zu verbinden, ermöglichte es, große Flächen zu überspannen, und eignete sich so besonders zum Bau von Brücken, Bahnhöfen, aber auch Fabriken und Lagerhallen. Gusseisen hatte außerdem noch einen Vorteil: Es brannte nicht so schnell. Die New Yorker, die nach zwei großen Feuern innerhalb von nur zehn Jahren (1835 und 1845) gebrannte Kinder waren, wussten dies zu schätzen.

So kam es, dass die **Fabrikanten**, die in den 1860er-Jahren in das Viertel South of Houston zogen und dort Manufakturen, Textilfabriken, Lager- und Fabrikationshallen bauten, sich der neuen Technik bedienten, die es zudem erlaubte, Gebäude sehr viel schneller und billiger zu errichten, als dies in herkömmlicher Bauweise möglich gewesen wäre. Auch ästhetisch ergaben sich neue Spielformen: Gusseisen war bestens dazu geeignet, dekorative Elemente in Serie auszuführen. Die unendliche Wiederholungsmöglichkeit einer Form birgt ebenfalls ihre Reize.

Der **Gusseisen-Bauboom** dauerte nur etwa 30 Jahre. 1890 war man technisch so weit, sich an die Konstruktion der ersten Hochhäuser mit Stahlskelettrahmen zu wagen, Gusseisen gehörte so zu sagen zum alten Eisen. Auch die Blütezeit SoHos ging vorbei. Schon in den 1920er-Jahren begann der Verfall der Gegend, der erst rund 50 Jahre später durch den Zuzug der Künstler aufgehalten wurde.

Kaum kratzt man in SoHo an der Fassade, schon kommt Gusseisen zum Vorschein

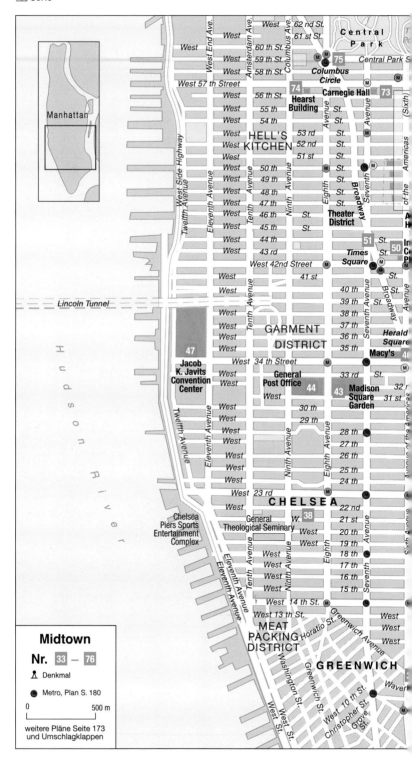

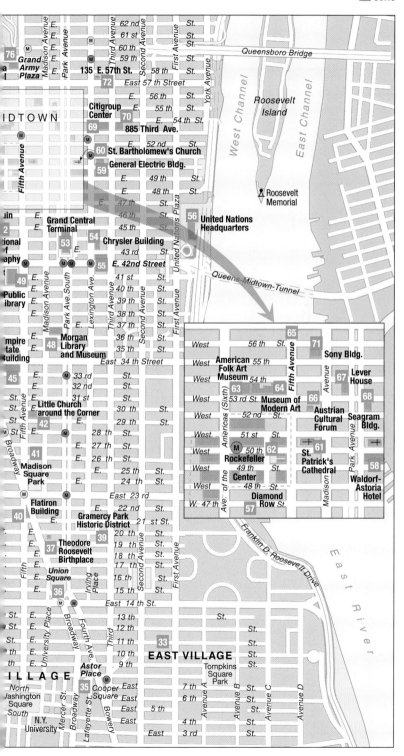

29 Little Italy/Nolita

Das italienische Viertel ist heute vor allem wegen seinem Essen beliebt.

In Mullberry Street und Grand Street
Subway J, M, Z Bowery, Subway 6
Spring Street, Subway B, D Grand
Street, Bus M1, M103

Es ist kein Zufall, dass der Heilige, der im September in Little Italy eine Woche lang gefeiert wird, San Gennaro heißt und aus Neapel kommt: Die meisten **Italiener**, die Ende des 19. Jh. nach Amerika auswanderten, stammten aus Südialien und konnten den Schutz eines so mächtigen Mannes wie des Bischofs Gennaro von Benevent, der 304 wegen seines Glaubens enthauptet wurde, gut gebrauchen. Sie waren zwar »Hunger, Krieg, Pest und dem Feuer des Vesuv entgangen« – für diese Bereiche war San Gennaro zu Hause zuständig –, doch die Zustände, die sie in New York erwarteten, fielen durchaus auch in den Schutzbereich eines Heiligen. Harte, schlecht bezahlte Arbeit – die Männer bauten Straßen und die Kanalisation der Stadt, die Frauen waren in der Textilindustrie beschäftigt – und grauenvolle Wohnbedingungen. Um 1900 lebten in 27 Häuserblöcken um Mulberry Street 40 000 Menschen.

Heute sind in Little Italy kaum mehr Italiener zu Hause. Bereits nach dem Zweiten Weltkrieg fand die **Abwanderung** in die Vororte statt, nur die Alten blieben ihrem angestammten Viertel treu. Chinatown expandierte ungebremst im südlichen Teil von Little Italy, und selbst an der Mulberry Street reihen sich die chinesischen Lokale. Nur während des Festes des hl. Gennaro ist die Straße wieder fest in italienischer Hand.

Der Norden hingegen hat eine interessante Entwicklung genommen und sich als **Nolita** (North of Little Italy) einen eigenständigen Namen gemacht. Oberhalb der Spring Street haben sich vor allem an der Elizabeth Street und der Mott Street Designer niedergelassen, die kreative und ausgefallene Ideen verwirklichen. Hier findet man auch eine Reihe guter Restaurants und Bars.

Innerhalb der Grenzen des ehemaligen Little Italy liegen einige interessante Bauten: Das eindrucksvolle einstige Polizeihauptquartier **N.Y.C. Police Headquarters** (240 Centre Street) wurde 1909 nach Plänen der Architekten Hoppin & Koen im französischen Neo-Renaissancestil errichtet. Das Haus nimmt den gesamten Block zwischen Grand/Centre/Broome Street und Centre Market Place ein. Seit 1988 ist es ein Apartmenthaus.

In der prachtvollen **Bowery Savings Bank** (130 Bowery), 1894 nach Plänen von McKim, Mead & White erbaut, finden mittlerweile exklusive Veranstaltungen (Tel. 212/334 55 00, www.capitaleny.com) für die Reichen New Yorks statt, sie kann also leider nicht besichtigt werden.

Frei zugänglich ist dagegen die **Old Saint Patrick's Cathedral** (260–264 Mulberry Street, www.oldsaintpatricks.org). Sie wurde 1815 nach Plänen von Joseph Mangin errichtet. Nach einem Brand erfolgte 1868 die Restaurierung durch Henry Engelbert. Das Gotteshaus ist der Vorgänger der Kathedrale an der Fifth Avenue [s. Nr. 61]. Nach seinem Wiederaufbau wirkt es jedoch eher wie ein »neogotischer Schober als wie eine bedeutende Kathedrale«, so der ›New York Times‹-Journalist Paul Goldberger. Gusseiserne Säulen tragen im großräumigen *Inneren* eine Holzdecke.

30 New Museum of Contemporary Art

Neueste Kunst in einem neuen, originellen Museumsbau.

235 Bowery Street zwischen Stanton und Rivington Street
Tel. 212/219 12 22
www.newmuseum.org
Mi/Sa, So 12–18, Do/Fr 12–20 Uhr
Subway 6 Spring Street, Subway N, R, W Prince Street, Bus M6, M103

Die Adresse Bowery/Prince Street war bislang nur Gastronomen bekannt, denn auf dieser Höhe der Bowery konzentrieren sich die Geschäfte, die Rühr- und Knetmaschinen, riesige Töpfe und vieles mehr bieten, was man in Profiküchen so braucht. Seit der Eröffnung des New Museum of Contemporary Art haben die Köche Gesellschaft bekommen und die Bowery erscheint nun auf der Kunstlandkarte. Der architektonisch ausgefallene Bau der Japaner Sejima und Nishizawa setzt seit 2007 interessante Akzente: Unregelmäßig übereinander gestapelten weißen Schachteln gleich, erhebt sich das siebenstöckige Gebäude über der Bowery Street. Gegründet wurde das New Museum bereits 1977 als erstes seiner Art in New York. Damals wie heute

Mit der Lower East Side dringt die Gentrification [s. S. 53] nun in den Südosten Manhattans vor, ins ehemals jüdische Viertel, von dem aber nur noch wenige Reminiszenzen zeugen. Die jüdische Gemeinde floh Anfang des 20. Jh. aus der bedrängenden Enge des Einwandererviertels nach Norden, wo sie in Harlem eine Heimat fand, 1917 lebten dort und im angrenzenden East Harlem 170 000 Juden. Eine Alternative vor allem für die gut verdienende jüdische Mittel- und Oberschicht bot ab den 1920er-Jahren die Bronx, in der moderne, nach neuestem Standard ausgestattete Häuser entstanden. An die jüdischen Wurzeln des Viertels erinnert das **Museum at Eldridge Street** (12 Eldridge Street, Tel. 212/219 08 88, www.eldridgestreet.org, Do–So 10–16 Uhr) in der *Elridge Street Synagogue*. Bei Führungen lernt man das 1887 errichtete Gotteshaus kennen, dessen Fassade maurische, gotische und romanische Elemente verbindet. Wechselausstellungen bieten Informationen zum jüdischen Leben in den USA.

Die Stelle der Juden nahmen die Neueinwanderer ein, in den letzten Jahrzehnten des 20. Jh. Hispanics und Asiaten. Für die weißen Manhattanites war das Gebiet damals ›no go area‹, allenfalls am Sonntag strömte man in die Orchard Street, wo die Hispanier die Tradition der jüdischen Straßenhändler fortführten und man preiswert einkaufen konnte.

Die Alteingesessenen profitieren von der Wiederbelebung des Viertels, neue Restaurants, Geschäfte und Bars konzentrieren sich vor allem an der Clinton Street und nördlich der Rivington zwischen Allen und Essex Street. Interessant ist dabei, dass Gentrification im beginnenden 21. Jh. nicht mehr von Künstlern eingeleitet wird, statt dessen kommen gleich die Designerhotels, wie das schicke **Hotel on Rivington** (107 Rivington Street, Tel. 212/275 26 00, www.hotelonrivington.com). Beliebte Ziele sind aber auch Restaurants, die noch aus der jüdischen Zeit erhalten blieben, wie **Katz's Delicatessen** (205 East Houston Street, Tel. 212/254 22 46, www. katzdeli.com), bekannt für seine Salami und die dick belegten Pastrami Sandwiches, und **Guss Pickles** (85 Orchard St.), wo es sauer Eingelegtes in allen Variationen gibt. Was sich gerade tut in der bunten Szene erfährt man im **Lower East Side Visitor Center** (261 Broome Street zwischen Orchard und Allen Street, Tel. 212/226 90 10, www.lowereastsideny.com).

Als hätte ein Riese Schuhkartons gestapelt – das New Museum of Contemporary Art

widmet es sich in wechselnden Ausstellungen ausschließlich neuester Kunstproduktion.

31 Lower East Side

Das von Einwanderern geprägte Viertel wird schick.

Zwischen Bowery und Clinton Street, East Houston und Canal Street
Subway F, V Lower East Side, Subway J, M, Z Essex Street, Bus M14, M22, B39

Ganz sicher sind sich die Betroffenen noch nicht, wie sie ihr Viertel vermarkten wollen. Die einen sprechen von Nolita [s. S. 58], was geografisch nicht korrekt ist, aber an einen eingeführten Begriff anknüpft, die anderen nennen sich selbstbewusst LES (Lower East Side) und haben damit einen Markennamen gefunden, der ein Pendant zum East Village bildet.

32 Lower East Side Tenement Museum

Von den schwierigen Lebensumständen der Einwanderer des 19. Jh.

108 Orchard Street
Tel. 212/431 02 33
www.tenement.org
tgl. 11–17 Uhr, Besuch nur im Rahmen von Führungen
Subway B, D Grand Street, Subway F Delancey Street, Subway J, M, Z Essex Street, Bus M15

Das Tenement Museum widmet sich dem Leben derjenigen, die im 19. Jh. die Mehrheit der Stadtbevölkerung stellten: den Hunderttausenden mittellosen Einwanderern, die damals in die Stadt strömten. In den Jahren zwischen 1830 und 1890 erlebte New York eine Bevölkerungsexplosion: Allein in Manhattan stieg die Zahl der Einwohner von rund 200 000 auf 1,4 Mio. an. Die Menschen, die tagtäglich von den Schiffen an Land gingen, kamen aus Europa, wo sie Hunger, politischer Unterdrückung und Verfolgung entflohen waren. Die erste große Einwanderungswelle setzte ab 1845 ein und brachte mehr als eine Million **Iren** in die USA, die ihre Heimat wegen der durch die Kartoffelfäule ausgelösten Hungersnot verlassen hatten. Ab Mitte des 19. Jh. begann dann die Massenimmigration der **Deutschen**, die dritte Einwanderungswelle brachte russische und osteuropäische **Juden**: 1,5 Mio. traten die Reise über den Atlantik an, um den Pogromen zu entfliehen, die nach der Ermordung von Zar Alexander II. im Jahr 1881 stattfanden.

New York war damals der größte Einwandererhafen der USA, aber selbstverständlich blieben nicht alle in der Stadt am Hudson. Wer blieb, und sei es auch nur, weil er zu arm war, um weiterzureisen, lenkte seinen Schritt vom Boot in die Lower East Side. Dort lag das klassische **Einwandererviertel**, dessen Gesicht sich bis ins 20. Jh. hinein immer wieder veränderte, je nachdem welche ethnische Gruppe gerade das Sagen hatte.

Die **Wohnungsnot** schrie zum Himmel, und die Hausbesitzer zogen aus ihr Gewinn. Sie teilten Häuser, Lagerhallen oder Brauereien in kleinste Wohneinheiten, die sie an vielköpfige Familien vermieteten. Mitte des 19. Jh. begannen Spekulanten, unter ihnen die besten und reichsten New Yorker Familien, mit dem Bau von **Tenements**, mehrstöckigen Mietskasernen. Die schmalen, lang gestreckten Gebäude wurden in winzige fensterlose und unbelüftete Wohnungen unterteilt, sanitäre Einrichtungen fehlten, oft mussten sich mehr als 150 Menschen eine einzige Toilette und eine Wasserstelle im Keller oder Hof teilen. ›Railroad Apartments‹, nannte man diese Löcher, weil sie wie Eisenbahnwaggons aneinandergereiht waren.

Erst 1867, nachdem es bereits mehr als 15 000 Tenements gab, wurde ein erstes

Das Tenement Museum zeigt das Apartment der Familie Levine, das zugleich Nähstube war

Kleindeutschland in Amerika

Ihre erste Blüte erlebte die Lower East Side als **Little Germany**. Die Deutschen bildeten die erste große Immigrantengruppe, die sich in Sprache, Kleidung und Gebräuchen vom britisch geprägten New York unterschied und schon deshalb dazu tendierte, sich hier in der Fremde eine eigene kleine Welt aufzubauen. Wobei diese Welt so klein gar nicht war: 1880 zählte die deutsche Gemeinde in New York 370 000 Mitglieder, das entsprach immerhin einem Drittel der Stadtbevölkerung, und Kleindeutschland hätte damit den Rang als viertgrößte Stadt der USA einnehmen können.

Das Zentrum der **deutschen Enklave** lag im Norden der Lower East Side, also unterhalb der 14th Street, und wie es dort in den 1870er-Jahren zuging, beschreibt ein Zeitgenosse: »Kleindeutschland umfasste 400 Häuserblocks, sechs Avenues und vierzig Straßen. Tompkins Square war mehr oder weniger das Zentrum. Die kommerzielle Schlagader war Avenue B, der ›Deutsche Broadway‹. Jeder Keller war eine Werkstadt, in jedem Parterre gab es einen Laden, und die Gehsteige, teils überdacht, dienten als Umschlagplatz für Güter aller Art. Bierhallen, Austernsaloons und Lebensmittelgeschäfte fanden sich in der Avenue A. Die Bowery war die westliche Grenze, doch war sie zugleich auch der Vergnügungs- und Freizeitbezirk. Alle Formen künstlerischer Zerstreuung wurden hier geboten – sei es klassisches Drama oder Puppentheater.«

Einen festen Bestandteil des öffentlichen Lebens stellten die vielen Wirtshäuser, die Bierhallen und Biergärten dar. Ebenso wie die **Gesangs- und Turnvereine**, in denen die Deutschen organisiert waren, dienten sie aber nicht nur dem Amüsement, sondern erfüllten auch noch andere Zwecke: Hier traf man sich, um zu diskutieren und Politik zu machen. Fortschrittliche Politik. Viele der Immigranten hatten Deutschland nach der gescheiterten Revolution von 1848 verlassen, waren politische Flüchtlinge, Freidenker, Intellektuelle. New York war nach 1872 das Zentrum der **Ersten Sozialistischen Internationale**, in der Gewerkschafts- und Arbeiterbewegung gaben deut-

Erste Anlaufstelle zahlreicher mittelloser, meist deutscher Immigranten war im 19. Jh. die Lower East Side

sche und vor allem deutsch-jüdische Sozialisten den Ton an. Mit Recht gelten die Deutschen aus der Lower East Side als die Stammväter des amerikanischen Sozialismus.

Als die Lower East Side zum Schtetl wurde, zogen die deutschen Bewohner verstärkt nach Norden, nach Yorkville. Viele assimilierten sich auch an den englischsprachigen Mainstream. Für diejenigen, die es noch in der Lower East Side gehalten hatte, endete die Geschichte Kleindeutschlands mit einem schrecklichen Unglück: Am 15. Juni 1904 geriet die ›**General Slocum**‹, ein Ausflugsdampfer, auf dem sich 1331 Angehörige der deutsch-lutherischen Gemeinde, hauptsächlich Frauen, Babys und Schulkinder, befanden, auf dem East River in Brand – die Katastrophe kostete mehr als 1000 Leben. Die Hinterbliebenen packten ihre Habe und verließen das Viertel. Viele derer, die nicht einmal mehr dazu die Kraft hatten, sahen nur noch einen Ausweg: In dem Jahr nach dem Unglück nahmen sich rund 100 Menschen in Kleindeutschland das Leben. Eine Statue auf dem Tompkins Square Park erinnert an das Unglück: Sie zeigt ein Mädchen und einen Jungen, die auf einen Dampfer starren. Mehr ist, außer ein paar Inschriften und Namen, nicht geblieben von Kleindeutschland.

Gesetz erlassen, das sanitäre und bauliche Richtlinien vorgab. Das kümmerte die Hausbesitzer in der Regel wenig. 1879 trat dann ein zweites Gesetz in Kraft, das einen engen Luftschacht zwischen aneinandergrenzenden Gebäuden vorschrieb, damit ein Minimum an Luft und Licht in die Wohnungen dringen konnte.

Welche Zustände in den Tenements herrschten, kann die museale Realität nicht verdeutlichen. Ende des 19. Jh. war die Lower East Side der am dichtest besiedelte Slum der Erde, und um die Jahrhundertwende lebten hier allein 1,2 Mio. überwiegend osteuropäische Juden, bettelarm und diskriminiert. Die Menschen schliefen in Verschlägen, auf Außentreppen und in Hinterhöfen, besonders groß war das Elend der Straßenkinder.

Heute bietet das Tenement Museum verschiedene Thementouren an, bei denen man mehr über das Schicksal der einstigen Bewohner erfährt.

33 East Village

Vom Dorf zum Galerieviertel.
Zwischen 3rd Avenue und Avenue D, 14th Street und Houston Street
Subway L 1st Avenue, Subway F, V Lower East Side, Bus M9, M14, M15, M21

Genau genommen gehört das Gebiet zwischen 3rd Avenue und Avenue D, East 14th Street und Houston Street zur Lower East Side, deren nördlicher Teil aber schon seit den späten 1950er-Jahren als East Village bezeichnet wird. Hinter dieser Namensgebung standen Immobilienspekulanten, die hofften, die Gegend durch die Assoziation mit dem Boheme-Viertel West Village attraktiv zu machen.

Tatsächlich waren es auch viele **Künstler**, die sich in den 1950er- und 1960er-Jahren gen Osten wandten, nachdem die Mieten in Greenwich Village für sie nicht mehr bezahlbar waren. *Musiker* und *Literaten* hauptsächlich, denn im Gegensatz zum Gewerbegebiet SoHo gab es im East Village keine großen Hallen, in denen man Studios oder Ateliers einrichten konnte. Platz für eine Schreibmaschine oder ein Redaktionsbüro boten die Wohnungen in den alten roten Ziegelhäusern aber allemal. Auch Theater und Vereinsräume, ein Relikt aus Kleindeutschland, waren vorhanden, ebenso Kneipen und Cafés, die Sängern, Musikern und Literaten Auftrittsmöglichkeiten boten. Hier

lasen die Protagonisten der **Beat Generation** – Allen Ginsberg, Jack Kerouac und William Burroughs – aus ihren Werken, hier traten u. a. John Coltrane, Billie Holiday und Lou Reed auf, hier veranstaltete Andy Warhol seine Performances. Das East Village wurde zum Zentrum der **Avantgarde-Kultur** und nahm damit die Stellung ein, die Greenwich Village in den 1920ern gehabt hatte. Auch politisch. In einer Zeit, in der Senator Joseph R. McCarthy seine Kommunistenhetze betrieb und jeden Intellektuellen zum Staatsfeind erklärte, in den Jahren, in denen die Proteste gegen den Vietnamkrieg artikuliert wurden, bildete das East Village das Sammelbecken der kritischen Geister und Weltverbesserer.

In dieser Zeit bezog auch eine Kirche Stellung und öffnete den Künstlern und Rebellen der Tore die **St. Mark's in the Bowery** (10th Street/2nd Avenue, www.stmarkschurch-in-the-bowery.com). Ausgerechnet in diesem alten Gotteshaus (1660), unter dem der sittenstrenge Peter Stuyvesant seine letzte Ruhe fand, entstand Mitte der 1960er-Jahre das ›St. Mark's Poetry Project‹. Hier hielten die Black Panthers ihre Treffen ab, hier finden noch heute Schwule und Lesben Unterstützung.

Nach den wilden und aktiven Jahren ging es in den 1970er-Jahren mit dem East Village bergab. New York schlitterte in eine wirtschaftliche **Krise**, und statt der Kreativen herrschten nun die Drogenhändler im Dorf. Dass sich die Situation änderte, ist wiederum den Künstlern zu verdanken. In den 1980er-Jahren wurde das East Village als heißestes **Galerieviertel** gehandelt. Die Revitalisierung begann im Westen und schritt dann langsam Block für Block in Richtung Osten vor.

Diese **Revitalisierung** machte das East Village zu einem ethnisch bunt gemischtes Viertel, in dem Ukrainer, Afroamerikaner, Weiße und Hispanier aus verschiedenen Ländern Süd- und Mittelamerikas weitgehend harmonisch zusammenlebten. Es entstand eine Neighborhood im besten Sinn, in der jeder sein Scherflein beitrug, um das Viertel lebenswert zu machen. Kleine Mosaiken an Laternen oder auf dem Pflaster zeugen davon, Wandbilder, liebevoll gepflegte Gärten oder Kunsträume, die in nachbarschaftlicher Zusammenarbeit entstanden und nun das Viertel beleben.

Exemplarisch ist das an der Avenue B zu sehen: An der 6th Street steht eine

Enspannter Spaziergang im East Village – das Yaffa Café ist für sein schrilles Dekor bekannt

große hölzerne Pyramide, von der Figuren und Objekte baumeln – Puppen, bemalte Autoreifen, eine Madonnenskulptur, Flugzeuge und Raketen. Daneben wachsen Tomaten, in den kleinen Beeten sind Kräuter und Blumen angepflanzt, es gibt Sitzgruppen, Vogelhäuschen und eine Ecke für die Kinder.

Solche Gärten entdeckt man überall in den ABCs, ebenso bunte Graffitiwandgemälde, die oftmals an Verstorbene erinnern und gleichzeitig vor Drogenmissbrauch warnen. Die **ABCs** sind die Straßen, die zwischen den Avenues A, B und C liegen und das Zentrum von **Loisaida** bilden. Loisaida, eine spanisch-englische Wortschöpfung, bezeichnet den Teil der Lower East Side, der überwiegend von Hispaniern bewohnt wird. Diese Einwanderergruppe prägte das Viertel in den letzten Jahrzehnten ebenso wie es vormals die Deutschen oder die Juden taten. Beredtes Zeugnis dieser Verwandlung legt die kleine Kirche **San Isidro** ab, auf die man den besten Blick von 5th Street zwischen den Avenues C und D hat. Das ursprünglich russisch-orthodoxe Gotteshaus aus dem Jahr 1895 wirkt heute wie eine mexikanische Dorfkirche: Über der mit bunten Mosaiken verkleideten Fassade thront ein kleiner Turm, davor erstreckt sich ein Garten.

Dass es diesen und die anderen Gärten in der Lower East Side noch gibt, ist dem New York Restoration Project (www.nyrp.org) der Schauspielerin **Bette Midler** zu verdanken, die 1999, als die Grundstücke zum Verkauf standen, teils aus ihrem Privatvermögen, teils aus Spenden anderer New Yorker 4 Mio. Dollar aufbrachte, mit denen 112 Grundstücke als *Nachbarschaftsgärten* gerettet werden konnten. In ganz New York folgten mehrere Initiativen ihrem Beispiel.

Heute geht es dem East Village so gut wie nie. Längst gibt es hier keine Straßen mehr, in denen verfallene Häuser stehen. Entlang *St. Marks Place* liegen ausgefallene Geschäfte, ständig werden neue, schicke Bars und Restaurants eröffnet. Das Nachtleben tobt, vor allem am Wochenende ist der Teufel los.

34 Greenwich Village

»… Gelassenheit, die andernorts in dieser ausgedehnten, schrillen Stadt nicht oft zu finden ist.« Henry James

Zwischen 14th Street und Houston Street, dem Hudson River und der 4th Avenue/Bowery
Subway A, B, C, D, E, F, V, West 4th Street Washington Square, Subway 1, 2, 3 Christopher Street – Sheridan Square, Bus M1, M5, M6, M8, M20, M21

Die Straßen im Village haben es gut: Sie dürfen etwas, was ihren Artgenossen fast überall sonst in Manhattan strikt verboten ist: Sich biegen, kreuzen, schneiden und krümmen, wie sie wollen. Dieses Privileg verdanken sie denjenigen, die sich das Gebiet schon im 18. Jh. zur **Sommerfrische** auserkoren: Wurde es südlich der Wall Street zu heiß, wüteten die sommerlichen Gelbfieber- und Pockenepidemien, zog man aufs Land, ins Village. So kam es, dass dieses Gebiet bereits besiedelt und bebaut war, als die Stadtväter im Jahr 1811 beschlossen, die Insel Manhattan hinauf bis zur 155th Street mit einem rechtwinkligen Straßennetz zu überziehen. Der westliche Teil des Village entkam dieser Nivellierung. Er hatte schon Straßen, und die passten in kein Raster.

Die kleinen baumbestandenen Gassen tragen viel zum Charme des ›Dorfes‹ bei. Fast fühlt man sich mitten in Manhattan nach Europa zurückversetzt: Niedrige Häuser – die Mehrzahl stammt aus dem 19. Jh. –, Ziegel, hübsche Portale, begrünte Vorgärten. Durch und durch menschliche Maße. Henry James fand: »Diese Gegend von New York sieht reifer, reicher, würdiger aus als die oberen Verzweigungen der großen Längsdurchbrüche, sie wirkt, als hätte sich hier Gesellschaftsgeschichte abgespielt.«
Henry James' Großmutter besaß ein Haus am **Washington Square**, dem kleinen Platz, der, wenn auch nicht geografisch, so doch geistig das Zentrum des Village bildet. Im Lauf seiner Geschichte war Washington Square schon alles, was man als Platz sein kann: Farmland – hier wurde im 17. Jh. Tabak angebaut –, Armenfriedhof, Duellierplatz und Hinrichtungsstätte sowie Ort für militärische Übungen. In den 1820er-Jahren säumten die ersten Häuser den Platz. Washington Square galt als gute Adresse, wie man Henry James Beschreibung entnehmen kann, der in seinem Roman ›Washington

Square‹ (1881) übrigens das Haus der Großmutter vor Augen hatte, als er die Residenz des Doktor Sloper beschrieb: »Das Ideal einer ruhigen und vornehmen Behausung bot 1835 der Washington Square, wo sich der Doktor denn auch ein stattliches, modernes Haus baute, mit breiter Front, einem großen Balkon vor den Salonfenstern und einer Flucht weißer Marmorstufen, die zu einem ebenfalls mit weißem Marmor verkleideten Portal emporführten.«

TOP TIPP An der Nordseite des Platzes, wo die Fifth Avenue in den **Washington Square Park** mündet, kann man diese eleganten Häuser (Washington Square North Nr. 1–13 und 19–26) noch sehen. Und auch der Blick in die **Washington Mews**, eine kleine, hinter den Wohnhäusern verlaufende Kopfsteinpflasterstraße, ist interessant: Hier lagen die Stallungen der Reichen. Heute zahlt man gesalzene Preise, um dort wohnen zu können, wo früher die Pferde standen. Das Gegenstück zu den Washington Mews ist **MacDougal Alley**. Man erreicht die kleine Straße von der Washington Square West Street aus. Auch hier wurden ehemalige Ställe in hübsche Wohnhäuser verwandelt.

›Reif, reich und würdig‹ sind heute wohl kaum mehr angemessene Attribute für das Village und den Platz, auf den sich an schönen Tagen und in lauen Sommernächten das ganze bunte Treiben konzentriert. Um den Triumphbogen aus weißem Marmor, den **Washington Arch**, der 1882 nach Plänen von McKim, Mead & White entstand, tanzen Rollerskater nach einer Choreographie, die nur sie selbst kennen, Frisbees schwirren durch die Luft, es wird gesungen und musiziert. Auf dem Grün lagern junge Leute – die Gebäude der **New York University** grenzen an den Washington Square, die Studenten nutzen diesen Platz wie ihren Vorgarten.

Seinen größten **Bauboom** erlebte das Village in den Jahren zwischen 1822 und 1840. 1822 war eine der schlimmsten Gelbfieberepidemien auf der Südspitze der Insel ausgebrochen, und viele derer, die ins Village geflohen waren, blieben hier und errichteten sich schmale, zwei- bis dreistöckige Ziegelhäuser. Die bürgerliche Idylle war allerdings nur von kurzer Dauer. Mit der einsetzenden Massenimmigration wurden die Häuser in kleine Wohneinheiten aufgeteilt und an Einwanderer vermietet. Ende des 19. Jh. verfielen die Häuser immer mehr. Es hätte

Lebensfreude pur kann erleben, wer sich am Washington Arch einfindet

nicht viel gefehlt, und das Village wäre zum Slum verkommen.

Die **Rettung** kam mit den Künstlern: Schriftsteller, Maler und Schauspieler entdeckten die hübschen kleinen Häuschen. Zu Beginn des 20. Jh. war Greenwich Village der Ort, an dem sich die kreativen und die kritischen Geister trafen. Die Redaktion der ›Masses‹, einer linksradikalen Zeitschrift, zu deren Mitarbeitern Maxim Gorki, Bertrand Russell und John Reed zählten, hatte hier ihr Büro, 1914 eröffnete Gertrude Whitney Vanderbilt eine Galerie und bot zeitgenössischen, damals noch höchst umstrittenen Künstlern Ausstellungsmöglichkeiten. 1916 ließen sich die Provincetown Players mit ihrem Theater an der MacDougal Street nieder und gelangten bald zu Ruhm – der Autor Eugene O'Neill wurde mit ihnen bekannt.

In den 1950er-Jahren machten die Beatniks von sich und dem Village reden, später waren es die Vietnamkrieg-Gegner und die Hippies, die hier auf sich aufmerksam machten – am Washington Square fand das erste ›smoke-in‹ statt, auf offenem Platz rauchte man das verbotene Marihuana. Als die Homosexuellen ihre Rechte forderten und erstmals an die Öffentlichkeit traten, wurde die Christopher Street jenseits der 6th Avenue zum Inbegriff des ›gay movement‹. Aber als die rebellischen Jahre vorbei waren, geschah im Village dasselbe wie später in SoHo [s. Nr. 28], im East Village [s. Nr. 33] und in Tribeca [s. Nr. 26]: Die Gegend wurde schick, die Künstler zogen aus und die Geschäftsleute ein. Ganz deutlich ist diese Entwicklung in der **Bleecker** und der **MacDougal Street** zu sehen: Hier steht ein Restaurant neben dem anderen, gemütliche Cafés, ausgefallene Geschenkläden, Souvenir- und T-Shirt-Shops säumen die Straßen.

Wie SoHo wirkt das Village als **Gesamtkunstwerk**: Es gilt weniger, einzelne Gebäude zu betrachten als das Viertel in seiner Geschlossenheit zu genießen, wobei man sich nicht nur am Washington Square aufhalten, sondern auch in die Gegend jenseits der 6th Avenue (of the Americas) spazieren sollte, die weniger kommerzialisiert ist. Hübsch sind: **St. Luke's Place, Grove Street, Bedford Street, Waverly Place**. An Kneipen, Musikkellern, vor allem berühmten Jazzklubs [s. S. 172], besteht kein Mangel, kleinere ›Off-Off-Broadway-Theater‹ offerieren Interessantes, und auch wenn man nicht einkehren, sondern nur bummeln will, ist man im Village richtig.

35 Astor Place und Umgebung

Was vom großen Glanze übrig blieb, weiß immer noch zu entzücken.

Broadway und Lafayette Street zwischen Bleecker und 8th Street Subway 6 Astor Place, Subway N, R, W 8th Street – New York University, Bus M1, M2, M3, M8, M101, M102, M103

Es war einmal der baumbestandene Boulevard Lafayette Place, an dem die Reichsten der Reichen residierten. Es war einmal ein Mann namens John Jacob Astor, der 1783 mit zwanzig Jahren als armer Schlucker in die USA emigrierte und 65 Jahre später als reichster Mann Amerikas starb. Und es war einmal der Broadway südlich von Astor Place, der schon totgesagt war und in den 1980er-Jahren wieder auferstand. Quicklebendig und kunterbunt ist dieses Straßenstück heute mit verrückten Lokalen und ausgefallenen Geschäften – eine Hauptschlagader zwischen Greenwich Village, East Village und SoHo.

In den Straßen um den Broadway sind viele interessante architektonische Zeugnisse aus dem 19. Jh. erhalten. Die Gebäude sind hier von Süden nach Norden aufgeführt. Einen Rundgang beginnt man am besten am **Bayard-Condict Building** (65 Bleecker Street), das 1898 nach Plänen der Architekten Louis H. Sullivan und Lyndon P. Smith entstand. Dieses Haus ist das einzige Werk, das Sullivan in New York gebaut hat. Sullivan arbeitete vor allem in Chicago, er war der Hauptvertreter der Chicago School, deren Mitglieder sich durch den Bau der ersten Hochhäuser profilierten. Die sechs Engel, die noch heute die Fassade zieren, sind nicht ganz im Sinne des Erfinders – man sagt, Sullivan habe sich lange dagegen gewehrt, sie anzubringen, sei aber schließlich nicht umhingekommen, dem Wunsch seines Auftraggebers Silas Alden Condict zu entsprechen.

Im eleganten **Robbins & Appleton Building** (1–5 Bond Street), 1889 nach Entwürfen von Stephen D. Hatch errichtet, wurden früher Uhrengehäuse hergestellt. Heute ist es ein Apartmenthaus.

Am **Engine Company No. 33 N.Y.C. Fire Department** (44 Great Jones Street, Architekten), das 1898 von Flagg & Chambers erbaut wurde, fällt insbesondere die wundervolle Fassade mit einem zentralen Bogen im Beaux Arts-Stil auf.

Das **Old Merchant's House of New York** (29 East 4th Street, Tel. 212/777 10 89, www.merchantshouse.com, Mo, Do–So 12–17 Uhr) wiederum ist eines von ursprünglich sechs Ziegelhäusern im Greek-Revival-Stil. Das Innere des 1832 errichteten Gebäudes ist als *Museum* zugänglich: Zu besichtigen ist die Originaleinrichtung des Kaufmanns Seabury Tredwell, dessen Tochter bis 1933 hier gelebt hat.

Zeitzeuge einer Epoche, in der sich die Bedeutung des Viertels gänzlich gewandelt hatte, ist das **DeVinne Press Building** (393 Lafayette Street, gutes Restaurant, Tel. 212/995 95 95), das 1885 nach Entwürfen der Architekten Babb, Cook & Willard entstand. Die Reichen waren weggezogen, und die Gegend um Lafayette Street war zum Zentrum der Druckindustrie geworden.

Das **Public Theater** (425 Lafayette Street, Tel. 212/967 75 55, www.publictheater.org) entwarfen Alexander Saeltzer, Griffith Thomas und Thomas Stent 1853 für die *Astor Library*, die erste kostenlose Bibliothek New Yorks. John Jacob Astor hatte sie gestiftet. 1967 wurde das Gebäude dann nach Plänen von Giorgio Cavaglieri zum Theater umgebaut. Die erste Premiere war das Musical *Hair* (1967), das so erfolgreich war, dass es zum Broadway umzog, wo es noch viele Jahre gespielt wurde. Heute werden hier vor allem neue Stücke und Shakespeare gezeigt.

Anfang des 19. Jh., als Lafayette Street noch Lafayette Place hieß, lebten in der **Colonnade Row** (428–434 Lafayette Street, Seth Geer zugeschrieben, 1833) die Reichsten und Vornehmsten der Stadt: John Jacob Astor, zum Beispiel, und Cornelius Vanderbilt. Colonnade Row präsentierte sich damals als geschlossenes Ensemble, das aus neun Herrenhäusern bestand und seinen Namen den eindrucksvollen Frontsäulen verdankte. Vier der Gebäude kann man an der Westseite der Lafayette Street noch bewundern. Lafayette Place Karriere als erste Adresse war übrigens nur von kurzer Dauer: Bereits in den 1850er-Jahren wurde die Fifth Avenue en vogue.

Wer am Astor Place aus der U-Bahn steigt, dem fällt der **Astor Place Subway Kiosk** (Architekten: Prentice & Chan, Ohlhausen, 1985) ins Auge. Kioske wie diesen

Studenten der New York University feiern ihren Abschluss im Washington Square Park

sah man früher an vielen U-Bahnstationen. Dieser wurde originalgetreu wiederaufgebaut.

Das **Cooper Union Foundation Building** (Cooper Square, www.cooper.edu) schließlich ist das älteste erhaltene Bauwerk in Amerika, das ein Stahlgerüst besitzt. Peter Cooper, der das Gebäude 1859 nach Entwürfen von Frederick A. Peterson im neoromanischen Stil für die von ihm gestiftete Bildungsanstalt erbauen ließ, war einer der erfolgreichsten Gründerzeit-Unternehmer.

Auch ein interessantes Einwanderermuseum hat diese Ecke New Yorks zu bieten, diesmal geht es um die Ukrainer. Wer sich für deren Volkskunst interessiert oder Anregungen fürs nächste Osterfest sucht, sollte das **Ukrainian Museum** (222 E 6th Street, www.ukrainianmuseum.org, Mi–So 11.30–17 Uhr) besuchen, das u.a. hunderte bemalte Ostereier zeigt.

36 Union Square

An dem historisch bedeutsamen Platz findet heute der beliebte Greenmarket statt.

Subway 4, 5, 6, L, N, Q, R, W 14th Street – Union Square, Bus M1, M2, M3, M6, M7, M9, M14

Der Platz trägt seinen Namen, weil sich hier der **Broadway** (damals noch Bloomingdale Road) und die **Bowery** treffen und vereinen: Union Square. Bis Mitte des 19. Jh. lebte es sich recht elegant in der Nachbarschaft des Platzes. Der **Garten** in seiner Mitte befand sich in Privatbesitz, Zugang hatten nur die Bewohner der umliegenden Häuser. Während des Sezessionskriegs änderte sich die Bedeutung des Square, langsam begann er, in seine Rolle als Bühne für politische Auftritte und Kundgebungen hineinzuwachsen. Nach Londoner Vorbild etablierte sich hier im ersten Jahrzehnt des 20. Jh. eine ›**Speaker's Corner**‹, zu der immer mehr Redner und Zuschauer strömten, je brisanter die sozialen Spannungen wurden.

Der Union Square ist ein Zentrum urbanen Lebens: Kinder finden Platz zum Spielen, ein Café im Freien ist beliebter Treffpunkt und ein Pavillon aus den 1930er-Jahren erstrahlt in neuem Glanz. Viermal pro Woche kommen die Farmer aus dem Umland und bieten auf dem beliebten **Greenmarket** (www.cenyc. org/greenmarket, Mo, Mi, Fr, Sa 8–18 Uhr) ihre Produkte an. In die umgebenden Häuser zogen Geschäfte. So befindet sich nördlich des Platzes im **Century Building** aus dem Jahr 1881 jetzt eine Buchhandlung der Kette *Barnes & Noble* (33 East 17th Street, Tel. 212/2530810, www.barnesand noble.com). Im Südosten des Platzes stehen die dominanten **Zeckendorf Towers** (1 Irving Place, www.zeckendorftowers. com), die 1987 nach Plänen von David, Brody & Assocs erbaut wurden und Eigentumswohnungen beherbergen. Die vier Türme verstellen den Blick auf das **Consolidated Edison Building** (4 Irving Place) von 1915, ein Werk von Henry J.

◁ *Den Union Square schmückt ein reitender George Washington (1856) von Henry Kirke Brown*

37 Theodore Roosevelt Birthplace

Originalgetreu rekonstruiertes Geburtshaus von Amerikas ›Mister President‹.

28 East 20th Street zwischen Park
Avenue South und Broadway
Tel. 212/260 16 16
www.nps.gov/thrb
Di–Sa 9–17 Uhr
Subway 6, N, R 23rd Street, Subway 4,
5, 6, L, N, Q, R, W 14th Street – Union
Square, Bus M1, M6, M7, M23

Theodore Roosevelt (1858–1919), der 26. Präsident der Vereinigten Staaten, war schon vier Jahre tot, als sich einige prominente Bürger mit seiner Geburt beschäftigten: Sie kauften die Grundstücke zurück, auf denen Theodores Eltern und sein Onkel ihre Häuser hatten, und sorgten dafür, dass beide Residenzen originalgetreu wieder aufgebaut und im Stil der Zeit eingerichtet wurden. Die Häuser sind öffentlich zugänglich, und man kann sich ein Bild davon machen, wie die Oberschicht in den 1860er- und 1870er-Jahren in New York gelebt hat.

Hardenbergh. Hier residiert das Unternehmen, das New York City mit Strom und Gas versorgt. Der repräsentative *Uhrenturm* wurde 1926 von Warren & Wetmore hinzukomponiert. Auch ausgezeichnete Restaurants findet man hier wie das **Union Square Café** (21 East 16th Street, Tel. 212/243 40 20, www.unionsquarecafe.com), das zu den beliebtesten Lokalen der Stadt zählt.

Erstaunlich ist das Bild, das sich nördlich des Parks auf dem Broadway bietet: Da wurden erste Schritte unternommen, um New York in Bürgermeister Bloombergs Sinn lebenswerter und Fußgänger freundlicher zu machen. Die Straßenführung wurde verändert und Raum für Fußgänger, Skater, Radfahrer geschaffen. Auch zwischen der 35th und der 42nd Street hat man den ehemals vierspurigen Verkehr auf zwei Spuren beschränkt, der so entstandene Raum kommt Fußgängern und Radfahrern zugute, Bäume, Sitzecken, Blumen verwandeln dort die Straße in einen Boulevard zum Pausieren und Flanieren.

38 Chelsea

Letzte Bastion der Kreativen.

Zwischen 14th und 30th Street,
6th Avenue und Hudson River
Subway 1, C, E, F, V 23rd Street,
Bus M11, M14, M23

Kein Zweifel, Chelsea hat sich im ausgehenden 20. Jh. zum angesagtesten Viertel Manhattans entwickelt. Trendsetter war die schwule Gemeinde, die ihr angestammtes West Village verließ und nach Nordwesten zog, dann folgten die Galeristen und Künstler, die aus dem ›Shopping Mall‹ SoHo [s. Nr. 28] flohen.

Warum sie sich Chelsea als neue Bleibe aussuchten, hat viele Gründe. Da ist zum einen die Aufwertung, die die gesamte Westseite Manhattans durch die Neugestaltung des Uferstreifens und der ehemals vergammelten Piers gewann. Als Künstlerviertel hat Chelsea Tradition, konzentrierte sich hier doch früher die

Verblichener Glanz und große Namen

Seit 1884 steht das **Chelsea Hotel** (222 West 23rd Street, Tel. 212/243 37 00, www.chelseahotel.com) in der 23rd Street zwischen der 7th und 8th Avenue, ein viktorianisch-gotischer Bau mit Erkern und verschnörkelten Balkongittern. Seinen Ruf verdankt das weltweit bekannte Hotel seinen **Gästen**: Sarah Bernhardt, Mark Twain, Tennessee Williams, O. Henry, Jane Fonda, Jackson Pollock, Bob Dylan, Jimi Hendrix, Milos Forman … alle stiegen hier ab. In den großen Zimmern entstanden Romane und Kurzgeschichten, spielten sich Tragödien und Morde ab. In Zimmer 829 schrieb Thomas Wolfe Ende der 1930er-Jahre seinen letzten Roman ›Es führt kein Weg zurück‹. Arthur Miller lebte hier nach seiner Ehe mit Marylin Monroe. Leonard Cohen hatte hier eine Affäre mit Janis Joplin und verewigte sie in dem Lied ›Chelsea Hotel No. 2‹. Und 1978 erstach hier mutmaßlich Sid Vicious von der Punk-Rock-Gruppe ›Sex Pistols‹ im Drogenrausch seine Freundin Nancy Spungen.

Seit 2007 ein neues Management übernahm, tobt ein heftiger Kampf um den Erhalt des alten Hotels, wie die Sache ausgeht, steht in den Sternen.

Filmindustrie. Insgesamt war es jedoch so, dass hier im westlichen Chelsea eine der letzten Ecken im südlichen Manhattan lag, die noch nicht geschleckt und überteuert war, in der sich noch Lagerhallen, Geschäftsräume und bezahlbare Wohnungen fanden.

Zum **Galerienbummel** lädt die 22nd Street ein, die 27th Street zwischen der 10th und 11th Avenue ist als *Club Row* bekannt – Seite an Seite locken über ein Dutzend Clubs. Wer es stilvoll mag, ist hier allerdings nicht richtig.

Wer tagsüber durch Chelsea schlendert, sollte sich die ausgesprochen hübschen Häuser ansehen, die als *Historic District* heute komplett unter Denkmalschutz stehen. Sie stammen aus dem 19. Jh. und gehören den verschiedensten, damals gerade modernen Stilrichtungen an. Das älteste, *West 20th Street Nummer 404*, wurde 1829–30 gebaut.

Den Block zwischen 9th und 10th Avenue sowie 20th und 21st Street nimmt das **General Theological Seminary** (175 Ninth Avenue, www.gts.edu) ein, das seit 1825 anglikanische Pfarrer ausbildet. Die Bücherei des Seminars, *St. Mark's Library* (nur Studenten zugänglich), besitzt die größte Sammlung lateinischer Bibeln in der Welt und nimmt innerhalb der USA den Rang der größten theologischen Bibliothek ein.

Eine Sehenswürdigkeit ganz anderer Art steht an der Ecke 10th Avenue/22nd Street: der **Empire Diner** (210 10th Avenue, Tel. 212/243 27 36). Diner-Restaurants

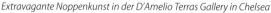

Extravagante Noppenkunst in der D'Amelio Terras Gallery in Chelsea

Schiff ahoi! Extravagante Architektur schuf Frank Gehry für das IAC-Gebäude (2006)

kamen Ende des 19. Jh. auf. Anfangs zogen sie noch als mobile, pferdebespannte Imbisswagen durch die Straßen. Bald wurden sie sesshaft und ähnelten im Design Eisenbahnspeisewagen. Der ›Empire Diner‹ ist ein Prachtstück! Er stammt aus dem Jahr 1943, und sein Inneres blitzt in Chrom und Stahl, dass es eine wahre Freude ist.

Mit Stahl und Glas zog 2006 auch die Moderne in Chelsea ein. Zwischen der 18th Street und der 11th Avenue steht mit **Sails** das erste Werk, das der international renommierte Architekt Frank Gehry in New York realisieren durfte, nachdem einige seiner Pläne für Bauten in Manhattan gescheitert waren. Die geometrische Form der beeindruckenden Fassade verfügt über acht himmelwärts strebende Glasbögen, die an Segelboote in vollem Fahrtwind erinnern. In dem Gebäude residiert die Firma **IAC** (www.iac.com) des Medienmoguls Barry Diller.

Ein Anziehungspunkt für Sport- und Fitnessbegeisterte sind die **Chelsea Piers** (23rd Street, Tel. 212/336 66 66, www.chel seapiers.com). Das riesige Freizeitareal entstand dort, wo einst die Titanic hätte anlegen sollen, wenn sie denn jemals in New York angekommen wäre. Heute findet man hier auf einer Fläche von 120 000 m² Restaurants, Bars und Cafés sowie große moderne Sportclubs für Golfer, Inlineskater und Fitness-Begeisterte. Auch Eislaufen und Bowling sind hier möglich. Eingebettet sind diese Attraktionen in ein buntes Rahmenprogramm mit Livemusik, Tanzevents und anderen Themen-Shows.

Seit Anfang 2009 kann man im Grünen von den 20th Steet nahe der Chelsea Piers hinunter in die Gansevoort Street im Meat Packing District flanieren. Dafür sorgt die **High Line** (www.thehighline. org). Die Trasse der ehemaligen Hochbahn, die parallel zum Fluss verläuft und dem Gütertransport nach Norden diente, wird nach und nach mit Sträuchern und Bäumen bepflanzt, in zehn Metern Höhe lässt sich's nun promenieren.

Auch das Nachtleben im **Meat Packing District** südlich der 14th Street und westlich der 8th Avenue floriert. In den 1980er-Jahren traf sich hier die schrille Szene, Transvestiten boten ihre Körper und Dienste an, wenn die letzten Nachtschwärmer gingen, hievten die ersten Metzger blutige Rinderhälften an die Haken. Damit ist es heute vorbei, der Meat Packing District ist fest in der Hand der Schickeria, hier trifft sich nachts alles, was in Manhattan schön, berühmt und reich genug ist, um sich die teuren Restaurants und Eintrittspreise der Clubs leisten zu können.

Tagsüber macht die Gegend nicht viel her und zeigt äußerlich noch immer die Spuren ihrer Vergangenheit. Nur wenn man die **Boutiquen** an der 14th Street betritt, ändert sich das Bild: Da ist alles durchgestylt und vom Feinsten, Apple hat einen Laden eröffnet und das *Gansevoort Hotel* (18 9th Avenue, Tel. 212/206 67 00) zieht zahlungskräftiges Publikum an.

39 Gramercy Park Historic District

Reizender Park, doch er gehört nur den Schlüsselgewaltigen.

Um den Gramercy Park, nach Süden entlang Irving Place bis 18th Street
Subway 4, 5, 6, L, N, Q, R, W 14th Street – Union Square, Bus M1, M2, M3, M9, M23, M101, M102, M103

»Newyork hat einige Teile, von denen man sagen kann, sie seien schön, aber die sind nicht Newyork, sondern Nachahmungen von Paris und London.« Recht hat er, der österreichische Schriftsteller Arthur Holitscher. Wenn man Gramercy Park, die kleine, zwischen der 20th und der 21st Street am Ende von Irving Place gelegene Grünfläche, betrachtet, fühlt man sich tatsächlich an einen Londoner Square erinnert. »Eine geborgene, lichte Welt netter Leute und ehrbaren Tuns«, so beschrieb die Schriftstellerin Edith Wharton das Viertel, in dem sie aufwuchs. Natürlich ist diese heile Welt Privilegierten vorbehalten, genauso wie der Park, der ihr Zentrum bildet: Den Schlüssel fürs Tor besitzen nur die etwa 60 Anwohner. Sie pflegen ihn auch, sorgen für die Bepflanzung und für die Erhaltung des Bürgersteigs aus blauem Tonsandstein.

Die hübschen Backsteinhäuser aus dem 19. Jh., die den Park rahmen, könnten genauso gut in Norddeutschland oder England stehen. Zunächst ist da das deli-kate Brownstone-Haus **The Players** (16 Gramercy Park South, www.theplayersnyc.org), das Stanford White 1888 umbaute. Seit jenem Jahr treffen sich dort New Yorks Theaterleute. Auch im viktorianischen **National Arts Club** (15 Gramercy Park South, Zutritt bei öffentlichen Veranstaltungen, www.nationalartsclub.org), 1884 von Calvert Vaux erbaut, begegnen sich Kulturschaffende aus New York.

Die **Stuyvesant Fish Residence** (19 Gramercy Park South) von 1845 zählt zu den wenigen Einfamilienhäusern Manhattans – und zu den teuersten.

Ebenfalls nur von Außen zu besichtigen ist die **Brotherhood Synagogue** (28 Gramercy Park South, www.brotherhoodsynagogue.org). Die Architekten King & Kellum bauten sie 1859 als Bethaus für die Quäker, 1975 wurde sie von den Architekten James Stewart Polshek & Partners in eine Synagoge umgewandelt. Die Häuser **3** und **4 Gramercy Park West** schließlich zeichnen sich besonders durch die herrlichen schmiedeeisernen Gitter am Eingang aus.

Folgt man dem in den Gramercy Park mündenden Irving Place nach Süden, so passiert man den **Block Beautiful** (entlang der 19th Street zwischen Irving Place und der Third Avenue), den weitere hübsche Häuser bilden. Noch etwas weiter südlich lohnt schließlich ein Blick in eine der ältesten Kneipen der Stadt, **Pete's Tavern** (129 East 18th Street, Tel. 212/473 76 76). Es ist allerdings weniger die Küche als die Atmosphäre der seit 1829 existierenden Gaststätte, die zum Verweilen lädt.

40 Flatiron Building

Bahnbrechend von außen und innen: Das Bügeleisen mit Stahlskelett.

175 Fifth Avenue
Subway N, R, W 23rd Street, Bus M2, M3, M5, M6, M7, M23

›Plätteisen‹ oder hochsprachlich ›Bügeleisen‹, lautet die Übersetzung für ›Flatiron‹, und tatsächlich: Man müsste dem 1902 erbauten dreieckigen Gebäude nur einen Griff aufsetzen, und schon hätte man ein altes Holzkohle-Bügeleisen! Die

Das schönste Bügeleisen der Welt: Flatiron Building an der Ecke Broadway/Fifth Avenue ▷

Der Turm des Metropolitan Life Insurance Company Building mit seiner verspielten goldenen Spitze misst 214 m

Gewandet war das Gebäude klassisch: Renaissance-Formen, Elemente der Palastarchitektur. Im **Inneren** jedoch spielte sich Revolutionäres ab: Das Flatiron Building gehört zu den ersten Hochhäusern mit einem **Stahlskelett**. Diese Bauweise, die man in New York seit 1890 bei kommerziellen Bauten anwandte, erlaubte höhere Konstruktionen als die herkömmliche Methode. 86 m misst das 22-geschossige Flatiron Building: im Jahr 1902 der absolute Höhenrekord in New York. Die Manhattaner waren denn auch überzeugt, der Bau würde den ersten Sturm nicht überstehen …

Es überstand aber und wurde nicht nur zu einem beliebten Postkartenmotiv New Yorks, das den Aufbruch in neue Zeiten versprach, sondern auch zur Herausforderung für die gegenüberliegende Metropolitan Life Insurance Company, einen noch viel höheren Turm zu bauen.

41 Madison Square Park

Ein lebendiger Park, umgeben von prominenten Gebäuden.

Zwischen Fifth und Madison Avenue, 23rd und 26th Street
www.madisonsquarepark.org
Subway 6, N, R, W 23rd Street, Bus M2, M3, M5, M6, M7, M23

Eigeninitiative wird groß geschrieben in New York. Ihr ist es auch zu verdanken, dass sich der ehemals vernachlässigte Madison Square Park in eine grüne Oase verwandelte: Sechs Millionen Dollar aus öffentlichen und privaten Kassen brachten die Mitglieder der *Madison Square Park Conservancy* auf, um die Grünfläche zu verschönern und zu einem Treff für Jung und Alt zu machen. Blumen und Bäume wurden gepflanzt, es gibt Platz zum Spielen, einen Kiosk und ein reiches kulturelles Programm mit Ausstellungen und Konzerten. Seit 2002 hat der Flatiron District damit ein neues lebendiges Zentrum. Ein ideales Fleckchen, um die architektonischen Highlights zu genießen, die der Platz bietet: Im Süden zeigt das Flatiron Building [s. Nr. 40] seine spitze Seite, den Osten zieren drei pompöse Bauwerke, die hier von Süden nach Norden beschrieben werden.

Das zehngeschossige **Metropolitan Life Insurance Company Building** (1 Madison Avenue) der Architekten Napoleon

eigentümliche Form des Gebäudes resultiert aus seiner Lage: Die Architekten Daniel H. Burnham & Co. konnten das spitzwinklige Grundstück an der Kreuzung von Fifth Avenue und Broadway nicht anders bebauen.

LeBrun & Sons stammt aus dem Jahr 1893, der Turm, der mit seinen 51 Stockwerken die gesamte Umgebung überragen sollte, aus dem Jahr 1909. Sinnigerweise war der Turm (5 Madison Avenue), der Wohlstand und Stabilität des Unternehmens symbolisieren sollte, dem wenige Jahre zuvor eingestürzten Campanile von San Marco in Venedig nachempfunden. Heute kommt er vor allem bei Nacht zur Wirkung, wenn er angestrahlt wird. Das Nordgebäude (11–25 Madison Avenue) von 1932 entwarfen Harvey Wiley Corbett und D. Everett Waid.

Der kleine marmorne Justizpalast **The Appellate Division, New York State Supreme Court** (35 East 25th Street) wurde 1900 nach Plänen von James Brown Lord erbaut. Werktags ist er auch innen zu besichtigen: Es wurde nichts ausgespart, um ein Gesamtkunstwerk aus dem Court House zu machen. Von den Skulpturen, die das Äußere schmücken, musste ›Mohammed‹ auf Wunsch der moslemischen Gemeinde New Yorks entfernt werden.

Der Vorgänger des 1928 errichteten **New York Life Insurance Company Building** (51 Madison Avenue), an dem sich wieder einmal Cass Gilberts Vorliebe für pyramidenförmige Dachbekrönungen zeigt, war der berühmte *Madison Square Garden*, ein großer Vergnügungspalast [s. Nr. 43]. Besonders sehenswert ist die Lobby.

Nannys aus aller Herren Länder treffen sich mit ihren Pflegekindern im Madison Square Park zum Plausch

42 Little Church around the Corner

Wo selbst Künstler ihre letzte Ruhe finden.

1 East 29th Street zwischen Fifth Avenue und Madison Avenue
Tel. 212/684 67 70
www.littlechurch.org
Subway 6, N, R, W 28th Street,
Bus M2, M3, M5

›Die kleine Kirche um die Ecke‹ (1849–61), zu der man durch das hübsche, überdachte Friedhofstor (1896) von Frederick Clarke Withers gelangt, hatte anfangs einen offiziellen Namen: *Church of the Transfiguration*. Den trug sie allerdings nicht lange. Im Jahr 1870 geschah es nämlich, dass dem Schauspieler *George Holland* von seiner noblen Pfarrei die letzte Ruhe verweigert wurde. Freunde, die daraufhin nach einer anderen Möglichkeit suchten, den Künstler zu beerdigen, wurden an ›die kleine Kirche um die Ecke‹ verwiesen. Dort fand nicht nur George Holland Frieden, auch andere Theaterleute schlossen sich dieser Gemeinde an: Eines der Glasfenster zeigt den Schauspieler *Edwin Booth* als Hamlet, die kleine Kapelle ist einem anderen Theatermann gewidmet, *José Maria Muñoz*. Die Kirche unterstützt sogar eine eigene Theatergruppe.

Von der Kirche lohnt sich ein Abstecher zum Broadway. Dort steht an der Ecke 29th Street das **Gilsey House**, ein besonders schöner Gusseisenbau von 1871 nach Entwürfen von Stephen D. Hatch.

Midtown –
von 30th Street zum Central Park

Midtown ist die geschäftige Mitte Manhattans. Arbeit, Einkaufen, Amüsement, Mobilität – diese Schlagworte geben den Rhythmus in den 30er bis 50er Straßen vor. Auf dieser Höhe werden **Broadway** und **Fifth Avenue** zu dem, was sie weltweit zum Synonym macht: der eine für Unterhaltung, die andere als Edel-Einkaufsmeile. Hier stehen die schönsten Wolkenkratzer der Stadt, das **Empire State Building** und das **Chrysler Building**, hier liegt das grandiose **Rockefeller Center**, in dem zur Adventszeit der größte Weihnachtsbaum der Welt steht. Natürlich kommt auch die Kunst nicht zu kurz: Prachtvolle Bauten im Art déco- oder Beaux Arts-Stil sind zu bewundern, und mit dem MoMA, dem **Museum of Modern Art**, beherbergt Midtown eines der weltbesten Museen moderner Kunst.

43 Madison Square Garden

Diese Konzertarena erfindet sich immer wieder neu – diesmal auf dem Bahnhofsdach.

4 Pennsylvania Plaza zwischen 7th und 8th Avenue, 31st und 33rd Street
www.thegarden.com
Subway 1, 2, 3 34th Street, Subway A, C, E 34th Street – Penn Station, Subway B, D, F, N, Q, R, PATH 34th Street/Avenue of the Americas, Bus M4, M10, M16, M20, M34, Q32

Es ist dies die vierte Auflage des Madison Square Garden: Nummer 1 war ein aufgelassenes *Eisenbahndepot*, das der Zirkusmann P. T. Barnum 1871 kaufte, um es als Hippodrom zu nutzen. Nummer 2 stammte aus dem Jahr 1890, wurde von Stanford White entworfen und war ein wahrer *Palast*. In seinem Inneren gab es ein Theater, Platz für Ausstellungen und sportliche Wettkämpfe, eine Konzerthalle, einen Dachgarten sowie ein Restaurant mit einem Turm. 1925 wurde das Gebäude schließlich abgerissen und der Madison Square Garden zog nach Norden an die Ecke 50th Street/8th Avenue. Seine heutige Lokalität erhielt er dann 1968: Architekt Charles Luckman Ass stellte ihn auf das Dach der *Pennsylvania Station*.

Der ganze **Komplex** umfasst ein Stadion mit 20 000 Sitzplätzen, das vor allem für Sportveranstaltungen und Konzerte

genutzt wird. Außerdem gibt es hier einen Veranstaltungsraum mit 1000 Plätzen, ein Kino, mehrere Ausstellungsräume sowie Büros, Restaurants und Einkaufsstraßen.

44 General Post Office

Ein Hauptpostamt von antiker Pracht.

8th Avenue zwischen 31st und 33rd Street
Subway 1, 2, 3 34th Street, Subway A, C, E 34th Street – Penn Station, Subway B, D, F, N, Q, R, PATH 34th Street/ Avenue of the Americas, Bus M4, M10, M16, M20, M34, Q32

Dieser ›römische‹ Tempel (1913) mit seiner korinthischen Säulenfront entlang der 8th Avenue fand sein Pendant ursprüng-

lich in der gegenüberliegenden *alten Pennsylvania Station*, ebenfalls ein Werk des Architektenteams McKim, Mead & White, das mit einer ebenso mächtigen Kolonnade protzte. Leider wurde der alte Bahnhof 1963 gegen den Protest großer Teile der Bevölkerung abgerissen, und so steht das vormalige Hauptpostamt heute eher unmotiviert und wuchtig dem 1968 fertiggestellten Madison Square Garden gegenüber. Die große Posthalle, die die gesamte Breite des Post Office einnimmt, beeindruckt vor allem mit seiner Prachtdecke, verschwenderisch geschmückt mit Intarsien und den Wappen der unterschiedlichsten Nationen.

Alle großen Rockstars haben schon einmal im Madison Square Garden gespielt: Elvis Presley, Jimi Hendrix, die Rolling Stones und Led Zeppelin, ja sogar Papst Johannes Paul II. beehrte die Arena 1979 mit einem Besuch

45 Empire State Building

Ein amerikanischer Mythos, das höchste Gebäude New Yorks.

350 Fifth Avenue zwischen
33rd und 34th Street
www.esbnyc.com
tgl. 8–2, letzter Fahrstuhl 1.15 Uhr
Es werden keine Kleidungsstücke
oder Koffer aufbewahrt, Glasflaschen
sind verboten, die Wartezeit beträgt
etwa zwei Stunden.
Subway 1, 2, 3 34th Street, Subway A,
C, E 34th Street – Penn Station, Subway B, D, F, N, Q, R, PATH 34th Street/
Avenue of the Americas, Bus M4, M10,
M16, M20, M34, Q32

Moderne Mythen leben von Zahlen und Superlativen: 6500 Fenster, 60 000 t Stahl, 2000 km Telefonkabel, 112 km Wasserleitungen, 73 Aufzüge in Schächten von 11 km Länge – diese Angaben dürfen nicht fehlen, wenn man vom Empire State Building spricht. Und dann natürlich die Höhe: 102 Stockwerke, 381 m! Die Architekten Shreve, Lamb & Harmon können stolz auf sich sein.

Nachdem Donald Trump das Gebäude 1994 für umgerechnet 18 Mio. € erstanden hatte, wechselte es 2003 erneut den Besitzer: Für 57,5 Mio. Dollar wurde das Empire State Building verkauft, ein Spottpreis bei der Lage, Büroflächen von 200 665 m² und jährlichen Mieteinnahmen von 100 Mio. Dollar. Von denen hatte Trump allerdings wenig. Der Großteil floss in die Taschen einer Investorengruppe, die einen bis zum Jahr 2075 gültigen Leasingvertrag hat. Diese Gruppe war es dann auch, die das Gebäude erwarb.

Wenn man die **Geschichte** des Empire State Building betrachtet, wird man den Eindruck nicht los, dass dieses Gebäude noch nie ein rechter finanzieller Erfolg war. In den 1930er-Jahren, als es in der Rekordzeit von neun Monaten aus dem Boden gestampft wurde, steckte Amerika mitten in einer wirtschaftlichen Depression. Die *Einweihung* des höchsten Gebäudes der Welt am 1. Mai 1931 verlief spektakulär. Als Präsident Hoover im Weißen Haus in Washington auf den Knopf drückte und im Empire State Building in Manhattan alle Lichter auf einmal angingen, hätten das viele in diesen tristen Zeiten gerne als Zeichen der Hoffnung und des

◁ *Empire State Building – ein Mythos, auf dem bereits King Kong turnte*

Aufschwungs gesehen. Realität hingegen war, dass die Investoren in den folgenden Nächten die Lichter in den unvermieteten Stockwerken brennen ließen, um darüber hinwegzutäuschen, dass drei Viertel der Räume im Empire State Building leer standen.

Dem **Mythos** tat auch keinen Abbruch, dass das Empire State den Rang als höchstes Gebäude der Welt 1973 an das World Trade Center abgeben musste. Bis zur Fertigstellung des Freedom Towers, des Nachfolgers des 2001 zerstörten WTC, hat es diesen Rang vorübergehend wieder inne. 3 Mio. Besucher lassen sich alljährlich von den Liften in den 86. Stock hinauf tragen, um die unvergleichliche **Aussicht** zu genießen. Dabei erhalten sie auch ausreichend Gelegenheit, die marmorverkleidete **Art déco-Lobby** zu besichtigen: Die Warteschlangen vor den Liften sind immens, strenge Sicherheitskontrollen verlangsamen die Abfertigung.

46 Herald Square mit Macy's

Stuff und Guff schlagen jede Stunde zu.

Kreuzung von 6th Avenue und
Broadway, 34th und 35th Street
Subway 1, 2, 3 34th Street, Subway A, C,
E 34th Street – Penn Station, Subway
B, D, F, N, Q, R, PATH 34th Street/
Avenue of the Americas, Bus M4, M10,
M16, M20, M34, Q32

Wie der Times Square im Norden wurde auch Herald Square nach einer Zeitung benannt, dem ›New York Herald‹, der 1894 ›Newspaper Row‹ [s. S. 40] verließ und hier einen von den Architekten McKim, Mead & White entworfenen Palazzo bezog. Das Redaktionsgebäude ist längst abgerissen, aber die **Uhr**, die es einst krönte, steht noch auf dem Platz. ›Stuff‹ und ›Guff‹, die beiden bronzenen Figuren an ihrer Seite, geben sich jede Stunde redlich Mühe, die Glocke mit angedeuteten Hammerschlägen zum Klingen zu bringen.

Der Herald Square wird beherrscht von **Macy's** (151 West 34th Street, Tel. 212/695 44 00, www.macys.com), dem laut Guinness Book of Records größten Kaufhaus der Welt, das 1902 nach Entwürfen von De Lemos & Cordes erbaut und in den Jahren 1924, 1928, 1931 nach Plänen von Robert D. Kohn erweitert wurde. Allein der Schaufensterdekoration wegen

Macy's Thanksgiving-Auftritt

Am vierten Donnerstag im November feiert Amerika **Thanksgiving**, und dann zeigt sich Macy's von seiner spendablen Seite. Das Kaufhaus sponsert nämlich alljährlich die **Thanksgiving Parade**, die in der Upper West Side beginnt und am Herald Square endet. Besonders beliebt sind die luftballonartigen, riesigen **Comicfiguren**, die durch die Straßenschluchten zu schweben scheinen. Sie sind schwer zu manövrieren und wenn der Novemberwind durch die Avenues pfeift, kann es schon mal passieren, dass sich Pink Panther oder Snoopy in einem Laternenpfahl verfangen. Am **Vorabend** der Parade kann man in der West 77th Street dabei zusehen, wie die Figuren aufgeblasen werden und wie die anfangs unförmigen Schläuche langsam Gestalt annehmen.

sollte man an Macy's nicht einfach vorbeigehen, auch ein Bummel durch das Erdgeschoss lohnt sich, vermittelt er doch einen Eindruck des riesigen, geschmackvoll präsentierten Angebots.

Seine Bedeutung als *Verkehrsknotenpunkt* hat der Herald Square auch der Tatsache zu verdanken, dass westlich der 6th Avenue das Textilviertel, der sogenannte **Garment District**, beginnt. Er liegt etwa zwischen der 30th und der 40th Street und erstreckt sich bis hin zur 8th Avenue. In diesem Geviert ließ sich in den ersten zwei Jahrzehnten des 20. Jh. die **Bekleidungsindustrie** nieder, die bis dato in der Lower East Side ansässig gewesen war. Dort hatten die Näher, Zuschneider und Schneider unter schrecklichen Arbeitsbedingungen zu leiden gehabt.

Im Norden verbesserten sich die Arbeitsbedingungen nach und nach: Im Jahr 1900 wurde die *Gewerkschaft* der Damenkonfektionsarbeiter gegründet, die sich in den folgenden Jahren zu einer

der mächtigsten Interessenvertretungen entwickelte. Trotzdem waren die Arbeitsbedingungen in der Konfektionsindustrie noch im ersten Jahrzehnt des 20. Jh. desolat. Erst nachdem im März 1911 bei einem Brand in der Triangle Shirtwaist Company 146 Menschen, vor allem Frauen, ums Leben gekommen waren, weil die Verantwortlichen die Feuerverordnungen ignoriert hatten, kam es zu Massenbewegungen, Streiks und damit zur Änderung der menschenunwürdigen Zustände.

Noch heute kommt aus dem Garment District der Großteil aller in Amerika hergestellten **Kinder-** und **Damenbekleidungsartikel**. Die Hauptschlagader des Viertels, die 7th Avenue, die auf dieser Höhe seit den 1970er-Jahren den Beinamen ›Fashion Avenue‹ trägt, präsentiert sich an Wochentagen wie ein Basar: Lastwagen verstopfen die Straßen und ›Push Boys‹ schieben Kleiderständer mit wehenden Blusen, Mänteln und Röcken über die Gehsteige.

Links: *Die großen Lettern des Warenhauses Macy's dominieren den Herald Square und sollen ins größte Kaufhaus der Welt locken*
Unten: *Gibt man dieser Versuchung nach, so kann man sich innen die neuesten Düfte um die Nase wehen lassen und nach Herzenslust Shoppen*

In der gigantischen Lobby des Jacob K. Javits Convention Center fühlt man sich als Mensch recht klein

47 Jacob K. Javits Convention Center

Ein Kristallpalast für New York.

655 West 34th Street zwischen 11th und 12th Avenue
www.javitscenter.com
Subway 1, 2, 3 34th Street, Subway A, C, E 34th Street – Penn Station, Bus M34, M42

Die Aufgabe war nicht leicht. Da sollte ein **Ausstellungs-** und **Kongresszentrum** entstehen, das als »das größte unter einem Dach befindliche in Amerika« geplant war. Die Anforderung ist sprachlich schon schwer genug zu fassen. Wie sollte er auf einer Fläche, die 8,9 ha und fünf Straßenblöcke umfasst, *ein* Gebäude bauen, das sich noch einigermaßen in seine Umgebung fügt und nicht aussieht wie ein Riesenmonster?

Ieoh Ming Pei wäre nicht der international renommierte Architekt, der er ist, wenn er und seine Leute diese Aufgabe nicht blendend gelöst hätten. Pei's Credo lautet: »Ganz einfache Bauten sind die besten.« Diesem Grundsatz ist er auch beim Jacob K. Javits Convention Center (1986) treu geblieben. In der Wahl des Materials zum Beispiel: Glas, tagsüber schwarz wie ein Opal, in dem sich die Umgebung spiegelt, nachts und von innen beleuchtet, strahlend und transparent. Dass Spiegelung entmaterialisiert, hat I. M. Pei schon oft unter Beweis gestellt, es sei nur an den Bostoner John Hancock Tower erinnert. Im Javits Center wirken auch noch die Stahlröhren – 76 000 sind es –, die die Glasfläche kleinteilig gliedern, optisch reduzierend. Das **Innere** belebt die Musterung des Bodens in Kombination mit dem im Tagesverlauf wechselnden Lichteinfall.

Kurzum, ein grandioses Werk! Dass dieser Bau 85 000 Menschen pro Tag aufnehmen kann (immerhin in etwa die Bevölkerung einer mittleren Kleinstadt) – dieser klaustrophobische Gedanke beschleicht einen weder in der **Lobby**, die die Ausmaße eines 15-geschossigen Gebäudes hat und offiziell *Kristallpalast* heißt, noch in den Ausstellungs- oder Tagungsräumen.

48 Morgan Library and Museum

New Yorks Schatztruhe erlesener Handschriften, kostbarer Bücher und Zeitungen des 15.–19. Jh.

225 Madison Ave./33 East 36th Street
Tel. 212/685 00 08
www.morganlibrary.org
Di–Do 10.30–17, Fr 10.30–21, Sa 10–18, So 11–18 Uhr
Subway 6, PATH 33rd Street, Subway 4, 5, 6, 7 Grand Central, Subway B, D, F, V 42nd Street – Bryant Park, Bus M2, M3, M4, Q32

John Pierpont Morgan hatte Glück: Er starb am 31. März 1913 und bekam so die Konsequenz des 16. Zusatzartikels zur Verfassung nicht mehr zu spüren, der ihm und anderen Superreichen zusetzen sollte. Dieses im Februar 1913 erlassene Gesetz führte eine Besteuerung des Einkommens durch den Kongress ein, und das traf die Reichen hart. Bis dato hatten sie ihre Millionen ungehindert vermehren können, ohne dass Washington seinen Teil verlangte. Die Folge war, dass 60 % des Volkseinkommens in die Taschen von nur 2 % der Bevölkerung wanderten. Zwei Männer besaßen 341 Großunternehmen mit 22 Milliarden Dollar Kapital und kontrollierten 20 % des Volksvermögens. Der eine der beiden war *John D. Rockefeller*, der andere der Bankier *Pierpont Morgan*. Dass man sich mit diesem Hintergrund eine derart opulente

Stadtvilla in *Murray Hill*, einem damals nur Morgan und seinesgleichen vorbehaltenen Viertel, leisten konnte, verwundert nicht. Die Architekten McKim, Mead & White entwarfen den Prachtbau von 1906, die Erweiterungen stammen von Benjamin W. Morris (1928) und Renzo Piano (2006).

Morgans **Kunstsammlung** ist erlesen und seine **Bibliothek** ein wahres Juwel, der Traum eines jeden Bibliophilen. Zu den Highlights des Museums gehören Rubens (1577–1640) Kohlezeichnung ›Seated Nude Youth‹, eine ›Biblia Latina‹ von Johannes Gutenberg und Johannes Fust aus dem Jahr 1455 sowie ein handschriftliches Originalmanuskript von Mozarts Haffner-Symphonie von 1782/83.

49 New York Public Library

Mit sechs Millionen Büchern die zweitgrößte Forschungsbibliothek der USA.

Fifth Avenue zwischen West 40th und 42nd Street
Tel. 212/930 08 00
www.nypl.org
Subway B, D, F, V 42nd Street – Bryant Park, Subway 7 Fifth Avenue, Bus M1, M2, M3, M4, M6, M7, M42, M104, Q32

Breite Stufen führen von der hektischen Konsumwelt der Fifth Avenue in die reinen Gefilde des Geistes, einen Beaux Arts-Tempel aus weißem Marmor, der 1911

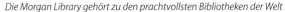

Die Morgan Library gehört zu den prachtvollsten Bibliotheken der Welt

Auch der Nachwuchs erfreut sich an den schönen Fotos des International Center of Photography

nach Entwürfen von Carrère & Hastings errichtet wurde. Zu beiden Seiten der Treppe postierte steinerne Löwen von E. C. Potter wachen darüber, dass die Trennung von Geist und Kommerz auch wirklich erhalten bleibt. Nicht immer gelingt ihnen das, und so schleichen sich zur Mittagszeit brotzeitmachende Angestellte aus den umliegenden Büros ein, Liebespärchen lagern auf den Marmorstufen und im Schatten der Bäume spielen alte Männer Schach. Im Inneren beherbergt die Public Library Schätze wie eine Gutenberg-Bibel, in regelmäßigen Ausstellungen werden Stücke aus der reichen Sammlung der Bibliothek gezeigt. Unbedingt sehenswert ist der Lesesaal.

Der **Bryant Park** (www.bryantpark.org), der im Westen an die Bibliothek angrenzt, bildet mit seinen alten Bäumen und Blumenrabatten eine der schönsten Oasen in Midtown. Hier stand ein paar Jahre lang ein herrliches Gebäude, der *Crystal Palace*, in dem 1853 die Weltausstellung stattfand. 1858 brannte der Bau ab und zerstörte damit die Legende, dass Gusseisen feuerfest sei: Die Eisenträger und -säulen verformten sich in der Hitze und ließen das Gebäude zusammenstürzen.

In den warmen Monaten finden Konzerte im Park statt. Besonders großer Beliebtheit erfreut sich das kostenlose **Bryant Park Summer Film Festival**. Montags nach Sonnenuntergang werden hier Klassiker der Filmgeschichte gezeigt, die New Yorker rücken mit Decken und Picknickkörben an. Wer einen Platz auf dem Rasen ergattern will, muss rechtzeitig kommen, denn es ist immer sehr voll.

50 International Center of Photography

Bedeutendes Zentrum für moderne Fotografie.

1133 Sixth Avenue/43rd Street
Tel. 212/857 00 00
www.icp.org
Di–Do, Sa/So 10–18, Fr 10–20 Uhr
Subway B, D, F, V 42nd Street – Bryant Park, Subway 1, 2, 3, 7, 9, N, Q, R, S, W Times Square, Bus M5, M6, M7

1974 wurde das erste und einzige Museum der Stadt eröffnet, das sich ausschließlich mit **Fotografie** beschäftigt. Nach dem Willen seines Gründers, des Fotografen Cornell Capa, widmet sich das Museum dem künstlerischen und dokumentarischen Aspekt der Fotografie. Die Sammlung des Center verfügt mittlerweile über 100 000 Aufnahmen. Zu den bedeutendsten Künstlern, die hier ausgestellt wurden, gehören Henri Cartier-Bresson, Weegee und W. Eugene Smith sowie der jüngere Bruder des Gründers, Robert Cappa, dessen Kriegsfotografien weltberühmt sind. Besondere Bedeutung kommt aber der zeitgenössischen Fotografie zu, die in Wechselausstellungen präsentiert wird. In den neuen, 2001 eröffneten Räumen, die aus der Feder des Architekturbüros Gwathmey Siegel & Assoc. stammen, finden auch Multimedia-Installationen Platz.

51 Theater District mit Times Square und Broadway

Erfolgsmusicals und Neonspektakel.
Subway 1, 2, 3, 7, 9, N, Q, R, S, W Times Square, Subway B, D, F, V 42nd Street – Bryant Park, Bus M6, M7, M10, M20, M27, M42, M104

33 km ist er lang und zieht sich diagonal durch ganz Manhattan – und doch meint man, wenn man vom ›Broadway‹ spricht, nur ein ganz bestimmtes, kurzes Stück der Straße, nämlich den Abschnitt zwischen der 41st und der 53rd Street, an dem auch Times Square liegt.

In diesem Geviert konzentrierten sich in den 1920er- und 1930er-Jahren, der glanzvollsten Zeit des Broadway, mehr als 80 **Theater**, wobei die Adresse ›Forty Second Street‹ besonders begehrt war. Hier reihten sich das Empire, das Liberty, das Harris, das Selwyn, das Lyric und das Victory Tür an Tür. Viele der schönen alten Theater wurden leider durch Bürogebäude ersetzt. Doch einige dieser Broad-

waybühnen kann man auch heute noch besuchen. Besonders prächtig ist das 1903 von den Architekten Herts & Tallant entworfene **New Amsterdam Theatre** (214 42nd Street, Tel. 212/282 29 95), das einst sogar auf dem Dach eine Bühne hatte. Das reich verzierte Portal an der 42nd Street ist übrigens nichts als Etikettenschwindel, den damals sehr viele Theater betrieben: Obwohl sie eigentlich an der 41st Street lagen, trachteten sie danach, mit der Adresse ›Forty Second Street‹ werben zu können, und bohrten Gänge quer durch den Block, um mit einem Eingang an der 42nd Street zu glänzen. Mittlerweile ist der Disney-Konzern hier eingezogen und zeigt sein Erfolgsmusical ›Mary Poppins‹. Weitere sehenswerte historische Broadway-Theater sind das **New Victory** (209 West 42nd Street, Tel. 646/223 03 20, www.new victory.org), das auch zum Disney-Konzern gehört und sich als Kinderbühne etabliert hat, das kleine **Shubert Theater** (225 West 44th Street), in dem über 20 Jahre lang das Musical ›A Chorus Line‹ zu sehen war, und das **Lyceum Theater** (149 West 45th Street), dessen Originalfassade erhalten ist. Informationen zu allen aktuellen Broadwayshows findet man im Internet: www.newyorkcitytheatre.com.

Die goldene Zeit des Broadway war um 1910, als es hier hochkarätiges Sprechtheater zu sehen gab. ›Great White Way‹ nannte man ihn damals, nachdem das elektrische Licht Einzug gehalten hatte. Mit dem Aufkommen des Tonfilms be-

Wenn der Grinch Weihnachten stiehlt, ergibt das eine knallbunte Broadway-Show

gann eine Krise. Viele Theater mussten schließen oder wurden zu Kinos umgebaut, Forty Second Street verfiel und kam zu Ruhm ganz anderer Art: als ›sündige Meile‹, als Synonym für Drogenhandel und Prostitution.

Ebenso erging es dem angrenzenden **Times Square**, dem Platz an der Kreuzung Broadway/7th Avenue, der seinen Namen der ›New York Times‹ verdankt, die 1904 hier ihr Verlagsgebäude bezog. Auf diesem lang gestreckten Platz konzentrierte sich das Leben des brodelnden Theaterviertels, hier herrschte eine großartige, elektrisierende Atmosphäre, die selbst dann noch spürbar war, als die Gegend verlotterte und von zwielichtigen Gestalten bevölkert wurde.

Ende der 1980er-Jahre kamen dann die Bagger und die Architekten mit postmodernen, verkitschten Lösungen für die Neugestaltung des Platzes. Doch auch eine neue Touristenattraktion kam hinzu: Seit einigen Jahren versuchen sich die Werbeagenturen mit immer spektakuläreren Leuchtreklamewänden zu übertreffen. Die Lichshow erschließt sich am besten bei einem Spaziergang, der an der Ecke Broadway/57th Street beginnt und in Richtung Süden führt – nach Einbruch der Dämmerung.

Die New York Times ist mittlerweile nicht mehr unmittelbar am Times Square zu Hause, sondern zwei Straßen weiter, an der 8th Avenue. Das **New York Times Building** (620 8th Avenue/Ecke 40th Street) des Italieners Renzo Piano setzte 2007 einen neuen Akzent in der Skyline Manhattans: Während sich die meisten Bürotürme New Yorks hinter verspiegelten Glasfassaden verbergen, ist hier Offenheit Programm. Alle Fenster sind

◁ *Taghell ist die Neon-Nacht am Times Square*

einen Blick in die dunkel getäfelte Lobby des Algonquin Hotels werfen. Denn in diesem Hotel traf sich der legendäre Zirkel, der als **Algonquin Round Table** in die Geschichte einging. 1919 bis etwa 1929 versammelten sich hier täglich New Yorks Intellektuelle – Journalisten, Literaten, Schauspieler –, eine lockere Runde, in der getratscht, gelästert und gelacht wurde. Protagonistin und Star war Dorothy Parker, eine Journalistin, die damals als geistreichste Frau des Landes galt. Ihre sarkastischen, brillant formulierten Spottverse und Bonmots, die sie in der Algonquin Runde zum Besten gab, standen am nächsten Tag in der Zeitung und machten in ganz Amerika die Runde. Der *Round Table Room* ist das Restaurant des Hotels, man kann den Intellektuellen also am Originalort beim Essen nachspüren.

Wer durch die westliche 44th Street spaziert, sollte einen Blick auf das Haus Nr. 37 werfen, das um 1900 nach Plänen von Warren & Wetmore entstand. Hier residiert der **New York Yacht Club** (www. nyyc.org), und dementsprechend erinnern die Fenster des Beaux Arts-Gebäudes an Schiffshecke.

53 Grand Central Terminal

Der Klassiker unter den Bahnhöfen.
East 42nd Street/Park Avenue
www.grandcentralterminal.com
Subway 4, 5, 6, 7 Grand Central, Bus
M1, M2, M3, M4, M5, M42, M98, M101,
M102, M104, Q32

Mit dem Bau der Eisenbahnen durch das riesige, unerschlossene Land sind einige Männer im 19. Jh. zu Millionären geworden, so auch Cornelius Vanderbilt: Er besaß mehr als ein Dutzend Eisenbahnlinien, die er zum ›New York Central System‹ zusammenschloss. Sein Sohn William Henry erweiterte das Unternehmen, und der Enkel schließlich baute diesen Bahnhof. Da sich hier die Endstation einer Bahnlinie befand, die am Mississippi begann, heißt er offiziell Grand Central Terminal, im alltäglichen Sprachgebrauch wird er aber meist Grand Central Station genannt. Inmitten der zum Teil schnöden Bürotürme wirkt die formvollendete Beaux Arts-Architektur (1903–13) mit der symmetrisch angelegten Bogen- und Säulenkomposition der Hauptfassade

durchsichtig, vor der Sonne schützt nur ein vorgeblendeter, feingliedriger Keramikschirm. Mit einer Höhe von insgesamt 319 m ist es genauso hoch wie das Chrysler Building.

52 Algonquin Hotel

Die Literaten der Tafelrunde.
59 West 44th Street zwischen Fifth
und Sixth Avenue
Tel. 212/840 68 00
www.algonquinhotel.com
Subway 7 Fifth Avenue, Subway B, D, F,
V 42nd Street – Bryant Park, Bus M1,
M2, M3, M4, M5, M6, M7, Q32

Mit dem Genius Loci ist das so eine Sache: Meist materialisiert er sich nicht. Wer sich für Literatur interessiert, sollte dennoch

Behütet vom Sternenhimmel und seinen Tierkreiszeichen wandelt man durch die große Bahnhofshalle des Grand Central Terminal

würdig und imposant. Sie stammt aus der Feder von Reed & Stem. Darüber zeigt eine riesige Uhr mit 4 m Durchmesser unerbittlich die Zeit an, gerahmt von den ›Römern‹ Minerva, Merkur und Herkules in trauter Gemeinschaft mit dem amerikanischen Adler. Ihr Schöpfer war der französische Bildhauer Jules Coutan.

Die Anlage ist überwältigend in ihrer Weitläufigkeit. Allein die von einem künstlichen Sternenhimmel überwölbte **Bahnhofshalle** ist 143 m lang und 45 m hoch. Auf zwei Etagen befinden sich Geschäfte, Bars und Restaurants. Im Untergeschoss lädt ein Foodcourt zum Imbiss, dort liegt auch die für ihre Fischküche berühmte **Oyster Bar** (Tel. 212/490 66 50, www.oysterbarny.com, s. S. 168).

Unter die Erde wurden auch auf zwei Ebenen die 67 Schienenstränge und die **Bahnsteige** gelegt – eine logistische und ingenieurtechnische Meisterleistung.

1929 wurde der Komplex erweitert, Warren & Wetmore fügten einen prachtvoll verzierten Büroturm hinzu, der ursprünglich New York Central Building hieß. Heute trägt er den Namen **Helmsley Building**. Mit seinem laternengekrönten Dach beherrschte und bereicherte er die Park Avenue, bis 1963 ein weiterer Turm gebaut wurde, der sich klotzig auf Grand Central Station breitmacht: Das **Met Life Building** (ehem. Pan Am) stammt von den Architekten Emery Roth & Sons, Pietro Belluschi und Walter Gropius.

54 Chrysler Building

Der Inbegriff des amerikanischen Art déco.

405 Lexington Avenue
Subway 4, 5, 6, 7, S Grand Central,
Bus M1, M2, M3, M4, M5, M42, M98,
M101, M102, M104, Q32

Mit diesem Meisterwerk der Art déco-Architektur hat sich der Automobilhersteller Walter P. Chrysler ein Denkmal gesetzt. Bei seiner Fertigstellung 1930 war das elegante Gebäude mit seinen 319 m auch das höchste der Welt – allerdings nur ein paar Monate lang, dann lief ihm das Empire State Building [s. Nr. 43] den Rang ab. An Eleganz aber ist dieses Werk des Architekten William Van Alen bis heute nicht übertroffen.

Der **Chrysler-Turm** mit seiner stahlverkleideten Bogenpyramide an der Spitze gehört zu den Wahrzeichen der Stadt. Nachts gibt er sich noch einmal mehr effektvoll, wenn die charakteristischen Dreieckfenster in den Bögen lichtumrandet erstrahlen. Als Huldigung an das (Chrysler-)Auto ragen im 61. Stock acht gigantische *Chromadler* (die bekannten Kühlerfiguren) in die Luft, im 31. Stock markieren vier überdimensionierte *Kühlerhauben* die Ecken des Gebäudes.

Das elegante Chrysler Building ist eines der gelungensten Beispiele New Yorker Architektur

Wunderbar ist die **Lobby** gestaltet, ein Art déco-Traum aus Marmor und Chrom mit 18 Fahrstühlen, an deren Türen Intarsienarbeiten zu bewundern sind.

55 East 42nd Street

Im Osten geht es nobel zu.

Subway 4, 5, 6, 7, S Grand Central, Bus M15, M27, M42, M50, M104

Bevor die Verschönerung der Gegend um den Times Square einsetzte, hatte die 42nd Street einen schlechten Ruf: Als sündig galt sie, als verrufen und verlottert. Auch wenn diese Charakterisierung einmal zutraf, bezog sie sich doch nur auf den Westteil der Straße. Und selbst dort ist davon nichts mehr zu spüren.

Der monumentale Eingang des **Bowery Savings Bank Building** (110 East 42nd Street), das 1923 nach Entwürfen der Architekten York & Sawyer erbaut wurde, in eine nicht minder großartige Schalterhalle. Da sie aber mittlerweile als exklusive Event-Location dient, ist sie nicht öffentlich zugänglich.

Beeindruckend ist auch die Fassade des östlich gelegenen **Chanin Building** (122 East 42nd Street) von 1929, für das die Architekten Sloan & Robertson verantwortlich zeichnen. Sie ziert ein interessantes Relief mit floralen Ornamenten von Jacques Delamarre und Renee Cham-

bellan. Noch ein Stück weiter in Richtung Osten gelangt man zu einer Oase in Midtown. Im Auftrag der **Ford Foundation** (321 East 42nd Street) schufen die Architekten Kevin Roche John Dinkeloo & Assocs. 1967 ein Gewächshaus im Glashaus – hier wurde beispielhaft ›öffentlicher Raum‹ [s. S. 31] gestaltet. In unmittelbarer Nähe der Vereinten Nationen wird es dann wirklich nobel – der Apartmentkomplex **Tudor City** ist eine sehr gute Wohnadresse – und ein Paradies für Liebhaber des Art déco!

56 United Nations Headquarters

Auf dem Gelände der Vereinten Nationen gelten eigene Gesetze.

United Nations Plaza, First Avenue zwischen 42nd und 48th Street
Tel. 212/963 86 87
www.un.org/tours
Führungen Jan./Febr. Mo–Fr
9.45–16.45 Uhr, März–Dez. Mo–Fr
9.30–16.45, Sa/So 10–16.30 Uhr
Subway 4, 5, 6, 7, S Grand Central,
Bus M15, M27, M42, M50, M104

Die United Nations Organization wurde 1945 in San Francisco als Nachfolgerin des Völkerbunds gegründet. Ihr Ziel war, sich nach dem Zweiten Weltkrieg für Frieden und Fortschritt einzusetzen. Auf der Su-

Die Trickkiste des William van Alen

In den Jahren vor dem Börsenkrach 1929 erlebte New York einen ungeheuren Wirtschaftsboom, in dessen Folge auch der Bedarf an gewerblicher Nutzfläche stieg. Überall wurde gebaut, und es gab nur eine Devise: **Hoch, höher, am höchsten.** Dahinter stand einerseits die wirtschaftliche Notwendigkeit, den teuren und knappen Grund möglichst effektiv zu nutzen, andererseits war aber unter den Bauherren und Architekten auch ein sportlicher Wettkampf ausgebrochen, bei dem jeder danach trachtete, den Titel ›höchstes Gebäude der Welt‹ für sich zu gewinnen. Beginnend mit dem Jahr 1928 standen zwei Männer im Ring: Craig Severance, der für die Bank of Manhattan in der Wall Street ein Gebäude errichten sollte, und William van Alen, der im Auftrag des Autokönigs Walter Percy Chrysler an

der 42nd Street baute. Ganz New York verfolgte den Kampf der Giganten, bei dem es um Meter und schließlich um Zentimeter ging. Nachdem Severance das Gerücht übermittelt worden war, dass das Chrysler Building 282 m Höhe erreichen werde, setzte er einen Fahnenmast auf und feierte sich als Sieger, denn damit war sein Bau 282,60 m hoch. Doch dann kam der 28. Mai 1930 und damit der schwärzeste Tag im Leben des Craig Severance. Van Alen hatte eine 56 m lange **Stahlspitze** im Brandschutzschacht des Turms versteckt gehalten, die er nun von einem Kran hervorziehen ließ. 90 Minuten lang wuchs und wuchs das Chrysler Building vor den Augen der versammelten Presse und des entsetzten Severance, dann stand der neue **Weltrekord** fest: 319 m!

Das imposante Sekretariatsgebäude und die Generalversammlung (links) des UN Headquarters

che nach einem Hauptquartier stieß man auf New York, denn dort bot sich ein edler Spender an: **John D. Rockefeller Jr.** Er erwarb das Areal des Schlachthofviertels am East River und schenkte es der UNO. Die USA gaben einen unverzinsten Kredit von 67 Mio. Dollar, und schon konnte es losgehen: Von 1947 bis 1953 entstand das UN-Hauptquartier unter der Federführung eines internationalen Architektenkomitees, dem u.a. Le Corbusier, Oscar Niemeyer und Sven Markelius angehörten. 1950 war das erste Gebäude bezugsfähig, das **Secretariat Building**, dessen schmaler Turm die Anlage beherrscht. Es folgten das **Conference Building**, der

niedrigste Bau des Komplexes, das **General Assembly Building**, das als *Auditorium* dient, und schließlich die **Dag Hammarskjöld Library**. Architektonisch ist das Ensemble keine Meisterleistung, Le Corbusier hat sich nicht ohne Grund von diesem Werk distanziert.

Das Gelände der United Nations ist exterritoriales Gebiet. Das heißt, dass hier eigene Gesetze gelten und die Vertreter der 192 in der UNO vertretenen Staaten besondere Rechte genießen, ähnlich wie Diplomaten in einem fremden Land. Im New Yorker Alltagsleben merkt man allerdings nicht viel davon. Seit 2008 wird die Anlage für 1,9 Milliarden Dollar saniert.

Im Rahmen von **Führungen** kann man die verschiedenen Gebäude besichtigen und Kunstwerke entdecken: Denn jeder Staat, der in der UN vertreten ist, hat seinen Beitrag zur ›Kunst am Bau‹ mit Skulpturen, Wandteppichen oder Gemälden geleistet.

Das riesige Gebäude, das gegenüber der UNO steht und alles in den Schatten stellt, ist der gigantomane **Trump World Tower** (www.trumpworldtower.com). Um den 260 m hohen Turm bauen zu können, erwarb der Unternehmer Donald Trump zunächst heimlich die Luftrechte [s. S. 101] von 15 Gebäuden und führte anschließend eine Reihe von Prozessen. Dann begann er zu Anfang des Jahrtausends mit dem Bau des Trumptypischen Protzbaus.

57 Diamond Row

Eine wahrhaft hochkarätige Straße.

West 47th Street zwischen 5th und 6th Avenue
Subway B, D, F, V 47th–50th Streets – Rockefeller Center, Bus M5, M6, M7, M27, M50

Schäbig wirkt sie, die 47th Street, auf keinen Fall so, wie man sich eine ›**Diamanten- und Juwelenstraße**‹ vorstellt: goldgepflastert wie in Las Vegas, gesäumt von livrierten Türstehern und mit Schaufenstern, in denen auf diskret-grauem Samt die erlesensten Stücke zur Schau gestellt werden ... Nicht so. Ein Unkundiger, den es in die 47th Street verschlägt, könnte glauben, er sei auf einem hektischen Straßenbasar gelandet, auf dem Glitzersteine en gros verscherbelt werden. Schwer zu glauben, dass dies alles echt ist, dass hier alljährlich Milliardenwerte umgesetzt werden, dass wir uns im Zentrum des amerikanischen **Diamantenhandels** befinden.

Die Besitzer der kleinen, engen Läden heißen Weintraub, Levitan oder Goldman. Viele tragen schwarze, halblange Mäntel und breitkrempige Hüte, unter denen die Schabbeslocken hervorquellen. Fast alle Diamantenhändler und -schleifer der 47th Street kamen auf der Flucht vor Hitlers Pogrom. Sie ließen sich in den 1940er-Jahren hier nieder und verliehen New York die Bedeutung im internationalen Diamantenhandel, die es heute noch hat: rund 80 % der Steine für den amerikanischen Markt werden hier umgeschlagen.

58 Waldorf-Astoria Hotel

100 Jahre in den Klatschspalten.

301 Park Avenue zwischen 49th und 50th Street
Tel. 212/355 30 00
www.waldorfastoria.hilton.com
Subway 6 51st Street, Bus M27, M50

Man verschweigt uns etwas in der offiziellen Chronik, die das Hotel dem Gast des Waldorf Towers »with compliments« überreicht, und das ist verständlich. Wer gibt schon gerne zu, dass er als Racheakt in die Welt gesetzt wurde, als Kind der Intrige. Das macht sich nicht gut auf Hochglanz und mit freundlichen Grüßen!

Die **Geschichte**, die man dort also nicht liest, beginnt in den 1880er-Jahren an der Kreuzung von Fifth Avenue und 34th Street. Dort befand sich zu der Zeit der Nabel der Welt. Davon waren zumindest die Neu- und Superreichen New Yorks überzeugt, die Astors, Vanderbilts, Goulds, Morgans, Belmonts und all die anderen, die im 19. Jh. durch Eisenbahnbau, Asienhandel, Erschließung des Westens und – last but not least – durch den Sezessionskrieg zu einer Unmenge Geldes gekommen waren, mit dem sie natürlich protzen wollten. So bauten sie Paläste und Schlösser an der Fifth Avenue und den 30er Straßen, kleideten sich in Paris ein und gaben riesige Bälle und Feste, denn sie mussten ja zeigen, dass ihre Garderobe aus Paris kam. Die Damen der Society befanden sich im edlen Wettstreit darum, wer die Wichtigste im Lande sei, und in diesem Prestige-Turnier hatte **Mrs. Astor** eine Position erreicht, die ihr bald niemand mehr streitig machte, aber jede neidete.

Sie war es, die die Kreuzung 34th Street/ Fifth Avenue zum Nabel der Welt erhob, denn dort, in einem prächtigen Backsteinhaus, hielt sie Hof und gab Feste in einem Ballsaal, der genau 400 Personen fasste. Wer auf die Einladungsliste kam, entschied allein sie – und weh dem, der nicht geladen wurde! Nicht zu ›The Four Hundred‹ zu gehören, kam der gesellschaftlichen Ächtung gleich.

Kein Wunder, dass Mrs. Astor umworben, gefürchtet und gehasst wurde, sogar in der eigenen Familie. Die Frau ihres Neffen **William Waldorf Astor** entpuppte sich als ärgste Rivalin. Dass es ihr trotz aller Bemühungen nicht gelang, die Tante zu entthronen, verärgerte wiederum den Neffen so sehr, dass er einen bösartigen

Im Foyer des Waldorf Astoria Hotels steht eine prunkvolle, zwei Tonnen schwere Standuhr

Plan ausheckte: Er ließ sein Haus, das an der Ecke 33rd Street/Fifth Avenue lag, abreißen und errichtete an derselben Stelle, inmitten der Herrschaftspaläste und in direkter Nachbarschaft zu Mrs. Astors Imperium, 1893 ein Hotel: das **Waldorf**. Profaner ging es nicht mehr. Die Tante reagierte prompt und zog nach Norden. Die Society folgte ihr in die Gegend um die 65th Street, damals noch Wildnis, die sich alsbald zur ›Millionaires' Row‹ mauserte.

Das Waldorf aber florierte, und Mrs. Astor konnte nicht schlafen vor Wut. Als sie wieder mal nach einer miserablen Nacht erwachte, zog sie ihren Sohn beiseite und befahl ihm, ebenfalls ein Hotel zu bauen. An der 34th Street, ihrer ehemaligen Residenz, Seite an Seite mit dem Waldorf. So entstand 1897 das **Astoria**. Nun waren aber die Astors, Familienfehde hin oder her, schon immer gute Geschäftsleute: Sie arbeiteten binnen kurzem zusammen, nannten sich ›Waldorf-Astoria‹ und bauten einen prächtigen Korridor, der die beiden Bauten verband und bald zum Laufsteg der feinen Damen wurde. **Peacock Alley** nannte man ihn, da die Ladies sich damals vornehmlich mit Pfauenfedern schmückten. Auch im heutigen Waldorf-Astoria an der Park Avenue gibt es eine Peacock Alley: das *Restaurant*

(Tel. 212/872 12 75, www.peacockalleyres taurant.com) heißt so.

Bis auf die Namen erinnert jedoch nichts mehr ans ausgehende 19. Jh.: Das zweite Waldorf wurde 1931 nach Entwürfen der Architekten Schulze & Weaver gebaut – während an der Stelle des ersten das Empire State Building [s. Nr. 43] entstand – und ganz im Stil der Zeit ausgestattet: Noch heute findet man, wenn man durch die Lobby flaniert, wunderschöne Art Déco-Ornamente. Diese Lobby mit ihren dicken roten Teppichen, den Mahagoni-Säulen, der grandiosen Standuhr, den Wandgemälden und dem Bodenmosaik ›Wheel of Life‹ ist so prächtig, dass sie zum Programm eines jeden Fremdenführers gehört. Das heißt, es spazieren Scharen von Touristen durchs Waldorf, eine Tatsache, die man als Gast des Hotels nicht unbedingt schätzt. Die wirklich betuchten und berühmten Leute steigen deshalb auch in den **Waldorf Towers** ab, einem Hotel im Hotel mit separatem Eingang. Durch ihn schritt schon die englische Königsfamilie – die Queen, ihre Mutter und Prinz Philip –, der Kaiser von Japan und der Schah von Persien übernachteten hier, amerikanische Präsidenten stehen auf der Gästeliste neben Winston Churchill, Charles de Gaulle und Nikita Chruschtschow.

Steinerne Lichtblitze krönen das General Electric Building in der Lexington Avenue

59 General Electric Building

Eine faszinierende Mischung aus Neugotik und Art déco.

570 Lexington Avenue
zwischen 50th und 51st Street
Subway 6 51st Street, Bus M27, M50,
M98, M101, M102, M103

Die aus Ziegeln, Aluminium und Stein bestehende Fassade dieses ursprünglich für die Radiogesellschaft **RCA** errichteten Wolkenkratzers (1931) nimmt stilistisch deutlich Bezug auf St. Bartholomew's Church [s. Nr. 60]. Verantwortlich zeichnen die Architekten Cross & Cross. Besonders reich mit neugotischen Elementen verziert ist die Turmspitze. Bei der Übernahme des Gebäudes durch **General Electric** wurde die Lobby in einer Mischung aus Art déco und Maya-Kunst gestaltet.

60 St. Bartholomew's Church

»Heiliger Krieg an der Park Avenue!«

Park Avenue
zwischen 50th und 51st Street
www.stbarts.org
Subway 6 51st Street, Bus M27, M50

St. Bartholomew's selbst ist recht unspektakulär: 1919 wurde das Gotteshaus nach Entwürfen von Bertram G. Goodhue errichtet, die schmucke, mit byzantinischen Ornamenten verzierte Kuppel war 1930 vollendet. Das romanisch inspirierte Eingangsportal stammt noch aus der Vorgängerkirche (1902) von McKim, Mead & White.

Wirklich spannend ist aber die Auseinandersetzung, die als ›Heiliger Krieg in der Park Avenue‹ und heftigster Kampf an der Denkmalschutzfront in die Geschichte einging und sich zehn Jahre hinzog. Worum ging es? 1981 brachte der Pastor der St. Bartholomew's Church den Stein ins Rollen. Er wollte die Luftrechte der Kirche verkaufen, um die Erlöse des Verkaufs für die Armen nutzen. Aber er hatte seine Rechnung ohne die hochkarätigen und einflussreichen Anwohner gemacht, die ihm den Plan vereitelten, indem sie umgehend dafür sorgten, dass das Gebäude unter Denkmalschutz gestellt wurde. Und dann den Streit um die Rechtmäßigkeit dieses Status finanzierten, der bis zum Obersten Gerichtshof in Washington führte. Die Ästheten und reichen Anwohner gewannen. Was recht schön ist, weil der niedrige byzantinisch inspirierte Bau der St. Bartholomew's Church Raum schafft im Häusermeer der Park Avenue und man auch im Garten des Café Bart's (Tel. 212/593 33 33, www.cafestbarts.com) eine hübsche Oase in dieser ansonsten recht abweisend wirkenden Gegend findet.

Oder war es ein Sieg des Mammons über die christliche Nächstenliebe?

61 St. Patrick's Cathedral

Ein geistiges Kind des Kölner Doms mitten an der Fifth Avenue.

Fifth Avenue
zwischen 50th und 51st Street
www.saintpatrickscathedral.org
Subway 6 51st Street, Subway E, V
Fifth Avenue, Bus M1, M2, M3, M4, M27, M50

Als in diesem Teil Manhattans noch nichts war außer steinigem Boden, zu steinig sogar, um einen Friedhof anzulegen, erfüllte sich der erste irische Bischof von New York einen Traum. Er baute eine Kirche ganz in der Tradition der europäischen Kathedralen – ein bisschen Kölner Dom im Äußeren und das beste, was Frankreich zu bieten hatte, für die Innenausstattung: Der Großteil der Glasfenster wurde aus Chartres und Nantes importiert. Als Architekten verpflichtete er James Renwick Jr. und William Rodrigue.

Mit St. Patrick's (1858–78) – nach dem irischen Schutzpatron benannt – bekam die katholische Erzdiözese New York ein würdiges Gotteshaus von 110 m Länge und 60 m Breite. Dass die noch einmal zehn Jahre später errichteten Türme 101 m hoch sind, kommt heute kaum mehr zur Geltung: Der schwarze Glasturm des *Olympic Tower*, 1976 nach Plänen von Skidmore, Owings & Merrill errichtet, erdrückt die einst so dominante Struktur aus weißem Marmor und Stein.

62 Rockefeller Center

 Ein Kind der Depression und doch eine Stadt in der Stadt.

Von 5th Avenue bis 7th Avenue und von 47th bis 51st Street
Tel. 212/332 68 68
www.rockefellercenter.com
Subway B, D, F, V 47th–50th Street – Rockefeller Center, Bus M1, M2, M3, M4, M5, M27, M50

Ein paar Sätze zur Stadtplanung, bevor wir zum Rockefeller Center kommen: Es gab sie nicht. In New York war kein kirchlicher oder weltlicher Herrscher im Amt, der ›seine‹ Stadt auf dem Reißbrett konzipierte, es gab keine Baukommission, die für ein harmonisches Gesamtbild sorgte. 1811 wurde das Rastermuster der Straßen festgelegt, 1916 erließ man ein Gesetz, das bestimmte, dass die oberen Stockwerke von Wolkenkratzern stufenförmig zurückgesetzt werden mussten [s. S. 31] – und das war bis dahin (wir befinden uns in den 1930er-Jahren) alles.

Um so grandioser wirkt das **Rockefeller Center**, eine Stadt mitten in der Stadt, ein *Komplex*, der aus einem Guss entstand, eine Kommune, in der 65 000 Menschen arbeiten. Das zugrunde liegende Konzept beinhaltete, die Bereiche Arbeiten, Einkaufen und Unterhaltung zu

St. Patricks Cathedral vom Rockefeller Center aus gesehen, die Atlasstatue schuf Lee Lawrie

Poppig bunt: Ampeln und Laternen wetteifern mit der Neonschrift der Radio City Music Hall

vereinen. Das architektonische Anliegen war, Raum in all seinen Dimensionen zu gestalten: In der Tiefe – ein unterirdisches *Straßennetz* stellt die Verbindung zwischen den Gebäuden her; in der Höhe – die Bauten verjüngen sich nach oben und sind so kombiniert, dass immer die Harmonie zwischen Freiraum und umbautem Raum gewahrt bleibt; und letztlich auch in der Horizontalen – breite Sichtachsen und großzügige Plätze treten ins Wechselspiel mit engen Durchgängen und unterschiedlich breiten Straßen. Geplant wurden die Bauwerke von einer Architektengruppe, an deren Spitze Raymond Hood stand.

Wer, wenn nicht kirchlicher oder weltlicher Herrscher, konnte es sich leisten, so eine Fläche zu bebauen, Architekten und Künstler zu beschäftigen, und das mitten in der Depression? Natürlich nur ein Millionär, besser noch, ein Multimillionär: **John D. Rockefeller Jr.** Er allein finanzierte das ganze Projekt und beschäftigte Tausende von Menschen, die andernfalls arbeitslos gewesen wären.

Rockefeller hatte das Land in der Absicht gepachtet, ein neues Opernhaus zu bauen. Das Metropolitan Opera House stand damals am Broadway in Höhe der 39th Street. Damit befand es sich in beachtlicher Entfernung von seinem Publikum, das Ende des 19. Jh. im Gefolge der Mrs. Astor nach Norden gezogen war [s. S. 92]. Der Börsenkrach von 1929 vereitelte den Plan, hehre Kunst und reiche Konsumenten einander näherzubringen. Also beschränkte sich Rockefeller darauf, einen Palast fürs Volk zu bauen, ein prunkvolles Revue- und Lichtspieltheater, die **Radio City Music Hall** (www. radiocity.com, Touren tgl. 11–15 Uhr). Der Entwurf stammte von Edward Durrell Stone. Die Innendekoration leitete Donald Deskey. 1932 stand der Unterhaltungspalast. Und das Volk dankte es Rockefeller: Die 6200 Plätzen waren in den Anfangsjahren fast täglich ausgebucht. Gerade in der Zeit der Depression zogen sich die Menschen in die Polstersessel zurück, genossen die Showeffekte, von denen die Radio City Music Hall reichlich zu bieten hatte, und die opulente Art déco-Ausstattung, kühne Träume aus Bakelit, Chrom, Glas, Aluminium, Marmor und Kristall. Wenn die sagenhaften ›Rockettes‹ die Beine warfen und die Wurlitzer-Orgel so mächtig wie ein 3000-Mann-Orchester dröhnte, wenn sich der glitzernde Regenvorhang von der Decke senkte und Sonne, Mond und Sterne auf Knopfdruck erschienen, war die Welt in

Ordnung, ließ sich die bittere Realität der Wirtschaftskrise vergessen.

Als die Zeiten besser wurden und es sich die Menschen zu Hause im Fernsehsessel bequem machten, geriet die Radio City Music Hall in finanzielle Schwierigkeiten, die sich so zuspitzten, dass in den 1970er-Jahren der Abriss des Unterhaltungspalastes bevorstand. Zum Glück mobilisierte diese Drohung die New Yorker. Sie reagierten mit Protestaktionen und Geldspenden und retteten so ihr »nationales Heiligtum« (Time).

Das Rockefeller Center bedeckt eine Fläche von 89 030 m², von den 19 Gebäuden, die zu dem Komplex gehören, entstanden 14 in den Jahren zwischen 1931 und 1940. Den besten Eindruck erhält man, wenn man sich von der Fifth Avenue über die Promenade nähert; diese 70 m lange Gerade, deren Zentrum die **Channel Gardens** bilden (nach dem Ärmelkanal benannt, da sie zwischen der **Maison Française** und dem **British Empire Building** liegen), führt auf die **Sunken** oder **Lower Plaza** zu, die gleichsam den Marktplatz der Stadt in der Stadt darstellt. Im Winter drehen hier die Schlittschuhläufer ihre Pirouetten, im Sommer kann man zwischen Bäumen und Blumenrabatten sitzen und Kaffee trinken. Ein Springbrunnen sorgt für Küh-

Fanfarenklänge unterm General Electric Building – Channel Gardens festlich geschmückt

Vom Top of the Rock überblickt man ganz Manhattan – rechts ein Zipfel vom Central Park

lung; vor ihm erhebt sich der goldene **Prometheus**, den Paul Manship schuf.

Fahnen lenken den Blick nach oben und aufs **GE** (General Electric) **Building**, das frühere RCA Building und höchste Gebäude des Komplexes (278 m). Seinen Haupteingang ziert ›Die Weisheit‹, ein Relief von Lee Lawrie, dem Künstler, der auch die Skulptur des ›Atlas‹ schuf, der vor dem **International Building** steht und sich der Fifth Avenue zuwendet.

Von den über 100 Werken, mit denen 30 verschiedene Künstler das Rockefeller Center schmückten, hat sicher das *Wandgemälde* in der Lobby des GE Building die interessanteste Geschichte. Es heißt ›American Progress‹ und stammt von José Maria Sert, der viel nacktes Fleisch bemüht, um den Fortschritt des Landes im wahrsten Sinne des Wortes ›sinnlich‹ fassbar zu machen. Serts Version mit den martialisch-muskulösen Körpern ist die zweite Variation zum Thema. Den ersten Auftrag hatte Nelson Rockefeller an den Künstler Diego Rivera gegeben, dessen Wandgemälde in Mexiko ihn tief beeindruckt hatten, so sehr, dass er vergaß, sich über die politische Couleur des Künstlers zu informieren. Das Ergebnis war vernichtend und kam Rockefeller teuer: Als Rivera sein Werk vollendet hatte, blickte Lenin von den Wänden des Foyers – und der verkörperte nun gewiss nicht den Fortschritt, den Rockefeller vor Augen hatte! Anregungen zum Thema Fortschritt lie-

fert auch ein Spaziergang zu den in der zweiten Bauphase entstandenen Hochhäusern jenseits der 6th Avenue, die ebenfalls zum Rockefeller Center gehören, sich aber nicht mehr in die städtebauliche Einheit fügen: **Celanese Building** (1973), **McGraw-Hill Building** (1972), **Exxon Building** (1971), **Time & Life Building** (1959). Alle stammen von Harrison & Abramovitz. Wie bombastisch, unfreundlich und kalt wirken sie doch im Vergleich zu ihren Vorgängern.

Wer die prächtige Stadtkulisse Manhattans von oben sehen will, gelangt in 47 Sekunden in einem futuristischen Lift mit Glasdecke und Bildprojektionen zur **TOP TIPP** 67. Etage des GE Building, wo sich das Aussichtsdeck **Top of the Rock** (30 Rockefeller Plaza, 50th Street zwischen 5th und 6th Avenue, Tel. 212/698 20 00, www.topoftherocknyc.com, tgl. 8–24 Uhr) bis zur 70. Etage erstreckt. Die Präsentation ist hervorragend, schon während man Schlange steht, kann man Filme sehen und Bilder betrachten – aber hier wird man nicht lange Schlange stehen, denn es gibt Tickets, die einem eine bestimmte Besuchszeit zuweisen. Top of the Rock braucht sich vor dem Vergleich mit der Aussichtsplattform des Empire State Building nicht zu scheuen. Der Blick ist hiergenauso schön, die Plattform ist geräumiger und die Organisation hervorragend. Die Tickets reserviert man am besten online.

63 American Folk Art Museum

Preisgekrönter Museumsbau für amerikanische Volkskunst.

45 West 53rd Street
zwischen 5th und 6th Avenue
Tel. 212/265 10 40
www.folkartmuseum.org
Di–So 10.30–17.30, Fr 10.30–19.30 Uhr
Subway B, D, F, V 47th–50th Street –
Rockefeller Center, Subway E, V Fifth
Avenue/53rd Street, Bus M1, M2, M3,
M4, M5, M6, M7

Im Jahr 2001 bezog das American Folk Art Museum sein mehrfach mit Architekturpreisen ausgezeichnetes Gebäude neben dem MoMA. Die Entwürfe zum Museumsneubau stammen von den Architekten Tod Williams und Billie Tsien. In ihm wird Volkskunst aus den letzten drei Jahrhunderten und allen Teilen der Vereinigten Staaten gezeigt. Naive Porträts sind ebenso zu sehen wie vorzüglich gearbeitete Steppdecken. Die Dauerausstellung des Museums befindet sich vor allem im 5. Stock, in den übrigen Etagen werden Wechselausstellungen gezeigt. Neben den Exponaten beeindruckt auch die grandiose Gestaltung der Innenräume. Die Architekten schaffen es, den verhältnismäßig schmalen Bau durch Lichtführung, Trennwände und verschiedene Treppen so zu gliedern, dass dabei die Ausstellungsstücke voll zu ihrem Recht kommen.

64 Museum of Modern Art

 Besucher kommen nach New York, allein um diese Sammlung einmal mit eigenen Augen zu sehen.

11 West 53rd Street zwischen
5th und 6th Avenue
212/708 94 00
www.moma.org
Mi–Mo 10.30–17.30, Fr 10.30–20 Uhr
Subway B, D, F, V 47th–50th Street –
Rockefeller Center, Subway E, V Fifth
Avenue/53rd Street, Bus M1, M2, M3,
M4, M5

Was tut ein Mann, der moderne Kunst hasst, aber mit einer Frau verheiratet ist, die völlig vernarrt ist in die Werke zeitgenössischer Künstler und das ganze Haus mit ihnen vollhängt? Ganz einfach: Er schenkt dem Museum of Modern Art ein Stück Land, schickt noch ein paar Millionen Dollar hinterher, um sicherzugehen, dass der Neubau auch finanziert ist, und bringt dann seine Frau dazu, ihre Sammlung dem Museum zu vermachen. Und schon ist er die Bilder aus dem heimischen Wohnzimmer los.

Abby Aldrich Rockefeller war die Sammlerin, ihr Mann John D. Rockefeller Jr. der

Barnett Newmans monumentaler ›Broken Obelisk‹ (1963–69) schmückt das Atrium des MoMA

›kunstgeplagte‹, nicht ganz uneigennützige edle Spender. Seit 1939 steht das Museum of Modern Art an der 53th Street und wurde im 20. Jh. mehrmals erweitert und umgebaut, bis man schließlich die Nase voll hatte vom architektonischen Stückwerk und chronischen Platzmangel: 2002–04 errichtete man das Museum im neuen Gewand: Fast den gesamten Block zwischen 54th und 53rd Street nimmt es nun ein, nachdem mehrere Gebäude hinzuerworben wurden. Inzwischen ist die großzügige Lobby auch von beiden Straßen aus zugänglich.

So zeigt es sich nun: Die Umkleidung schlicht. Schwarzer Granit, Aluminium, weißes und graues Glas. Der Skulpturengarten prächtiger denn je. Und von innen? Ein neues Haus, ein neues Konzept. Keine ›Führung‹ mehr durch die Raumfolge, sondern größere Freiheit, den Weg zu bestimmen und eigene Entscheidungen zu treffen. Architekt Yoshio Taniguchi hat sein Versprechen wahr gemacht: Zu den Verantwortlichen des MoMA sagte er: »Wenn ihr mir viel Geld gebt, bekommt ihr gute Architektur. Wenn ihr mir sehr viel Geld gebt, lasse ich die Architektur verschwinden.« Man gab ihm sehr viel Geld, und tatsächlich: Hier steht die Kunst allein im Mittelpunkt.

International bekannt ist natürlich vor allem die Gemäldesammlung. Das Museum of Modern Art zeigt Meisterwerke der neueren Kunstgeschichte. Impressionisten, Expressionisten, Kubisten, Fauvisten, Dadaisten, Surrealisten, Abstrakte Expressionisten, Pop-Art-Künstler – es gibt keine Kunstrichtung des ausgehenden 19. bis zum beginnenden 21. Jh., die im MoMA nicht vertreten wäre, keinen bedeutenden Künstler der Moderne, der nicht mit mindestens einem Werk repräsentiert wäre. Um nur ein paar der bekanntesten Gemälde zu nennen: Pablo Picassos ›Les Demoiselles d'Avignon‹ (1907), Henri Rousseaus ›Der Traum‹ (1910), Henri Matisses ›Der Tanz‹ (1909), Marc Chagalls ›Ich und das Dorf‹ (1911), Max Beckmanns ›Abreise‹ (1933–35), Edward Hoppers ›House by the Railroad‹ (1925) und Vincent van Goghs ›Sternennacht‹ (1898). Des weiteren findet man Gemälde von Paul Cézanne, Amedeo Modigliani, Joan Miró, Emil Nolde, Giorgio de Chirico, Salvador Dalí, Marcel Duchamps, Gustav Klimt, Wasily Kandinsky und Roy Lichtenstein.

Picassos ›Mädchen vor einem Spiegel‹ (1932) steht in der MoMA und beäugt sich ernst

65 Fifth Avenue – Midtown

Die teuerste Einkaufsmeile der Welt liegt im Herzen Manhattans.

Zwischen Rockefeller Center und Central Park
Subway B, D, F, V 47th–50th Street – Rockefeller Center, Subway E, V Fifth Avenue/53rd Street, Bus M1, M2, M3, M4, M5, M27, M50

Die Fifth Avenue verläuft wie der Broadway durch fast ganz Manhattan, vom Washington Square Park bis nach Harlem, und ändert dabei ihr Gesicht ein Dutzend mal. Aber wenn man von *der Fifth Avenue* spricht, meint man immer das kleine Stück, in dem sich die teuren und edlen **Geschäfte** ballen, also die Blöcke zwischen der 48th und 59th Street. Laut einer Studie von 2008 ist die 5th Avenue hier – gemessen an den Ladenmieten – die teuerste Einkaufsmeile der Welt.

Hier haben der Juwelier *Tiffany* (Fifth Avenue/57th Street, www.tiffany.com), das Edelkaufhaus *Bergdorf-Goodman* (754 Fifth Avenue, www.bergdorfgoodman.com) und der Juwelier *Harry Winston* (718 Fifth Avenue, www.harrywinston.com) ihre Stammhäuser. Gegenüber von Bergdorf-Goodman zieht New Yorks *Apple*-Flagship Store, ein gläserner Kubus, durch den

Hinter dieser eleganten Fassade kann man Produkte zur Pflege der Schönheit erstehen

es in die unterirdischen Verkaufräume geht, die Aufmerksamkeit auf sich.

Seit Mitte der 0er-Jahre ist es mit der **Exklusivität** der Fünften allerdings nicht mehr so weit her: Die Jeanskette GAP, Disney, H&M oder Abercrombie & Fitch sind eingezogen und wollen vom Ruhm der Straße profitieren – da können die vornehmen alten Damen von der Upper East Side, die sich hier ihre Perlenkolliers fertigen lassen, nur noch die grauen Köpfe schütteln.

Als die Welt Ende der 1970er-, Anfang der 1980er-Jahre, noch in Ordnung und die Fünfte noch von Mäusen und Jeans war, landete der **Immobilienspekulant** Donald Trump hier einen großen Coup. Es gelang ihm, an der Ecke Fifth/56th Street einen Turm zu erbauen, der mit 68 Stockwerken die Höhe, die an sich für Bauwerke in Midtown vorgegeben ist, weit überschreitet. Trump handelte keineswegs illegal. Er folgte nur den Regeln des ›Manhattan Monopoly‹, die folgendermaßen lauten: Wenn ein Gebäude die ihm zustehende maximale Bauhöhe nicht ausnützt, kann die Differenz zwischen tatsächlicher und maximaler Höhe auf den Nachbarn übertragen werden. Der darf die an sich zulässige Grenze dann nach oben überschreiten. Man nennt das **Luftrechte kaufen**. Für die Skyline hat diese höchst seltsame Regelung natürlich Folgen: Je kleiner ein Ge-

bäude, desto höher schießen die Nachbartürme in den Himmel. Von einer einheitlichen Planung kann nicht mehr die Rede sein. Jedoch, wen kümmert's, schließlich geht es um viel Geld.

Der **Trump Tower** (725 Fifth Avenue/Ecke 56th Street), ein 1983 nach Plänen von Der Scutt und Swanke Hayden Connell errichteter, schwarzer Glasturm, der zur Fifth Avenue hin stufenförmig zurückspringt, präsentiert sich als materialisierte Großmannsucht: Den Fifth-Avenue-Eingang zieren zwei freistehende goldene T's, und Gold erschlägt einen auch im Inneren. Goldene Rolltreppen, goldene Schaukästen, goldene Türbögen, goldene Geschmacklosigkeit. Ein hoher Wasserfall rauscht vom 5. Stockwerk vor einer lachsfarbenen Marmorwand herunter, zu seinen Füßen ein Café. Hier kann man zwischen Bäumen sitzen und bei Kaffee und Hörnchen Rot und Gold anschauen, bis einem die Augen schmerzen.

Wer Ästhetik statt Protzarchitektur genießen möchte, sollte sich folgende Gebäude näher ansehen (von Süden nach Norden): Das schmucke **Cartier Building** (651 Fifth Avenue/Ecke 52nd Street) wurde 1905 nach Entwürfen von Robert W. Gibson errichtet und 1917 von William Welles Bosworth zum Geschäft umgebaut. Der Elemente der italienischen Renaissance aufgreifende Bau gefällt mit seiner durch Friese gegliederten Fassade und der Uhr über dem Balkon im 1. Stock. Ähnlicher Stilanleihen bedient sich der bereits 1899 von McKim, Mead & White gestaltete **University Club** (1 West 54th Street/Ecke Fifth Avenue). Die Architekten, die selbst Mitglieder des University Clubs waren, bauten einen prachtvollen Palazzo, der lange Zeit das Vorbild für alle größeren Clubgebäude war. Mit goldfarbenen Ornamenten und nächtlicher Illuminierung wartet das **Crown Building** (730 Fifth Avenue/West 57th Street) auf, das 1921 von Warren & Wetmore gestaltet wurde. Das ursprüngliche ›Heckscher Building‹ war das erste, das nach dem Baugesetz von 1916 [s. S. 31] als sich nach oben verjüngende Struktur gebaut wurde. Besonders das Dach gefällt, wirkt es doch im Licht wie eine funkelnde Krone.

66 Austrian Cultural Forum

 Nach Jahren des architektonischen Stillstands endlich wieder ein Anlass zum Jubeln!

11 East 52nd Street
212/319 53 00
www.acfny.org
Mo–Sa 10–18 Uhr
Subway E, V Fifth Avenue/53rd Street, Bus M1, M2, M3, M4, M5

»Das bedeutendste New Yorker Gebäude seit dem Seagram Building« [s. Nr. 68] urteilte ein Architekturhistoriker kurz nach der Fertigstellung des **Austrian Cultural Forum** im April 2002. Und tatsächlich gibt es Anlass, eine außergewöhnliche architektonische Leistung zu bejubeln: Die

Neben dem Café im Trump Tower plätschert ein illuminierter Wasserfall den Marmor hinab

Blühende Tulpen und Magnolien schenken der Park Avenue ihren Duft und ihre Farbe

gewagte Fassade dieses Hauses, das nach Entwürfen von Raimund Abraham auf einem nur siebeneinhalb Meter breiten Grundstück 24 Stockwerke hoch emporwächst, weckt unterschiedliche Assoziationen. Schaut man von vorn, wirkt sie wie ein Metronom, und im Profil könnte man meinen, dass eine der kolossalen Steinfiguren von den Osterinseln hier Pate gestanden hat. Innen beherbergt das Kulturzentrum Ausstellungsräume, ein Theater, eine Bibliothek und Audiothek sowie Büros und Wohnungen für die Leiter der Institution, die hier Ausstellungen zu visueller Kunst und Architektur präsentiert. Ziel ist ein österreichisch-amerikanischer Kulturaustausch.

67 Lever House

Der erste, der im Glashaus saß.

390 Park Avenue
zwischen 53rd und 54th Street
Subway E, V Lexington Avenue – 53rd
Street, Bus M98, M101, M102, M103

Hier steht er, der heute eher unscheinbare Urvater der Curtain-Wall-Wolkenkratzer aus Stahl und Glas, der erste perfekte Quader des ›International Style‹, dem unzählige – und weit weniger geglückte – folgen sollten. Seit 1952 strebt das Werk der Architekten Skidmore, Owings & Merrill zum Himmel. Genießer finden heute im Erdgeschoss ein *Restaurant* (Tel. 212/888 27 00, www.leverhouse. com), das originelle American Cuisine mit frischen Zutaten vom Greenmarket bieten.

68 Seagram Building

Bauhaus in Manhattan.

375 Park Avenue
zwischen 52nd und 53rd Street
Subway E, V Lexington Avenue – 53rd
Street, Bus M98, M101, M102, M103

Dieser strenge, schlichte **Turm** (1958) mit seiner scheinbar endlos gerasterten Fassade aus Bronze und Glas gilt als **Mies van der Rohes Meisterwerk** und zugleich exemplarischer Vertreter des ›International Style‹, der sich nach dem Krieg in den USA entwickelt hat. ›Mitgebracht‹ hatten ihn die Architekten der Bauhaus-Moderne Walter Gropius, Marcel Breuer, Erich Mendelsohn und eben

Ludwig Mies van der Rohe, die vor dem Nationalsozialismus in Europa geflohen und in die USA ausgewandert waren. Hier konnten sie ihre Ideale von schlichtester, funktions- und materialgerechter Architektur an Stahl-, Glas- und Betonhochhäusern verwirklichen. Da Mies van der Rohe für New York keine Lizenz als Architekt hatte, arbeitete er mit Philip Johnson zusammen.

In dem Gebäude befindet sich das berühmte **Four Seasons Restaurant** (Tel. 212/754 94 94, www.fourseasonsrestaurant. com), das von Mies van der Rohe und Philip Johnson gestaltet wurde. Das Originalinterieur hat man weitgehend erhalten, die köstlichen Speisen – saisonale amerikanische Küche – sind up to date.

Der freie **Platz**, den das Gebäude umgibt, wirkt langweilig, weil unbelebt. Kaum zu glauben, dass er zu seiner Entstehungszeit übergroßes Aufsehen erregte: Die Plaza, der unbebaute Platz, den die beiden Architekten aus ästhetischen Gründen unbebaut ließen, war auf der teuren Park Avenue ein Vermögen wert! Das Beispiel machte aber bald Schule: 1961 wurden die Baugesetze geändert. Statt der sich nach oben verjüngenden klassischen Hochhäuser mit Basis, Mitte, Spitze wurden nun ungegliederte Einzelhochhäuser favorisiert, die sich über öffentlich zugängliche Platzanlagen erheben [s. S. 31].

Im Lipstick Building spiegelt sich der weiße Turm des Citigroup Center

69 Citigroup Center

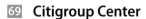

Die Kirche und ihr Turm.

Lexington Avenue
zwischen 53rd und 54th Street
Subway E, V Lexington Avenue – 53rd
Street, Bus M98, M101, M102, M103

279 m ist der schlanke Turm hoch. Entworfen haben ihn die Architekten Hugh Stubbins & Assocs. und Emery Roth & Sons. Seit 1978 ruht das Citigroup Center auf vier Pfeilern, die aber nicht die Ecken unterstützen, sondern in der Mitte der Turmseiten angeordnet sind. Das ergibt interessante Effekte und lässt Raum, noch einen Bau auf dem Grundstück unterzubringen, die **St. Peter's Church** (www. saintpeters.org). Der Kirche gehörte ein Teil des Grundes, und der Bau eines neuen Gotteshauses war Teil der Absprache mit den Bauherren. In der Skyline ist der Turm des Citigroup Center nicht zu übersehen. Er hat eine abgeschrägte Spitze, auf der ursprünglich Sonnenkollektoren angebracht werden sollten. Leider funktionierte das nicht.

70 885 Third Avenue

Aus dem Kosmetikkästchen der Weltstadt.

Third Avenue
zwischen 53rd und 54th Street
Subway E, V Lexington Avenue – 53rd
Street, Bus M98, M101, M102, M103

In den 1980er-Jahren wurde es üblich, Gebäude nur noch nach ihren Hausnummern zu benennen. Doch je nüchterner sich die Bauherren gaben, desto fantasievoller wurden die New Yorker. Diesen elliptischen Bau (1986) in Rotbraun und Rosa etwa, der sich nach oben durch zwei Zurückstufungen verjüngt, nennen sie sinnfälligerweise **Lipstick**, ›Lippenstift‹. Entworfen hat ihn John Burgee in Zusammenarbeit mit Philip Johnson.

71 Sony Building

Ein Hochhaus wie eine Kommode.

550 Madison Avenue
zwischen 55th und 56th Street
Tel. 212/833 81 00
www.sonywondertechlab.com
Di–Sa 10–17, So 12–17 Uhr
Subway E, V 5th Avenue – 53rd Street,
Bus M1, M2, M3, M4, M5, M57

›Chippendale-Hochhaus‹ heißt dieser Bau im Volksmund, denn die Spitze erinnert an den Aufsatz einer Chippendale-Kommode. Das postmoderne Gebäude war bei seiner Einweihung heftig ins Kreuzfeuer der Kritik geraten: »Massig, gestaltlos, teuer verkleidet«, kurz, »gutes Material, schlechter Schnitt«, schrieb die New-York-Times-Autorin Ada Luise Huxtable. Andere loben die Gestaltung des freien Raums auf Straßenniveau.

Der aufwendige Bau wurde 1984 nach Plänen von Philip Johnson und John Burgee für die Telefonfirma AT & T errichtet. Der Multi Sony hat ihn übernommen. Über mehrere Geschosse führt das Sony Wonder Technology Lab auf spielerische Weise in moderne Kommunikations- und Informationstechnik ein. Ein Schelm, der Böses dabei denkt, dass alle vorgestellten Neuheiten aus der weiten Welt des Sony-Konzerns stammen.

72 135 East 57th Street

Eine Ecke als urbanes Ereignis.

Lexington Avenue/57th Street
Subway 4, 5, 6 59th Street – Lexington
Avenue, Bus M98, M101, M102, M103

Es geschieht nicht oft, dass die Architekturkritiker der ›New York Times‹ sich zu wahren Begeisterungsstürmen hinreißen lassen. Angesichts dieses Gebäudes jedoch war Paul Goldberger nicht mehr zu bremsen: »Regelbruch – so wird eine Ecke zum urbanen Ereignis«, lautet der Titel seines Artikels. Und den Regelbruch, den das Architekturbüro Kohn Pedersen Fox begangen hat, beschreibt er so: »In einer Zeit, in der Architekten, Stadtplaner und Kritiker unisono behaupten, das erste Gebot urbanen Designs laute: Bleib immer an der Straßenlinie, will sagen, bau dein Gebäude direkt an den Gehsteig statt zurückgesetzt hinter eine jener trostlosen Beton-Plazas, wagt sich dieser neue Turm ganz weit zurück von der Straßenecke. Doch damit nicht genug: Er weicht nicht gerade zurück, sondern krümmt sich in konkaver Form, sodass seine Fassade keiner zweiten in New York gleicht.« Diese konkave Fassade zieht sich über die ganze Höhe des 34-stöckigen Gebäudes von 1987 empor. Um optisch einen Ausgleich zu schaffen, setzten die Architekten auf die unbebaute Ecke 57th und Lexington einen klassischen Tempietto.

73 Carnegie Hall

Das berühmte Konzerthaus bietet eine vortreffliche Akustik und große Namen.

156 West 57th Street/881 7th Avenue
Karten: Tel. 212/247 78 00
Führungen: Tel. 212/903 97 65
www.carnegiehall.org
Führungen Mo–Fr 11.30, 14, 15 Uhr
Subway N, Q, R, W 57th Street/
7th Avenue, Subway E 7th Avenue,
Bus M5, M6, M7, M30, M57, M104

Dass Geld allein nicht glücklich macht oder automatisch Nachruhm sichert, wissen wir. Also gilt es, mit dem Geld etwas Unsterbliches zu tun, etwas zu stiften, zu bauen. Und dann dafür zu sorgen, dass dieses Werk den Spender in Ehren halte und dessen Namen trage. **Andrew Carnegie**, seines Zeichens millionenschwerer Stahlmagnat, wusste um diesen Mechanismus und widmete sich, nachdem er sein Imperium 1901 verkauft hatte, ganz philanthropischen Aufgaben, weshalb er auch als »Industrieller und Menschenfreund« ins Lexikon einzog.

In New York gedachte Carnegie, sich die Unsterblichkeit durch die Finanzierung einer Konzerthalle zu sichern. 1891 erblickte das Werk von William B. Tuthill das Licht der Welt. Freilich konnte Carnegie damals nicht ahnen, dass 1960 die Bagger der Unsterblichkeit zu rücken drohten: Das Lincoln Center [s. Nr. 94] war im Entstehen, und die Carnegie Hall sollte vom Erdboden verschwinden. Es erhob sich ein weltweiter Protest. Nostalgisch gedachte man der verstorbenen Größen, die in der Carnegie Hall Musikgeschichte geschrieben hatten – das Eröffnungskonzert am 5. Mai 1891 hatte Tschaikowsky dirigiert, Gustav Mahler und Arturo Toscanini waren hier schon aufgetreten. Kämpferisch setzten sich die Lebenden für den Erhalt der Halle ein, unter ihnen der Dirigent Leonard Bernstein, der in der

Carnegie Hall entdeckt worden war, als er für den erkrankten Bruno Walter einsprang, und der Geiger Isaac Stern. Sie führten die hervorragende Akustik und die prächtige Innenausstattung an. Ihr Hauptargument aber war, dass dies eine historische Stätte sei. Sie gewannen den Kampf: 1986 wurde das Konzerthaus von James Steward Polshek & Partners restauriert und Andrew Carnegie muss sich vorläufig keine posthumen Gedanken über seine Unsterblichkeit machen.

Beginn des 21. Jh. 2001, einen Monat nach 9/11, präsentierte Norman Foster seine Entwürfe für den Hearst Tower und lag damit goldrichtig: Höhengigantismus entsprach nicht mehr dem Zeitgeist, ›Green Towers‹ in einem lebenswerten Umfeld und energiesparend gebaut waren nun gefragt. Fosters elegantes Gebäude mit dem Waffelmuster über der Glasfassade ist jedenfalls eine Bereicherung im Türmewald von Manhattan. Es ist übrigens sein erstes Werk in New York.

74 Hearst Building

Der elegante Büroturm von Norman Foster gefällt mit seiner gemusterten Glasfassade.

Zwischen 56th und 57th Street sowie 8th und 9th Avenue
www.hearstcorp.com/tower
Subway 1, A, B, C, D 59th Street –
Columbus Circle, Bus M10, M20, M30,
M104

Als der Medienzar William Randolph Hearst – Vorbild für Orson Welles ›Citizen Cane‹ (1941) – seine Architekten in den 1920er-Jahren damit beauftragte, ihm ein extravagantes, vom Stil der österreichischen Sezession beeinflusstes Bürohaus zu errichten, war geplant, den sechsstöckigen Sockel durch einen Turm zu krönen. Doch die Depression machte diese hochfliegenden Pläne zunichte und der Sockel stand verwaist bis zum

75 Columbus Circle

Kolumbus meets Cyberspace.

Central Park South, 8th Avenue,
Broadway
www.shopsatcolumbuscircle.com
Subway 1, A, B, C, D 59th Street –
Columbus Circle, Bus M5, M7, M10,
M20, M30, M31, M57, M104

Seit 2004 hat der Columbus Circle, der verkehrsreiche Platz mit der Statue des Entdeckers Kolumbus, ein neues Gesicht. Nach vierjähriger Bauzeit wurde das **Time Warner Center** fertig gestellt, das mit seinen beiden 229 m hohen Türmen neue Akzente setzt. Architekt David Childs verkleidete das Gebäude mit großflächigen Glasfassaden, in denen sich der Himmel herrlich spiegelt. Mit dem Bau setzte er ein Gegenstück zum bombastischen Trump International Hotel (1971) an der Nordseite des Platzes.

Das Isaac Stern Auditorium der Carnegie Hall ist berühmt für seine ausgezeichnete Akustik

Wolken ziehen vorüber und spiegeln sich in der großartigen Fassade des Time Warner Center, drei Tauben und ein steinerner Jüngling sehen ihnen dabei zu

An der prestigeträchtigen Adresse findet man auch das Luxushotel **Mandarin Oriental** (80 Columbus Circle/60th Street, Tel. 212/805 88 00, www.mandarinoriental. com/newyork) sowie viele Geschäfte und Restaurants der führenden Küchenchefs der Stadt. Die Kunst erhält ebenso Raum: 12 500 m² nimmt **Jazz at Lincoln Center** (Tel. 212/258 98 00, www.jalc.org) ein. Viel Platz zum Üben, Auftreten und für ein Jazz Café. Damit ist New York wieder um einen Superlativ reicher: Es besitzt den ersten eigens für Jazz konzipierten Konzertsaal: Das *Rose Theater* im fünften Stock bietet Platz für 1200 Menschen. Die Akustiker haben hier Grandioses geleistet, um den besonderen Bedingungen des Jazz gerecht zu werden. 600 Zuhörer finden im *Allen Room* Platz, hinter dessen Bühne eine Glaswand den spektakulären Blick auf die Skyline freigibt.

Seit 2008 setzt die Fassade des **Museum of Arts and Design** (2 Columbus Circle, Tel. 212/299 77 77, www.madmuseum. org, Mi–So 11–18, Do 11–21 Uhr) aus schwarz-weiß gegeneinander abgesetzte Flächen aus Terrakottakacheln, die die Buchstaben H und E zu formen scheinen – einen weiteren Akzent am Columbus Circle. Hier werden Exponate aus allen Bereichen des Designs gezeigt, Innenarchitektur, Mode, Kunsthandwerk ...

76 Plaza Hotel mit Grand Army Plaza

Ein Schloss am Central Park.

Fifth Avenue zwischen West 58th Street und Central Park South
www.theplazaresidences.com
Subway N, R, W 5th Avenue – 59th Street, Subway F 57th Street,
Bus M1, M2, M3, M4, M5, M30

Zu ihrem 100. Geburtstag meldet sich eine Institution zurück: das Plaza, 1907 nach Plänen von Henry J. Hardenbergh erbaut, eines der nobelsten und traditionsreichsten Hotels der Stadt. Hotel ist es nach der kompletten Umgestaltung und Restaurierung für 400 Mio $ allerdings nur mehr in zweiter Linie: Mehr als die Hälfte der Einheiten sind als Apartments auf den Markt gekommen. Zum Glück zog sich das Plaza nicht ganz aus dem öffentlichen Leben zurück: Der Palm Court, beliebter Treff zum Nachmittagstee, Oak Room und Oak Bar sind weiterhin für jedermann zugänglich.

Auf dem kleinen Platz vor dem Hotel, der Grand Army Plaza, erinnert der *Pulitzer-Brunnen* an den berühmten Verleger. Die nördliche Hälfte des Platzes dominiert eine Statue von *General Sherman hoch zu Ross*.

Central Park und Upper East Side

Der Central Park teilt die Gegend nördlich der 59th Street in die Upper West und die Upper East Side. Östlich der **grünen Lunge** leben die Millionäre, die sich in dieser Stadt ballen wie in keinem anderen urbanen Zentrum der USA: 102 000 New Yorker besitzen mehr als 1 Mio. Dollar. Zwischen der 61st und 81st Street lebt man, wenn man Multimillionär ist – und natürlich auf der Parkseite. Die Gegend östlich der Lexington Avenue gilt bereits als ›East of Eden‹. Das hat den Effekt, dass es dort sehr viel lebendiger zugeht als in der vornehmen Ecke, die zwar schöne alte Bausubstanz zu bieten hat, aber recht leblos wirkt. Anziehungspunkte sind die vielen Museen, die an der Fifth Avenue liegen. Das **Whitney Museum of American Art** oder das **Solomon R. Guggenheim Museum** etwa bieten internationale Kunst vom Feinsten. Soziokulturelle Zusammenhänge kann man im **Jewish Museum** oder im **Museo del Barrio** erkunden.

77 Central Park

340 ha Grün mitten in Manhattan. Hier treffen sich Sportler, Selbstdarsteller und Ruhe Suchende.

Zwischen Central Park West und 5th Avenue, Central Park South und Central Park North
www.centralpark.org

Der Entwicklungsplan, den die Stadtväter im Jahr 1811 zu begutachten hatten, war weder fantasievoll noch neu: Er sah vor, die Insel Manhattan von Greenwich Village bis hinauf zur 155th Street mit einem rechtwinkligen Straßennetz zu überziehen, durch das nur der Broadway als einzige Diagonale schneiden sollte. Zentren, in denen sich das städtische Leben konzentrieren konnte, Plätze und Knotenpunkte, die dem Stadtbild einen gewissen Rhythmus verleihen, waren nicht vorgesehen, genauso wenig wie Grünflächen: Ein Exerzierplatz und vier kleine Parks, jeweils dort, wo der Broadway eine der Avenues kreuzt – das war alles.

In der Begründung, mit der die Mitglieder der Kommission für diese Lösung plädierten, zeigt sich schon die Geisteshaltung, die auch den Immobilienhändlern unserer Zeit eigen ist: Da New York zum Glück vom Schicksal nicht dazu ver-

Mitten im Central Park bietet das Boathouse ▷
Dinner mit Seeblick und Ruderbootsverleih

dammt sei, am Ufer eines so kleinen Flusses wie der Themse oder der Seine zu liegen, gebe es auch keinen Grund, freie Flächen zu schaffen. Manhattan sei von weitem Meer umgeben und das genüge, um die Zufuhr frischer Luft zu gewährleisten. Außerdem seien die Grundstückspreise so hoch, dass es angebracht erscheine, wirtschaftlichen Überlegungen den Vorrang zu geben.

Die New Yorker mussten nicht lange warten, bis sie die Konsequenzen dieser Politik zu spüren bekamen: Zwischen 1820 und 1840 wuchs die Einwohnerzahl von 124 000 auf 313 000. Die Ufer der Insel wurden zugebaut mit Lagerhallen, Werften, Hafenanlagen – keine Rede mehr davon, dass an der Küste Grünflächen erhalten bleiben würden.

So traten denn bald die Kritiker auf den Plan: William Cullen Bryant, Poet und Herausgeber der ›Evening Post‹, Washington Irving, ein international bekannter Schriftsteller, sowie Maler und Landschaftsarchitekten machten sich dafür stark, dass ein Stück Land im Zentrum der Insel aus dem Bebauungsplan genommen und als Parkgebiet freigehalten wurde.

Das Gebiet nördlich der 59th Street war damals noch unbebaut, hier gab es nichts als ein paar Sümpfe, mageres Gestrüpp, Steine und Felsen. Die einzigen Bauwerke, die diesen Namen verdienten, waren ein Blockhaus und das Arsenal – sonst standen hier nur die Hütten der Armen. 1856 kaufte die Stadt das 340 ha große Gebiet – übrigens zu horrenden Preisen. Während man das Für und Wider diskutierte, hatten die Bodenspekulanten ausreichend Zeit gehabt, sich auf den Coup vorzubereiten.

Ein **Wettbewerb** wurde ausgeschrieben, als Gewinner gingen 1857/58 Frederick Law Olmsted und Calvert Vaux hervor. Nach deren Plänen durfte sich die Natur nun frei entfalten. Olmsted und Vaux brachten die Wildnis nach Manhattan zurück, schufen Seen, Bäche und be-

Was kann es schöneres geben als ein Sonnenbad im Central Park inmitten alter Ahornbäume?

waldete Hügel, legten Felsen frei und ließen Raum für sumpfige Niederungen, in denen Vogelarten leben, die man in der Millionenstadt nie vermuten würde.

Es dauerte 16 Jahre, bis die Visionen der beiden **Landschaftsarchitekten** umgesetzt waren. Tausende von Arbeitern mussten zugreifen, sie karrten Millionen Wagenladungen Erde an und schufen auf dem felsigen Untergrund die Humusschicht, die nötig war, damit Büsche und Bäume wachsen konnten.

Sümpfe mussten trockengelegt, Straßen, Brücken, Unterführungen gebaut werden. Im nördlichen Teil des Parks wurden kaum Gebäude errichtet, zwischen dem Reservoir und dem Harlem Mere sollte sich die Natur ganz ungestört entfalten. Für den südlichen Teil hingegen war eine Mischung aus englischem und französischem Garten geplant. Spielplätze, Statuen, Theater, Flächen zum Eislaufen, ein Zoo und Gebäude, die sich zwischen die Bäume ducken und wie verwunschene romantische Schlösser wirken – ›The Dairy‹ und ›Belvedere Castle‹) – hier entstand eine perfekte **Erholungslandschaft**, die Aspekte der Ruhe mit denen der Aktivität verbindet.

Central Park wurde bei seiner **Eröffnung** 1873 begeistert angenommen, und er ist noch heute der New Yorker liebstes Kind. Vor allem am Sonntag präsentiert er sich als große Bühne, auf der sich die Stadt selbst inszeniert. An diesem Tag sind die wenigen Durchgangsstraßen für den Autoverkehr gesperrt, sie gehören dann den Radfahrern, Rollerskatern und Joggern. Und auf der Terrasse am See wird bis in den Nachmittag hinein Brunch serviert.

Um Central Park kennenzulernen, spaziert man am besten von der Grand Army Plaza, die die Südostecke des Parks bildet, hinauf zum Lake. Der Weg führt am **Pond** vorbei, an dessen westlicher Seite ein **Vogelschutzgebiet** liegt, und am **Wollman Memorial Rink**, auf dem sich je nach Jahreszeit Schlittschuh- oder Rollschuhläufer tummeln. In **The Dairy**, einem Gebäude aus dem 19. Jh., kann man sich darüber informieren, welche Attraktionen Central Park noch bietet, wo man z. B. Räder oder Boote mieten kann, welche Theaterstücke auf einer der Bühnen gezeigt werden oder ob es gerade kostenlose Konzerte gibt. Über die **Mall**, die gerade, von Alleebäumen und Büsten berühmter Männer gesäumte Straße, gelangt man zur **Bethesda Terrace**, deren Zentrum ein Brunnen, *Bethesda Fountain*, bildet, und zum **Lake**, auf dessen nördlicher Seite sich **Belvedere Castle** (1869) erhebt. Daneben liegt das **Delacorte Theater**, eine Freilichtbühne.

78 750 Lexington Avenue

Diesen blauen Büroturm krönt eine runde Spitze.

Zwischen East 59th und 60th Street
Subway 4, 5, 6, N, R, W 59th Street –
Lexington Avenue, Bus M31, M57, M98,
M101, M102, M102, Q32

Wie eine gewaltige blaue Rakete kurz vor dem Start steht der 31-stöckige, massige Büroturm (1988) aus Glas und Granit mitten in Manhattan. Aus einer würfelförmigen Basis erhebt sich der runde Turmbau, der sich nach oben hin zu einem abgestuften Kegel verjüngt. Gekrönt wird das klar strukturierte Gebäude des Architekten Helmut Jahn von einer kleinen blauen Kugel, die dem Dach den Charakter einer kecken Pudelmütze verleiht.

79 Bloomingdale's

Ein ganzer Straßenblock präsentiert sich als Konsumtempel.

East 59th bis 60th Street zwischen
Lexington und Third Avenue
www.bloomingdales.com
Subway 4, 5, 6, N, R, W 59th Street –
Lexington Avenue, Bus M31, M57, M98,
M101, M102, M102, Q32

Es gab eine Zeit, da kursierte das Gerücht, ›Bloomie's‹ sei nach der Freiheitsstatue die zweitgrößte Touristenattraktion in New York. Das mag verwundern, denn Bloomingdale's ist nur ein Kaufhaus – allerdings, was für eines! Ein Konsumtempel erster Güte, in dem Geldausgeben zur Kunst wird. 1930 war das Werk der Architekten Starrett & Van Vleck vollendet. Seitdem ist nicht nur das Angebot berauschend, auch das Publikum ist durchaus Studien wert.

80 Temple Emanu-El

Eine Synagoge, größer als St. Patrick's.

1 East 65th Street zwischen 5th und
Madison Avenue
Tel. 212/744 14 00
www.emanuelnyc.org
Museum: So–Do 10–16.30 Uhr
Subway 6 68th Street – Hunter College, Subway F 63rd Street – Lexington Avenue, Subway N, R, W Fifth Avenue, Bus M1, M2, M3, M4, M30, M66, M72

Dies ist die größte Synagoge New Yorks, wenn nicht sogar, wie manche behaupten, die größte der Welt. Auf jeden Fall finden hier mehr Gläubige Platz als in der St. Patrick's Cathedral. Die Architekten Robert D. Kohn, Charles Butler, Clarence Stein sowie Mayers, Murray & Philip, die 1927, nachdem sich die Gemeinde vergrößert hatte, den Auftrag für den Bau erhielten, wählten eine Kombination aus neoromanischen und byzantinischen Elementen. Der Innenraum ist schlicht und dunkel gehalten, ein Ort der Meditation und Konzentration. Das *Herbert & Eileen Bernard Museum of Judaica*, das von der Gemeinde unterhalten wird, zeigt jüdische Kunst und religiösen Schmuck.

Woher stammt dieses schöne Fabelwesen, das der Nachtigall lauscht? Bloomingdale's Auslage

›Der ›Sommer‹ (1755) von François Boucher ziert die Villa der Frick Collection

81 Fifth Avenue – Upper East Side

Die feinste Adresse New Yorks.

Subway N, R, W Fifth Avenue, Bus M1, M2, M3, M4, M30, M66, M72

Wo heute der Temple Emanu-El [s. Nr. 80] steht, erhob sich früher der Stadtpalast der Mrs. Astor. Die Dame hatte sich, wie bereits erwähnt [s. S. 92], aus Ärger über die Unverfrorenheit ihres Neffen hierher begeben, in eine Gegend, die in den 1880er-Jahren noch völlige Wildnis war. Durch die Pionierat von Mrs. Astor – sie ließ sich von Richard Morris Hunt ein standesgemäßes **Palais** erbauen – und das Bedürfnis der anderen Mitglieder der Gesellschaft, der Sonne, um die sie kreisten, nahe zu sein, wurde die Gegend östlich des Parks binnen kurzem zur ›Millionaires' Row‹: Ein grandioser Stadtpalast reihte sich an den nächsten, wer zu ›The Four Hundred‹ gehörte oder gehören wollte, hatte nichts Eiligeres zu tun, als an der Fifth auf Parkhöhe ein Grundstück zu erwerben und dafür zu sorgen, dass er seinen Nachbarn ausstach: mehr Marmor, größere Säle, eleganteres Porzellan, Möbel aus europäischen Schlössern …

Der Glanz der ›Goldküste‹ an der Ostseite des Parks färbte ab und erstreckte sich auch auf das östliche Hinterland: In den Seitenstraßen der Fünften entstanden wunderhübsche, wenn auch nicht ganz so protzige, kleine **Stadthäuser**, die Avenues, die parallel zur Fünften verlaufen, erfuhren durch ihre Nähe zur Millionaires' Row eine Aufwertung. Die Upper East Side wurde zur feinsten Adresse der Stadt und ist das bis heute geblieben. Hier gibt es die besten und teuersten Privatschulen und -kindergärten, die exklusivsten Geschäfte, hier leben die berühmtesten Filmstars und TV-Größen. Hier ist überhaupt alles großartig, wenn man dem Satiriker und ›New York Times‹-Kolumnisten Russel Baker glauben darf: Man trägt »Nerz zum Supermarkt, wenn man ein Glas Erdnussbutter kaufen geht«, führt »winzige, reinrassige Pudel, nicht größer als ein kleiner Finger, durch limousinenverstopfte Straßen, bis sie den Gehsteig vor dem Stadthaus eines Multimillionärs oder einer international berühmten Kurtisane vollgepinkelt haben«.

Die ›feine‹ Upper East Side reicht vom Park bis hinüber zur Lexington Avenue und nach Norden an der Parkseite bis zur 81st Street. Madison und Lexington Avenue sind traditionell die ›service streets‹ mit Geschäften, die den täglichen Bedarf und die gehobenen Ansprüche erfüllen. Es lohnt sich, von der Fünften immer wieder Abstecher zu machen.

82 Frick Collection

Hochkarätige europäische Kunst in privatem Ambiente.

1 East 70th Street/5th Avenue
Tel. 212/288 07 00
www.frick.org
Di–Sa 10–18, So 11–17 Uhr
Subway 6 68th Street – Hunter College, Bus M1, M1, M3, M4, M30, M72

Einmal abgesehen von der erlesenen Kunstsammlung, bietet das Haus die Gelegenheit, einen Blick in eines jener Stadtpalais zu werfen, die einst die ›Millionaires' Row‹ säumten. Henry C. Frick (1849–1919), ein Stahlmagnat, ließ sich dieses Gebäude 1914 erbauen, und er war wohl im Geiste an der Loire und bei Ludwig XVI., als er die Pläne mit seinen Architekten Carrère & Hastings durchsprach.

1935 wurde das Haus in ein Museum verwandelt. Von den drei Stockwerken ist allerdings nur das Erdgeschoss für Besucher geöffnet. Der glasüberdachte Eingangsbereich mit Marmorbänken und Brunnen stimmt auf die ruhige Atmosphäre der Räumlichkeiten ein, die sich um ein **Atrium** mit einem hübschen Garten gruppieren. Fricks hochkarätige Sammlung beinhaltet **Werke** von El Greco, Bellini, Holbein, Tizian, Gainsborough, Constable, Boucher, Veronese und Rembrandt. Die Bilder sind weder chronologisch noch thematisch gehängt, sondern so, dass die persönliche Note des Hauses erhalten bleibt und man sich fühlt, als sei man Gast in dem Stadtpalazzo.

Die **Frick Art Reference Library** öffnet ihre Pforten nur nach Anmeldung und zu Studienzwecken: ein Paradies für Kunsthistoriker.

83 Whitney Museum of American Art

Mäzenatentum und amerikanische Kunst des 20. Jh. pur.

945 Madison Avenue/75th Street
Tel. 212/570 36 76
www.whitney.org
Mi/Do, Sa/So 11–18, Fr 13–21 Uhr
Subway 6 77th Street, Bus M1, M2, M3, M4

Im Gegensatz zum Museum of Modern Art [s. Nr. 64] konzentriert sich das Whitney Museum ausschließlich auf Werke amerikanischer Künstler. Zudem versteht sich das Whitney als Ausstellungsort für **zeitgenössische Kunst**. Dass diese Grenzen fließend sind und auch das Whitney heute Werke besitzt, die man als Klassiker der **Moderne** bezeichnen muss, liegt in der Natur der Sache: *Gertrude Whitney Vanderbilt*, selbst Bildhauerin, sammelte bereits seit Beginn des 20. Jh. Sie förderte jene Künstler, deren Namen heute in jedem Nachschlagewerk über moderne

Kostbar und geschmackvoll arrangiert ist die Sammlung der Frick Collection

Edward Hoppers ›Second Story Sunlight‹ (1960) im Whitney Museum of American Art

Kunst zu finden sind: John Sloan, Reginald Marsh, Edward Hopper, Alfred Stieglitz und Maurice Prendergast.

Das 1931 gegründete **Whitney Museum of American Art** zog 1954 in die 54th Street. Als sich auch dieses Gebäude wieder als zu klein erwies, wurde schließlich Marcel Breuer beauftragt, den Neubau an der Madison Avenue zu planen, ein Gebäude (1966), über das Ada Louise Huxtable in der ›New York Times‹ schrieb: »Der strenge und vielleicht etwas beunruhigende Bau ist zwar nicht gerade hübsch, er hat aber sicherlich Würde und Präsenz, und das sind zwei Eigenschaften, durch die sich die heutige Kunst nicht immer auszeichnet.«

Sicher kann man da geteilter Meinung sein. Im Depot und an den Wänden des Whitney jedenfalls ist vertreten, was in der **Kunst des 20. Jh.** Rang und Namen hat, darunter Lichtenstein, Pollock, Rauschenberg, Calder und Shan. Berühmt ist auch die Sammlung der Werke von Edward Hopper. Um keine Langeweile aufkommen zu lassen, werden im 1. Stock immer wieder andere Werke aus dem reichen Bestand gezeigt.

Aber auch und gerade ›Zeitgenössisches‹ wird hier noch großgeschrieben: Bis heute ist das Museum seiner Linie und dem Anliegen seiner Gründerin treu geblieben. Es bietet unbekannten Künstlern die Möglichkeit, sich zu präsentieren, und spiegelt in seinen Ausstellungen jeweils den aktuellen Stand der zeitgenössischen amerikanischen Kunst. Die **Whitney-Biennalen** (in geraden Jahren), große Verkaufsausstellungen, gelten als wichtiger Indikator für Strömungen und Trends in der Kunst. Mit der Midtown-Filiale im Altria Building [s. S. 90] möchte man zeitgenössische Kunst in Wechselausstellungen auch denen zugänglich machen, die sich sonst kaum damit auseinandersetzen würden.

84 972 und 973 Fifth Avenue

Relikte aus der Ära der Einfamilienhäuser.

972 und 973 Fifth Avenue zwischen East 78th und East 79th Street
Subway 6 77th Street, Bus M1, M2, M3, M4, M79

Zwischen 78th und 79th Street kann man exemplarisch sehen, welch imposante und prächtige Privatresidenzen früher die Fifth Avenue säumten. Dies ist der einzige Block, in dem vier Einfamilienhäuser erhalten blieben, wie sie in der Zeit zwischen 1890 und 1915 gebaut wurden. Auftraggeber waren die Reichen, aber eben nicht die Superreichen à la Astor, Vanderbilt oder Frick. Die ließen sich von McKim, Mead & White Paläste errichten, während die anderen mit Stadthäusern Vorlieb nehmen mussten, eines für jede Familie. In Apartmentgebäuden zu leben, war damals für die High Society undenkbar.

Hervorzuheben ist das Doppelhaus mit den Nummern 972 und 973 Fifth Avenue von Stanford White, ein Werk im Stil der italienischen Renaissance. Es gilt als eines seiner Meisterwerke. Der ins Ornamentale verliebte Architekt war damals der Darling der High Society und baute für alle, die Rang und Namen hatten. Mit Zitaten aus der europäischen Formensprache und Dekorationselementen, die er von seinen Reisen durch Europa mitbrachte, lieferte er seinen Kunden zugleich die Tradition der Alten Welt, nach der sie verlangten.

85 998 Fifth Avenue

Das erste Luxusapartmenthaus an der Millionaires' Row.

998 Fifth Avenue/East 81st Street
Subway 6 77th Street, Bus M1, M2, M3, M4, M79

Die Firma McKim, Mead & White, um 1900 das größte Architektenbüro der Welt, war über Jahrzehnte richtungsweisend in Sachen Stilfragen und agierte als Hofbaumeister des New Yorker Geldadels. Sie war es auch, die 1910 den Auftrag bekam, ein Gebäude zu errichten, das den Beginn einer neuen Ära markierte: 998 Fifth Avenue war das erste **Luxus-Apartmenthaus** an der Millionaires' Row. In der Upper West Side war es zwar schon seit den 1880er-Jahren en vogue und gesellschaftsfähig geworden, in Apartments zu leben. Doch die wirklich Reichen – und die wohnten nun mal auf der Upper East Side – bestanden noch jahrzehntelang darauf, dass nur ein eigenes Haus für die Familie standesgemäß sei.

Upper East Side meets Greenwich Village

Zu der Zeit, als Greenwich Village noch der Hort der Künstler und Querdenker war, hatte dort auch eine Dame ihr Atelier, deren Name für enorm viel Geld stand: **Gertrude Whitney Vanderbilt** (1875–1942), die Urenkelin von Cornelius Vanderbilt. 1907 richtete sich die vornehme Lady in einem ehemaligen Stall an der MacDougal Alley ein, der bald zum Treffpunkt für Maler und Bildhauer wurde, vor allem für diejenigen, die außerhalb des etablierten Kunstbetriebs standen. Da gab es zum Beispiel eine Gruppe Maler, zu der unter anderen John Sloan und Stuart Davis gehörten. **Ashcan School** nannte man sie, ein ursprünglich despektierlich gemeinter Ausdruck, der sich darauf bezog, dass die jungen Realisten sich mit Themen auseinandersetzten, die bislang in der Kunst nichts zu suchen gehabt hatten: Boxkämpfe, Mülleimer, Fabriken …

Die hehre National Academy wollte mit solchen Malern nichts zu tun haben, Gertrude Whitney Vanderbilt aber kaufte ihre Bilder und bot den verfemten Avantgardisten ein Ausstellungsforum. 1914 eröffnete sie das **Whitney Studio**, 1915 gründete sie ›The Friends of Young Artists‹ – junge Künstler sollten die Chance erhalten, ihre Werke zu zeigen, ohne vorher einer Jury ausgesetzt zu werden. Es gab keine Auszeichnungen. Statt dessen erwarb Mrs. Whitney Bilder, die sie für interessant und wichtig hielt.

Mit dem 1918 eröffneten Whitney Studio Club, in dem zwei Jahre später Edward Hopper seine erste Einzelausstellung hatte, wurde die Künstlerin und Mäzenin Mitte der 1920er-Jahre zur bedeutendsten und einflussreichsten Institution auf dem Sektor **moderne amerikanische Kunst**. 1929 bot sie ihre Sammlung, die rund 500 Werke umfasste, dem Metropolitan Museum als Schenkung an. Jenes aber lehnte ab – zeitgenössische Kunst aus dem eigenen Land gehörte nach Meinung der Kuratoren nicht in die heiligen Hallen. Gertrude Whitney Vanderbilt ging daraufhin nicht weiter mit ihren Bildern hausieren, sondern eröffnete 1931 ihr eigenes Museum, das damals noch im Village lag: das **Whitney Museum of American Art**.

In der zweiten Dekade des 20. Jh. änderten sie ihre Einstellung, gezwungenermaßen. Zum Einen wurden Grund und Boden in den angemessenen Gegenden New Yorks immer teurer. Außerdem erhob Washington seit 1913 Einkommenssteuer und griff damit auch den Gutverdienenden ins Säckel, sodass sich die meisten das Eigenheim und die aufwendige Lebenshaltung nicht mehr leisten konnten. Auf Luxus mussten sie deshalb trotzdem nicht verzichten, die Apartments waren opulent ausgestattet und boten alle Möglichkeiten zum Repräsentieren, sodass sich schließlich auch die Upper East Sider entschieden, diese Wohnform zu akzeptieren.

Einladung in den größten amerikanischen Tempel der Kunst – im Metropolitan Museum of Art treffen sich Kunstfreunde aus aller Welt

86 Metropolitan Museum of Art

Größenrekorde: Nummer 1 in Amerika, Nummer 4 in der Welt.

1000 Fifth Avenue zwischen
East 80th und 84th Street
Tel. 212/535 77 10
www.metmuseum.org
So/Di–Do 9.30–17.30,
Fr/Sa 9.30–21 Uhr
Subway 4, 5, 6 86th Street, Bus M1, M2, M3, M4, M79, M86

3,5 Mio. Exponate, Gebäude, die wie Baumschwämme um den alten Hauptbau wuchern, alle paar Jahre neue Flügel und Erweiterungen, neue Ausstellungsflächen. Größtes Museum Amerikas, viertgrößtes der Welt – dieses Museum scheint sich ständig selbst zu überholen, jede Ausstellung ist ein neuer Superlativ!

George Washington überquert den Delaware und die drei liebreizenden Schönheiten schauen nicht einmal hin. An Emanuel Leutzes kunstvoll komponiertem Gemälde von 1851 liegt es jedenfalls nicht

Richard Morris Hunt entwarf den neoklassizistischen Bau (1902) mit monumentaler Fassade aus hellbeigem Kalkstein. Das Architekturbüro McKim, Mead & White steuerte den Nord- und den Südflügel bei, die 1911 und 1913 fertiggestellt wurden. In den Folgejahren kam es zu mehreren Erweiterungsbauten verschiedener Architekten. Die Ergänzungsbauten von 1967 bis 1990 stammen alle von Kevin Roche John Dinkeloo & Assocs.

Wochen, Monate müsste man durch die hohen Hallen streifen, um die permanente **Sammlung** kennenzulernen; von den vielen wechselnden **Ausstellungen** gar nicht zu sprechen. Lange Warteschlangen bilden sich, wenn besonders große Ausstellungen ins ›Met‹ kommen, bei Schnee und Regen oder in der Gluthitze stehen die Menschen geduldig an und rücken Stufe um Stufe die marmornen Treppen empor. Die New Yorker sind begeisterte Museumsgänger – in dem Jahr, in dem das Museum 100 Jahre alt wurde, zählte man 70 000 bis 80 000 Besucher an Sonntagnachmittagen.

Die Fülle des Angebots erschlägt einen, und es gibt nur eines: auswählen. Daher hier ein kleiner Überblick über die verschiedenen Abteilungen der Ausstellungsräume:

Der ägyptische Tempel von Dendur (15 v. Chr.) wird im Metropolitan Museum of Art von einer Pharaonenstatue bewacht

Erdgeschoss

Costume Institute
Kleider und Trachten aus sieben Jahrhunderten und fünf Kontinenten, wechselnde Ausstellungen.

Antonio Ratti Textile Center
Feine Textiliensammlung: kostbare Kostüme, Teppiche und Gobeline.

Erste Etage

Egyptian Art
Die ägyptische Sammlung gehört zu den besten der Welt, Prunkstück: der *Tempel von Dendur*, der beim Bau des Assuan-Staudamms abgetragen wurde. Er steht in einem eigenen gläsernen Gebäude.

Greek and Roman Art
Teile der Sammlung gehören zu den ältesten Stücken des Museums. Besonders interessant ist das Zimmer einer Villa aus Pompei. Zu sehen sind 5300 Werke hellenistischer, etruskischer, süditalienischer und römischer Kunst.

Medieval Art
Wunderbar präsentierte Exponate mittelalterlicher Kunst aus dem 7.–16. Jh. Der Großteil dieser Sammlung befindet sich in der Dependance in den Cloisters [s. Nr. 109].

The Robert Lehman Collection
Die Privatsammlung, die der Bankier Robert Lehman dem Museum stiftete, bestand aus über 300 Gemälden, darunter frühe Italiener. Lehman vermachte sie dem Museum mit der Auflage, dass ein eigenes Gebäude für seine Schätze errichtet wurde. Heute präsentiert sich die Sammlung in sieben Räumen, die auf zwei Stockwerke verteilt sind. Zu sehen sind überwiegend Werke europäischer Maler, wie Rembrandt, Goya, van Gogh, Matisse …

European Sculpture and Decorative Arts
Verschiedene Galerien, in denen Skulpturen, Möbel, Keramik-, Metall- und Glaskunsthandwerk sowie Instrumente westeuropäischer Länder von der Renaissance bis zum 20. Jh. präsentiert werden.

Arms and Armor
Waffen und Rüstungen aus Europa, Asien, Afrika und Amerika.

Arts of Africa, Oceania, and the Americas
Nelson Rockefeller schenkte dem Museum diese Sammlung, die präkolumbianische Kunst und ›primitive‹ Kunst aus Afrika und Ozeanien enthält.

American Wing
60 Galerien, die über den First Floor und den Second Floor verteilt sind und in denen alle Erscheinungsformen amerikanischen Kunstschaffens Raum finden: Gemälde, Skulpturen, dekorative Kunst, Stilzimmer, Tiffany-Fenster sowie ein von Frank Lloyd Wright gestalteter Raum.

Modern Art
Zwei Stockwerke und der wunderschöne Skulpturengarten auf dem Dach des 1987 eröffneten Flügels sind der Kunst des 20. Jh. gewidmet.

Zweite Etage

European Paintings
Bilder aus verschiedenen europäischen Ländern und Epochen; hier fehlt nichts, was Rang und Namen hat: Mantegna, Raffael, Tizian, Veronese, van Eyck, Rembrandt (über 30 Gemälde!), Holbein, Cranach, Velasquez, El Greco, Watteau, Corot, van Gogh, und und und.

Frauen betrachten voller Anerkennung eine griechische Statue, die sich in diesen Blicken zu sonnen scheint

Nineteenth Century European Paintings
Europäische Malerei und Skulptur des 19. Jh. Hier besonders beachtenswert: Die *O. H. Havemeyer Collection*, die viele Werke von Degas enthält.

Islamic Art
Islamische Kunst und wertvolle Schriften aus dem 8.–19. Jh. (bis 2010 geschl.). Einige Werke werden auf dem Great Hall Balcony gezeigt.

Ancient Near Eastern Art
Exponate aus dem Nahen Osten, die ältesten von ihnen stammen aus dem 6. Jahrtausend v. Chr.

Asian Art
Mit 60 000 Objekten vom 2. Jahrtausend v. Chr. bis zum frühen 20. Jh. die größte Sammlung asiatischer Kunst der Welt. Gemälde, Drucke, Kalligrafien, Skulpturen, Metall-, Textil- und Keramikarbeiten aus Korea, China, Japan, Indien und Tibet.

Drawings and Prints
Zeichnungen und Drucke seit dem Mittelalter. Bekannt ist die Sammlung für Arbeiten italienischer und französischer Künstler des 15.–17. Jh., darunter Hauptwerke von Michelangelo, Leonardo da Vinci und Rembrandt.

Musical Instruments
Wertvolle Instrumentensammlung, die drei Stradivaris enthält.

Das markante Guggenheim Museum mit ▷
seinem kubischen, 1992 eröffneten Anbau

87 **Neue Galerie New York**

TOP TIPP *Glanzvolles Museum für deutsche und österreichische Kunst mit einem Wiener Kaffeehaus.*

1048 Fifth Avenue/86th Street
Tel. 212/628 62 00
www.neuegalerie.org
Sa–Mo, Do 11–18, Fr 11–21 Uhr
Subway 4, 5, 6 86th Street,
Bus M1, M2, M3, M4, M86

In einem prächtigen alten Stadthaus, das sich Cornelius Vanderbilt III. 1914 nach Plänen von Carrère & Hastings als Residenz errichten ließ, präsentieren Kosmetikerbe Ronald Lauder (1944) und Galerist Serge Sabarsky (1912–1996) das ›alte Europa‹. Werke deutscher und österreichischer Künstler des 20. Jh. sind hier zu sehen, die Dauerausstellung zeigt Schiele, Klimt und Beckmann sowie Möbel der Wiener Werkstätte. Stolz der Sammlung ist das zweitteuerste Gemälde der Welt: Ronald Lauder erwarb 2006 Gustav Klimts ›Adele Bloch-Bauer I‹ für 135 Mio. $. Hinzu kommen interessante Sonderausstellungen, im Erdgeschoss bietet das nette Café Sabarsky, das den Namen eines der Museumsgründers trägt, Wiener Kaffeehausatmosphäre mit österreichischen Mehlspeisen.

88 **Gracie Mansion**

In diesem hübschen Landhaus residierte bis 2002 der Bürgermeister.

Carl Schurz Park, East End Avenue, gegenüber der 88th Street.
Tel. 212/639 96 75
Führungen Mi 10, 11, 13 und 14 Uhr nach Anmeldung
Bus M15, M31, M86

Der schottischstämmige Kaufmann Archibald Gracie ließ sich Ende des 18. Jh. dieses zweistöckige weiße Landhaus am East River bauen. 1896 erwarb die Stadt das Anwesen, und bis 2002 lebte und arbeitete dort der Bürgermeister von New York. Trotz der vielen Erweiterungen und Veränderungen, die das Gebäude im Laufe der Jahre erfahren hat, wirkt es noch immer wie ein Herrenhaus aus vergangener Zeit, vor allem deshalb, weil es nicht durch andere Gebäude eingeengt

ist, sondern in einem weitläufigen Garten frei steht. Heute wird es als Unterkunft für Gäste des Bürgermeisters genutzt.

89 **Solomon R. Guggenheim Museum**

Origineller Museumsbau mit Spitzenwerken der Klassischen Moderne!

1071 Fifth Avenue, zwischen
East 88th und 89th Street
Tel. 212/423 35 00
www.guggenheim.org
Sa–Mi 10–17.45, Fr 10–20 Uhr
Subway 4, 5, 6 86th Street,
Bus M1, M2, M3, M4, M86

Bereicherung oder Zerstörung? Die Kulturkritiker konnten sich nicht einigen, ob sie den neuen, von Gwathmey & Siegel entworfenen **Annex** (1992) des Museums nun feiern oder verdammen sollten. »Die

Befreiung des Guggenheim«, jubelte der Architekturkritiker Paul Goldberger in der ›New York Times‹, »New York hat es zugelassen, dass eines seiner bedeutendsten Bauwerke im Namen des ›Fortschritts‹ verwässert und kompromittiert wurde«, klagte Vera Graaf in der ›Süddeutschen Zeitung‹.

Kontroversen ums Guggenheim begleiteten die ganze Bauzeit des Museums und verlängerten sie entsprechend: 16 Jahre dauerte es, bis das Museum im Oktober 1959 eröffnet werden konnte. Weder der Auftraggeber, **Solomon R. Guggenheim**, noch der Architekt, **Frank Lloyd Wright**, erlebten diesen Tag. Was die städtische Baubehörde und die Anrainer zu so heftigen Protesten und Verzögerungen veranlasst hatte, war die Form des Gebäudes: Wright setzte mitten in die strenge Rasterlandschaft Manhattans ein auf den Kopf gestelltes *Schneckenhaus*, in dessen Innerem eine spiralenförmige Rampe

verläuft. Von oben fällt Tageslicht ein. Der Besucher spaziert die Rampe entlang, seinen Weg säumen die Bilder.

Darüber, dass sich Frank Lloyd Wright hier selbst ein Denkmal gesetzt hat und dabei die Aufgabe der Architektur, einer Funktion zu dienen, nicht unbedingt nachgekommen war, waren sich die Kritiker einig: »Während die Fassade des Gebäudes Macht ausdrückt, spricht das Innere von Ego – einem Ego, das weit tiefer ist als das Gewässer, in das Narziss zu lange schaute«, schrieb der Kulturkritiker Lewis Mumford. Dennoch, es gab auch positive Stimmen. Im Lauf der Jahre lernten die New Yorker ihren originellsten und frechsten Museumsbau lieben, und die Zahl derer, die kamen, um das Gebäude zu sehen und die Sammlung dabei nur als Beiwerk nahmen, wuchs. Aber auch die Sammlung vermehrte sich, und das Guggenheim klagte über Platzmangel. Allein das Erbe Guggenheims hatte

Auch innen wirkt das Guggenheim Museum mit seinen spiralförmig angeordneten Ebenen wie ein überdimensionales Schneckenhaus

mehr als 4000 Gemälde, Plastiken und Zeichnungen umfasst, Zukäufe vergrößerten die Bestände. So befindet sich eine der umfangreichsten **Kandinsky-Sammlungen** im Besitz des Museums, außerdem Werke von Picasso, Chagall, Mondrian, Marc, Feininger, Miró, Renoir, Manet – um nur einige Glanzlichter zu nennen.

Anfang der 1980er-Jahre wurden erstmals Pläne bekannt, dass die Spirale einen Anbau erhalten sollte, und als diese Pläne dann um 1985 auch auslagen und einen riesigen grünen Überhang zeigten, der die Schnecke fast verschwinden ließ, kam es erneut zu Protesten der Anrainer und Kunstinteressierten – diesmal *für* die Schnecke. »Don't wrong Wright« – lautete der clevere Schlachtruf.

Ein neuer Entwurf wurde gefordert und nun auch realisiert: Der **Annex** ist ein kubischer, zehnstöckiger Glasbau, der sich dezent im Hintergrund der Schnecke hält und mit dieser durch vier Übergänge, die von der Spirale wegführen, verbunden ist. 60 Mio. Dollar hat er gekostet. Die Ausstellungsfläche wurde verdreifacht – endlich können in den hohen Galerien auch großformatige Kunstwerke gezeigt werden.

Das kam der neuen Philosophie der Museumsmacher entgegen: Seit Gug-

genheim international agiert und in Bilbao oder Berlin Filialen eröffnete, finden im New Yorker Mutterhaus überwiegend Großausstellungen statt. Der Schwerpunkt der gezeigten Sammlung liegt auf der Abstrakten Kunst, sie enthält jedoch auch Werke des Impressionismus, Postimpressionismus, Expressionismus und Surrealismus. Bekannt ist das Museum jedoch nicht so sehr für seiner Dauer-, sondern mehr für seine Wechselausstellungen, die regelmäßig für Furore sorgen.

90 Cooper-Hewitt National Design Museum

Design und Kunsthandwerk in vorbildlicher Präsentation.

2 East 91st Street/5th Avenue
Tel. 212/849 83 80
www.cooperhewitt.org
Mo–Do 10–17, Fr 10–21, Sa 10–18, So 12–18 Uhr
Subway 4, 5, 6 86th Street,
Bus M1, M2, M3, M4

Es war einmal ein britischer Wissenschaftler namens Smithson, der vermachte der Stadt Washington bei seinem Tod 1829 sein ganzes Vermögen mit der

Auflage, »unter dem Namen des Smithsonian-Instituts eine Stelle zur Erweiterung und Verbreitung des Wissens zu gründen«. Warum dieser Mann sich genau Washington für seine Stiftung ausgesucht hatte, weiß niemand: Smithson war nie in Amerika gewesen. Washington nahm das Geschenk an, errichtete damit eine ganze Reihe von eigenen Museen, schuf Forschungsstellen und ›adoptierte‹ auch andere Museen wie das **Cooper-Hewitt National Design Museum** in New York, das schon 1897 von Sarah und Eleanor Hewitt, den Enkeltöchtern von Peter Cooper, dem Erfinder der Dampflokomotive, gegründet worden war.

Das Haus, in dem das Museum heute untergebracht ist, gehörte ebenfalls keinem Unbekannten: Der Stahlmagnat Andrew Carnegie ließ sich 1901 diesen 64-Zimmer-Stadtpalast, in dem die Familie bis 1946 lebte, von den Architekten Babb, Cook & Willard bauen. Das Museum beschäftigt sich mit allem, was mit Gestaltung und Design zu tun hat. Das kann Stadtplanung sein, Architektur, Landschaftsarchitektur, industrielles Design, Mode und Textildesign, Bühnenbilder, Werbung oder Handwerksarbeiten. Jedes Jahr finden etwa zwölf verschiedene Hauptausstellungen statt. Die Sammlungen des Museums enthalten über 170 000 Objekte, die in vier Gruppen unterteilt sind: 1. Produktdesign und Dekorative Kunst, 2. Drucke, Zeichnungen und Grafik-

Auch mit der Geschichte von Messer, Gabel und Löffel beschäftigt sich das Cooper-Hewitt National Design Museum

design, 3. Textilien und 4. Wanddekoration. Zu dem prächtigen alten Gebäude gehört ein hübscher Garten mit Sitzgruppen in ausgefallenem Design.

91 Jewish Museum

Das Museum beherbergt die weltweit größte Sammlung jüdischer zeremonieller Kunst.

1109 Fifth Avenue/92nd Street
Tel. 212/423 32 00
www.thejewishmuseum.org
Sa–Mi 11–17.45, Do 11–21 Uhr
Subway 4, 5, 6 86th Street,
Bus M1, M2, M3, M4, M86, M96, M106

Die weltweit umfassendste Sammlung jüdischer zeremonieller Kunst ist in einem neogotischen Schlösschen, dem früheren Wohnraum von Felix M. Warburg, untergebracht. 1908 wurde es nach Plänen von C. P. H. Gilbert erbaut. Heute werden die Räumlichkeiten zum Einen für Wechselausstellungen genutzt, die sich thematisch mit der gegenwärtigen jüdischen Kultur beschäftigen. Zum Anderen zeigt die Dauerausstellung *Culture and Continuity: The Jewish Journey* (Kultur und Kontinuität: Der jüdische Weg) auf zwei Etagen 800 Werke der bemerkenswerten Museumssammlung, darunter Gemälde, religiöse Objekte, Fotos, Videos und archäologische Fundstücke. Sie illustrieren die jüdische Erfahrung von der Antike bis heute. Zwei Fragen stehen dabei im Zentrum: Wie war es dem Judentum möglich, über 4000 Jahre hin-

Henri Cartier-Bresson fotografierte Ostern 1947 diese eleganten Ladys in Harlem. Hier schmücken sie das Museum of the City of New York

weg weltweit zu prosperieren – und das oft unter schwierigen und tragischen Umständen? Und was ist das Wesentliche der jüdischen Identität?

Diesen modernen Chanukka-Leuchter kann man im Jewish Museum bewundern

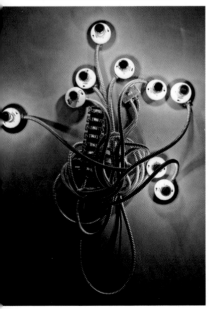

92 Museum of the City of New York

Die umfangreiche Sammlung dieses Museums zeichnet ein buntes Bild der Stadt.

1220 Fifth Avenue zwischen 103rd und 104th Street
Tel. 212/534 16 72
www.mcny.org
Di–So 10–17 Uhr
Subway 6 103rd Street,
Bus M1, M2, M3, M4, M106

Geschichte lebendig machen, so lebendig, dass auch Kinder sich gerne mit ihr beschäftigen – das ist in diesem Museum in einem Gebäude von Joseph H. Friedländer von 1932 gelungen: Da sind nicht nur alte Karten, Kleidungsstücke, Fotos und Dioramen zu sehen, die das historische New York besonders anschaulich zeigen, sondern auch Spielzeug aus vergangenen Zeiten, Feuerwehrwagen, Straßenbahnen und Modellbauschiffe. Auch ein Puppenhaus aus dem 18. Jh. ist zu bestaunen. Die Zusammenstellung der Exponate erscheint insgesamt kunterbunt, ist aber durchaus sehenswert! Hoch interessant sind auch die Ausstellungen zur Geschichte der Stadt, die das Museum regelmäßig zeigt.

El Barrio, ›das Viertel‹

East Harlem, Spanish Harlem, El Barrio – das Gebiet zwischen der 96th und der 120th Street und der 3rd und 5th Avenue hat viele Namen. El Barrio ist der gebräuchlichste, übersetzt heißt das einfach ›Viertel‹. Oder ›Neighborhood‹, wie die New Yorker die Stadtteile nennen, in denen sie zu Hause sind. Die Nachbarn hier sprechen alle dieselbe Sprache – und viele von ihnen nur diese eine: **Spanisch**.

Vor allem die Älteren können oft kein Englisch und brauchen es auch nicht. Sie haben ihre eigenen Zeitungen, Radiostationen und Fernsehsender, in den Geschäften, Restaurants und Arztpraxen kommen sie auch ohne Fremdsprachenkenntnisse zurecht. Wie die Ergebnisse der Volkszählung aus dem Jahr 2000 beweisen, bilden die Hispanier heute die größte Minoritätengruppe in New York. Sie stellen 27 % der Stadtbevölkerung (zum Vergleich: Weiße 35 %, Schwarze 25 %, Asiaten 10 %). Unter dem Begriff **Hispanier** fasst man all jene zusammen, die ihre Wurzeln in der Karibik, in Mexiko sowie im restlichen Mittel- und Südamerika haben. Heute kommen die meisten hispanischen Neuzuwanderer aus der Dominikanischen Republik.

Während des 20. Jh. dominierten die **Puertoricaner**. Sie waren und sind die einzigen Latinos, die freien Zutritt zu den USA haben: Ihre Insel wurde 1898 nach dem Spanisch-Amerikanischen Krieg den USA zugeschlagen und ist Teil der ›US Commonwealth Territories‹. Seit 1917 besitzen die Puertoricaner die amerikanische Staatsbürgerschaft. Sie haben in den USA zwar kein Wahlrecht, dürfen aber immerhin ihren Wohnsitz frei wählen. Und das taten sie, vor allem immer dann, wenn wirtschaftliche Not sie aus ihrem karibischen Paradies vertrieb. Schon in den 1920er-Jahren kamen Zigtausende nach New York. Der Großteil von ihnen ließ sich im ehemals jüdischen East Harlem nieder. Die **Masseneinwanderung** begann in den 1940er-Jahren und erreichte in den 1950ern ihren Höhepunkt: Damals wohnten 80 % aller in den USA lebenden Puertoricaner in New York. El Barrio konnte sie längst nicht mehr fassen. Sie wichen nach Brooklyn und in Manhattan auf die Upper West Side aus.

Ihr Brot hatten sie sich immer als Billigarbeiter in der verarbeitenden Industrie verdient, und als New York ab Anfang der 1960er-Jahre seine Bedeutung als Industriestandpunkt verlor, traf es die Puertoricaner besonders hart. Nur 10 % hatten einen Schulabschluss, Arbeitslosigkeit und Verelendung setzten ein und prägten auch das Erscheinungsbild von El Barrio. Die Häuser verkamen, jahrzehntelang lag das Viertel in Agonie. Der Osten, immer der ärmste Teil von **Spanish Harlem**, zeigt noch heute Spuren urbanen Verfalls. Im Westen hingegen regen sich erste Anzeichen einer Wiederbelebung. Häuser werden restauriert, Geschäfte eröffnet, bunte Wandbilder zeugen von neuem Leben. Sie künden auch vom neuen Selbstbewusstsein der **Nuyoricans**, wie sich die Menschen nennen, die in New York eine Heimat fern der Heimat gefunden haben.

Museo del Barrio

Quirliges hispanisches Kulturzentrum.

1230 Fifth Avenue zwischen 104th und 105th Street
Tel. 212/831 7272
www.elmuseo.org
wg. Renovierung bis Ende 2009 geschl.
Subway 6 103rd Street,
Bus M1, M2, M3, M4, M106

Das 1969 gegründete Museo del Barrio ist ein riesiges Gebäude, das den ganzen Block einnimmt. Es beschäftigt sich mit Kunst und Kultur der **Puertoricaner, Spanier** und **Lateinamerikaner**. Die umfangreiche Sammlung beinhaltet u. a. Gemälde, Handwerks- und Volkskunst, etwa mehr als 300 *Santos de Palo*, holzgeschnitzte Heiligenfiguren aus Puerto Rico, sowie präkolumbianische Keramik aus dem karibischen Raum und Fotos von Jack Delano aus der Zeit der Depression. Darüber hinaus dient das Museum als kulturelles Zentrum des Viertels, Lehr- und Lernraum für Kinder und Erwachsene, Künstler und Konsumenten.

Upper West Side, Harlem und der hohe Norden

Westlich des Central Parks ändern die Avenues ihre Namen. Sie treten als Central Park West, Columbus Avenue, Amsterdam Avenue und West End Avenue auf den Stadtplan. Dies ist die Upper West Side, das Viertel zwischen Central Park, Fluss, der 59th und der 125th Street. Es umfasst auch *Morningside Heights*, wo die **Columbia University** ihren Sitz hat. Hauptschlagader ist der **Broadway**, an ihm und an der Parkseite erheben sich die prächtigen alten Apartmenthäuser, noch heute begehrte und teure Wohnadressen. Wie überhaupt das ganze Viertel in den letzten Jahrzehnten seit dem Bau des **Lincoln Center** eine steile Karriere als Neighborhood für Künstler, Familien und all jene genommen hat, die es sich leisten können, in dieser zwischenmenschlich intakten und architektonisch reizvollen Gegend zu leben.

Östlich der Morningside Avenue beginnt **Harlem**. Einst berühmt-berüchtigt als Getto, hat das Viertel in den letzten Jahren eine Renaissance erlebt und ist auch als touristische Destination interessant geworden. An der Nordspitze zeigt sich Manhattan grün und mit den **Cloisters** sogar mittelalterlich.

94 Lincoln Center for the Performing Arts

Wo die West Side Story spielte.

West 62nd bis 66th Street zwischen Columbus und Amsterdam Avenue
Tickets: Tel. 212/721 65 00
Führungen nach Anmeldung:
Tel. 212/875 53 50
www.lincolncenter.org
Subway 1 66th Street – Lincoln Center, Bus M5, M7, M11, M20, M66, M104

Bevor die Bagger kamen, erlebte San Juan Hill, der Slum, der sich westlich vom Güterbahnhof erstreckte, noch einmal einen großen Auftritt: Filmleute bauten ihre Kameras in den schäbigen Hinterhöfen auf, Stars spazierten über die schmutzigen Straßen – man drehte die ›West Side Story‹ (1961) mit der Musik von Leonard Bernstein, in einer Inszenierung und Choreographie von Jerome Robbins.

Als Arthur Laurents und Leonard Bernstein ihre moderne Version des Romeo-und-Julia-Themas zu schreiben began-

Vom Plaza Hotel hat man einen schönen Ausblick über den Central Park und die Upper West Side ▷

nen, wählten sie die Lower East Side als Schauplatz ihrer Geschichte; sie sollte von der aussichtslosen Liebe zwischen einem jüdischen Mädchen und einem italienischen Jungen handeln. Die Tagesereignisse, die Mitte der 1950er-Jahre Schlagzeilen machten, die Berichte von bewaffneten und sich bekämpfenden Jugendbanden auf der **Upper West Side**, motivierten die Autoren wohl zum Umdenken: Als das Musical fertig war, hieß die Geschichte ›West Side Story‹, die Protagonisten waren eine Puertoricanerin und ein Weißer.

Das klassische Wohngebiet der Puertoricaner in New York war eigentlich El Barrio [s. Nr. 93]. Erst in den 1950er-Jahren, nachdem die Massenemigration eingesetzt hatte, zogen die Hispanier auf die westliche Seite des Central Park. Von Norden nach Süden übernahmen sie einen Block nach dem anderen – die meisten Weißen flohen, sobald sich die erste puertoricanische Familie in ihrer Nachbarschaft niederließ. Die wenigen, die blieben, waren entweder Künstler, die den billigen Wohnraum zu schätzen wussten und der Faszination des Viertels erlagen,

oder arme Weiße, die mit den Schwarzen und Hispaniern bittere Kämpfe austrugen. Auch wenn es heute kaum zu glauben ist: Die Upper West Side war damals eine der übelsten Wohngegenden Manhattans, **San Juan Hill** galt als der schlimmste Slum New Yorks.

1961, als die ›West Side Story‹ gedreht wurde, war San Juan Hill nur noch Kulisse: Die Häuser waren schon geräumt, die Familien umgesiedelt. Kurz darauf wurde alles dem Erdboden gleichgemacht. Der Slum gehörte der Vergangenheit an, entstehen sollten neue Wohnviertel und ein Kulturzentrum, in dem Theater, die Oper und Konzerthallen Platz finden sollten: das **Lincoln Center for the Performing Arts**. Für die Upper West Side war dieses Sanierungsprojekt der Startschuss zum Neubeginn. Nicht nur, dass die Gegend durch die Nähe zu dem neuen Musentempel noch attraktiver für Künstler wurde, es setzte insgesamt ein Prozess ein, der langsam und Block für Block zur Wiederbelebung des Viertels führte: Die Errichtung des Lincoln Center war gleichsam der Auftakt dafür, das Drehbuch der ›Upper West Side Story‹

Vollen Einsatz geben Anna Netrebko und Mariusz Kwiecien bei einer Aufführung der Oper buffa ›Don Pasquale‹ in der Metropolitan Opera

Met, die erste

Die Met, wie sie sich heute präsentiert, ist äußerlich ein typisches Kind der 1960er-Jahre. Der Nimbus des Opernhauses wurde aber schon viel früher begründet. Er geht zurück auf die erste **Metropolitan Opera**, die 1883 am Broadway/39th Street eröffnet wurde.

Den Gründern der berühmtesten Oper Amerikas verfeinerten Kunstverstand zu unterstellen, wäre wohl falsch. Es ging vielmehr ums Prestige und um verletzte Eitelkeit. Das Prestige verlangte, dass die Ende des 19. Jh. durch Industrialisierung und Sezessionskrieg zu Geld gekommenen einen angemessenen **Logenplatz** im Musentempel der Stadt besaßen. Diese Sitze waren aber alle in den Händen der alteingesessenen First Families, und die wollten die Neureichen nicht an ihrer Seite dulden. Nachdem sich Mrs. Vanderbilt, immer-

hin millionenschwere Gattin, eine Abfuhr in Sachen Erwerb einer Loge in der **Academy of Music** geholt hatte, handelten ihr Mann und seine Millionärsfreunde und bauten sich ihre eigene Oper, die Metropolitan Opera. Ersten Ruhm erwarb man sich mit Wagner-Premieren.

Da es an Geld nicht mangelte, traten hier von Anbeginn die **Größten der Großen** auf. Daran hat sich bis heute nichts geändert, obwohl es bestimmt nicht mehr die Gage ist, die lockt: Spitzentenöre wie Domingo und Carreras verdienen in Europa das Fünffache dessen, was ihnen die Met bietet. Dafür aber, so formulierte es einmal der ehem. Manager Bruce Crawford, zahlt man hier »mit Renommee« – ein Auftritt in der Met ist noch immer die Krönung jeder Sängerkarriere.

umzuschreiben und wieder mit anderen Inhalten zu füllen als mit Bandenkriegen und Prostitution, verbarrikadierten Häusern und müllbesäten Gehsteigen.

Trotz dieser positiven Folgen, die die Sanierung des San-Juan-Hill-Slum mit sich brachte, stieß das Projekt, ein derart

teures und aufwendiges **Kunstzentrum** zu errichten, auch auf Protest. Und das mit Recht: New York besaß bereits eine Oper, es verfügte über eine Konzerthalle und andere Einrichtungen, um die kulturellen Bedürfnisse der Millionenstadt zu befriedigen. So war es Wasser auf die

Mühlen der Kritiker des »kulturellen Einkaufszentrums«, dass sich die Akustik der Philharmonic Hall (von Max Abramovitz, 1962) als derart schlecht erwies, dass die Mitglieder des New York Philharmonic Orchestra sich fragten, warum sie denn nun eigentlich ihr altes Stammhaus, die Carnegie Hall [s. Nr. 73], verlassen hatten. Zum Glück fand sich ein Mann namens Avery Fisher; er zahlte die nicht unbeträchtliche Summe von 5 Mio. Dollar, um die Philharmonic Hall 1976 mit Hilfe des Akustik-Ingenieurs Cyril Harris völlig umzubauen (Architekten: Johnson/Burgee). Zum Dank dafür, dass die Konzerthalle sich nun hören lassen konnte, taufte man sie um in **Avery Fisher Hall.**

Auch das architektonische Gesamtkonzept des Lincoln Center empfand man als unbefriedigend: Es wurde zwar ein Architekt, Wallace K. Harrison, benannt, der dem ›Board of Architects‹ vorstand – aufgrund seiner Mitwirkung am Rockefeller Center [s. Nr. 62] war er eigentlich prädestiniert für diese Aufgabe –, doch vermisst man die einheitliche Linie in dem Ensemble. Die Chance, einen städtebaulichen Komplex aus einem Guss zu schaffen, wurde weitgehend vertan. Wallace K. Harrison zeichnet auch für den Entwurf des **Metropolitan Opera House** verantwortlich (1966), das mit seinen hohen Portalbögen nur in zweiter Linie elegant wirkt. Die klassizierende Fassade strömt zunächst Kälte aus und stellt stilistisch im Grunde einen Rückschritt dar. Großartig sind hingegen zwei Wandgemälde im **Foyer**, die von Marc Chagall stammen: ›Le Triomphe de la Musique‹ und ›Les Sources de la Musique‹.

Das links von der Plaza liegende **New York State Theater** (1964) der Architekten Philip C. Johnson und Richard Foster beherbergt das ›New York City Ballet‹ und die ›New York City Opera‹. Hinter der Avery Fisher Hall bildet die **Juilliard School of Music** (1968) von Pietro Belluschi, Eduardo Catalano und Westermann & Miller den nördlichen Abschluss des Komplexes. Das weltberühmte Konservatorium – hier war z. B. der Violonist Nigel Kennedy Schüler – bietet den jungen Leuten schon während des Studiums die Möglichkeit, in Konzerten aufzutreten.

Zwischen Juilliard School und Opernhaus liegt das **Vivian Beaumont Theater** (1965) von Eero Saarinen & Assocs. auf der Ebene einer zweiten Plaza, die Skulpturen von Henry Moore und Alexander Calder beleben. Im freischwebenden Attikage-

Die hohen bogenförmigen Fenster geben Einblick in das Foyer des Metropolitan Opera House mit seinen beiden großartigen Wandgemälden von Marc Chagall

Von links nach rechts sieht man hier: Majestic, ▷
Dakota, Langham und San Remo Building

schoss haben Skidmore, Owings & Merrill Räumlichkeiten geschaffen für die **Library for the Performing Arts**, eine Bibliothek, die zur New York Public Library gehört und die wohl umfangreichste Literatursammlung zum Thema Darstellende Künste besitzt. Wunderbare Konzerte kann man im Sommer im **Damrosch Park** erleben, der sich südlich an den Met-Komplex anschließt.

95 Congregation Shearith Israel

Die älteste jüdische Gemeinde New Yorks.

99 Central Park West/70th Street
Tel. 212/873 03 00
www.shearithisrael.org
Subway B, C 72nd Street,
Bus M7, M10, M11, M72

New York hieß noch Nieuw Amsterdam und wurde von Peter Stuyvesant regiert, als die ersten Juden in der Stadt eintrafen. Sie kamen aus Spanien und Portugal, man hatte sie vor spanischen Piraten gerettet. Peter Stuyvesant war nicht begeistert und wäre die 23 Gäste am liebsten wieder losgeworden, doch die Dutch West India Company entschied 1655, dass die Juden bleiben konnten. Und nicht nur das: Entgegen Stuyvesants Widerstand erlaubte ihnen die Company, ihre Religion auszuüben – die erste jüdische Gemeinde hieß ›Shearith Israel‹. In den Anfangsjahren traf man sich in den Häusern der Gläubigen; erst 1730 bekam die Gemeinde ihre erste richtige Synagoge. Der klassizistische Bau am Central Park wurde 1897 nach Entwürfen von Brunner & Tyron errichtet, die angrenzende ›Little Synagogue‹ erinnert noch an den Vorgängerbau aus dem Jahr 1730.

Großen Zuwachs erhielt die jüdische Gemeinde der Upper West Side in den 1930er-Jahren, als österreichische und deutsche Juden vor Hitler flohen. Hier lag das Zentrum der deutschsprachigen Emigranten und Intellektuellen, die in ihrer Heimat aus politischen oder religiösen Gründen nicht mehr genehm waren. Eine wichtige Rolle als konkrete Hilfe für die Flüchtlinge, aber auch als literarisches und philosophisches Forum spielte dabei die Zeitschrift ›Aufbau‹, die bis 2004 ihre Redaktionsräume am Broadway 2121 hatte und mittlerweile in der Schweiz herausgegeben wird. Während der gesamten Kriegszeit war der ›Aufbau‹ die wichtigste Stimme der Exilliteratur.

96 Majestic Apartments

Majestätische Doppelkrone.

115 Central Park West,
zwischen 71st und 72nd Street
Subway B, C 72nd Street,
Bus M7, M10, M11, M72

Leben in Apartmenthäusern? Als das Dakota [s. Nr. 97] gebaut wurde, rümpften die feinen Leute bei diesem Gedanken die Nase. Fast 50 Jahre später waren die mächtigen, **schlossartigen Apartmentbauten** zum Markenzeichen der Upper West Side geworden, und diejenigen, die sie bewohnten, gehörten zu den Berühmten und Reichen.

Das ist noch heute so, wobei Ruhm und Geld allein nicht ausreichen, wenn man hier auf Wohnungssuche geht. Die Majestic Apartments, 1930 nach Plänen

von Jacques Delamarre erbaut, werden von Eigentümerräten beherrscht, die darüber entscheiden, wer als Mitbewohner akzeptiert wird. Eine interessante Gruppe von Reihenhäusern aus den 1890er-Jahren finden sich in der 71st Street zwischen Central Park und Columbus Avenue. Achten Sie auf die verschiedenen Details, mit denen die Treppen, die zur Haustür hinaufführen, geschmückt sind.

97 Dakota Apartments

Das Haus, das den Auftakt zur Besiedlung der Upper West Side bildete.

1 West 72nd Street/Central Park West
Subway B, C 72nd Street,
Bus M7, M10, M11, M72

Wissen Sie, wo Dakota liegt? Richtig, im Westen der USA, dort gibt es die Staaten North und South Dakota. In den 1880er-Jahren gehörte Dakota noch nicht zur Union, es war Indianerland und lag – zumindest für die Ostküstler – ganz weit weg im Wilden Westen …

Ähnlich müssen die New Yorker die Standortwahl empfunden haben, die Ed-

ward S. Clark – der Erbe des Singer-Nähmaschinen-Vermögens – traf, als er sich entschloss, auf der Westseite des Parks an der 72nd Street ein **Luxusapartmenthaus** bauen zu lassen. Nicht so sehr, dass dies das erste Apartmenthaus in der Stadt werden sollte, erstaunte die New Yorker, sondern die Tatsache, dass jemand ›Luxus‹ mit diesem Viertel verbinden konnte, mit einer Gegend, in der die Hütten der Ärmsten standen und magere Ziegen weideten. Luxus gehörte auf die Ostseite, dort lebte und baute der Geldadel. Wenn einer da oben im Westen Manhattans baute, dann könnte er genauso gut nach Dakota gehen, meinten die New Yorker und nannten das Haus ›The Dakota‹.

Clark und sein Architekt Henry J. Hardenbergh störte das nicht. Sie errichteten 1884 ein festungsartiges Haus, das mit seinen Dachtürmen an ein *Renaissanceschloss* erinnerte und bewiesen, dass sie mit ihrem Pioniergeist goldrichtig lagen. Zur selben Zeit wurde die Hochbahn auf der 9th Avenue weiter nach Norden geführt, und immer mehr Bauherren begannen, sich für das Gebiet zu interessieren. Reihenhäuser und immer wuchtigere

›Imagine‹, ›Stell dir vor‹, steht im Mittelpunkt des Strawberry Park, den Yoko Ono zum Gedenken an ihren 1980 unweit dieser Stelle erschossenen Mann John Lennon errichten ließ

Apartmentkomplexe schossen aus dem Boden, die Upper West Side wurde zum begehrten Wohnviertel.

Der Trendsetter Dakota gilt nach wie vor als erste Adresse in der Upper West Side. Ex-Beatle **John Lennon** lebte hier mit seiner Familie – er nannte 28 Räume sein eigen. Direkt vor dem Dakota trafen ihn 1980 die tödlichen Schüsse. Seine Frau Yoko Ono hat gegenüber im Central Park 1983 einen kleinen Garten für ihn anlegen lassen, die **Strawberry Fields**. Es ist eine Oase der Ruhe – Musik und sportliche Aktivitäten sind verboten. ›Imagine‹ steht im Zentrum eines runden Bodenmosaiks, zur Erinnerung an eines von Lennons bekannten Liedern.

TOP TIPP

98 Verdi Square

Quirliges Zentrum der Upper West Side zu Füßen des Ansonia Hotels.

Kreuzung von Broadway und Amsterdam Avenue zwischen
72nd und 73rd Street
Subway 1, 2, 3 72nd Street,
Bus M5, M7, M11, M57, M72, M104

Der Broadway ist die einzige Straße, die Manhattan und dessen gitterförmiges Straßensystem diagonal durchschneidet und immer wieder dort, wo er eine der von Süden nach Norden verlaufenden Avenues kreuzt, schmale kleine **Plätze**

entstehen lässt. Hier oben sind es zwei: Im Norden der 72nd Street liegt der Sherman Square, im Süden der Verdi Square.

Dieser kleine, vom Verkehr umtoste Platz ist wie eine Bühne, auf der täglich zu jeder Tages- und Nachtzeit die moderne ›Upper West Side Story‹ gegeben wird, ein Stück, in dem Akteure verschiedensten Alters und unterschiedlicher Rassen spielen. Die **Verdi-Statue** war ein Geschenk der italienischen Gemeinde New Yorks, Pasquale Civiletti hat sie 1906 geschaffen. Noch zwei Jahre älter ist das **U-Bahnhäuschen** (1904) von den Architekten Heins & La Farge, das an der Ecke Broadway und 72nd Street steht.

Die Kulisse um den Verdi Square bereichern zwei Gebäude: An der Ecke Broadway/73rd Street steht trutzig und wehrhaft ein Bankhaus, die ehem. **Central Savings Bank** (1928). Der Bau erinnert an die Federal Reserve Bank of New York [s. Nr. 15], die auch vom Architektenteam York & Sawyer stammt.

Der Bank gegenüber erhebt sich eines der grandiosesten Gebäude der Upper West Side: das **Ansonia** (2109 Broadway, www.ansoniarealty.com), das von den Architekten Graves & Duboy stammt. Es nimmt den ganzen Block zwischen der 73rd und der 74th Street ein. Dem Auftraggeber William Earl Dodge Stokes schwebte ein Hotel im Stil der eleganten Pariser Stadtpaläste vor, Geld spielte keine Rolle. Zwei Swimmingpools und ein

Dachgarten gehörten zur Anlage, die Steinwände wurden so dick und solide gebaut, dass das Haus absolut feuersicher ist. Und nicht nur das: Die Zimmer wurde auch schalldicht, und dies wusste besonders eine Berufsgruppe zu schätzen – die *Musiker*. Enrico Caruso, Geraldine Farrar, Yehudi Menuhin, Igor Strawinsky, Arturo Toscanini und viele andere mehr gehörten zu den Gästen des Hauses. Mittlerweile wurde das Hotel zu einem luxuriösen Wohnhaus umgestaltet.

Vom Verdi Square lohnt sich auch ein kleiner Abstecher nach Süden zur 71st Street. Hier steht das **Dorilton** (1900), ein schmucker Beaux Arts-Bau von den Architekten Janes & Leo, der heute ebenfalls luxuriöse Apartments bietet .

99 San Remo

Luxusapartments in Doppeltürmen.

145–146 Central Park West,
zwischen 74th und 75th Street
Subway B, C 72nd Street,
Bus M7, M10, M11, M72

Von den acht Apartmenthäusern, die Emery Roth am Central Park West erbaute, war ihm das San Remo (1930) das liebste. Den »Aristokraten von Central Park West« nannte er das San Remo. Dieser 27 Stockwerke hohe Wolkenkratzer war das erste Gebäude mit Doppeltürmen, weitere folgten sehr bald und prägten das Gesicht der Skyline westlich des Parks.

Die Doppeltürme des San Remo werden von rundtempelartigen Aufsätzen gekrönt

Zabar's, eine Upper West Side Institution

Am Broadway Ecke 80th Street steht ein dreistöckiges Haus, das mit seinen Giebeln und Holzbalken an der Fassade an ein Fachwerkhaus aus der Alten Welt erinnert. Das ist Zabar's (www.zabars.com), ein **Delikatessengeschäft**, das 1939 eröffnet wurde und damals den österreichischen, deutschen und deutschjüdischen Exilanten, die in der Upper West Side lebten, zumindest kulinarisch ein Stück Heimat bot.

Zabar's ist eine Institution im kulinarischen und sozialen Leben Manhattans, ein Gourmet-Tempel, von dem die New Yorker behaupten, er sei einzig in seiner Art. (Dazu muss man wissen, dass schamloses Übertreiben in dieser Stadt nicht als sündig empfunden wird.)

Immerhin: Zabar's bedient pro Woche mehr als 30 000 Kunden, an jedem Wochenende werden über 2000 kg Brie verkauft. Und: Die **Auswahl** ist umwerfend, aus aller Welt kommt nur das Beste auf den Ladentisch. Es lohnt sich hineinzugehen, auch wenn man nichts kaufen will, Zabar's ist eine der Bühnen, auf denen ständig ›ein Stück aus New York‹ spielt.

Die New-York Historical Society erinnert mit einer Ausstellung an den 11. September 2001

Dustin Hoffman, Diane Keaton, Faye Dunaway, Tiger Woods – der Aristokrat zieht große Namen an. Die zwei oberen Stockwerke des Nordturms bewohnt Bono, der Sänger von U2. Im zweiten Turm lebt Regisseur Steven Spielberg. Nur Popstar Madonna durfte 1985 nicht einziehen. Der Eigentümerrat lehnte sie ab, womöglich waren ihm die Texte ihrer gerade veröffentlichten Platte *Like a Virgin* zu anzüglich.

100 New-York Historical Society

Dieses Museum präsentiert eine große Sammlung zu New Yorks Geschichte und Alltagskultur.

170 Central Park West/77th Street
Tel. 212/873 34 00
www.nyhistory.org
Di–Sa, So 11–17.45 Uhr
Subway B, C 81st Street – Museum of Natural History, Bus M10, M79

Seit 1804 sammelt die New-York Historical Society: Gemälde, Spielzeug, Kutschen, Waffen, Tafelsilber, Möbel, Drucke und Stiche, Glas, alte Karten und Stadtansichten, Zinn und Töpferwaren, Porträts großer Persönlichkeiten – kurz alles, was im engsten und weitesten Sinne mit New Yorks Geschichte und mit seiner Alltagskultur zu tun hat. Das Gebäude wurde 1809 nach Entwürfen von York & Sawyer erbaut und 1937/38 von Walker und Gillette um Seitenflügel erweitert. Die Ausstellungsräume tragen den Namen **Henry Luce III Center**, dort sind fast 40 000 Exponate aus der Sammlung der Society zu sehen, unter anderem Skulpturen, Möbel, Spielzeug und 132 Tiffany-Lampen. Die New-York Historical Society ist jedoch nicht nur ein **Museum** mit höchst interessanten Wechselausstellungen, sondern beherbergt auch eine fabelhaft sortierte **Bibliothek** zur Stadt- und Amerika-Geschichte.

101 West End-Collegiate Historic District

Originelle Reihenhäuser ohne Einheitscharakter.
Zwischen Riverside Drive und Broadway, 75th und 77th Street
Subway 1 79th Street,
Bus M5, M7, M11, M79, M104

Fantasievoll und herzerfrischend wirken diese Häuschen, als hätte ein Kind aus seinem Baukasten Bögen, Türme, Giebel

und Treppen genommen und nach Lust und Laune miteinander kombiniert. Die meisten der Wohnhäuser stammen aus den 1890er-Jahren. Unter den Architekten, die hier wirkten, sind Clinton & Russell, C. P. H. Gilbert, Lamb & Rich, Neville & Bagge und Clarence F. True hervorzuheben. True entwarf einige der hübschesten Bauten.

Einen Blick lohnt auch die **West End Collegiate Church** (West End Avenue/ 77th Street, www.westendchurch.org), die 1893 nach Plänen von Robert W. Gibson in romaneskem Stil nach niederländischem Vorbild erbaut wurde. Besonders schön sind die Fensterbilder aus Tiffanyglas.

102 Hotel Belleclaire

Schauplatz eines Lehrstücks in Sachen Moral.
250 West 77th Street/Broadway
Tel. 212/362 77 00
www.hotelbelleclairenewyork.com
Subway 1 79th Street,
Bus M5, M7, M11, M79, M104

Die eklektisch und fantasievoll gestaltete Fassade des Hotel Belleclaire (1901) mit ihren Erkerfenstern, Balkonen und allerlei schmiedeeisernem Beiwerk stammt aus der Feder von Stein, Cohen und Roth –

Die schlicht gestaltete Lobby vom Hotel Belleclaire durchschritt schon Leo Trotzky

das Paris der **Belle Epoque** lässt grüßen. Und die russische Revolution, die aus dem Belleclaire entscheidende Impulse erwartete, aber dann doch scheiterte – aus moralischen Gründen. Und das kam so: Der russische Schriftsteller Maxim Gorki reiste 1906 nach New York, um dort für die marxistische Sache zu werben und Geld für die Revolution aufzutreiben. Tausende kamen, um ihn im Hafen zu begrüßen. Er wurde im eleganten Belleclaire aufgenommen, wo er eine Suite ganz oben mit Blick auf den Hudson bekam. Die Intelligenzia riss sich um ihn – bis nach vier Tagen ruchbar wurde, dass die Dame, die als »Mrs. Gorki« mit ihm reiste, mitnichten seine Frau, sondern eine bekannte Schauspielerin war. Gorki versuchte zu erklären – er lebte getrennt, es war ihm aber in Russland nicht möglich, sich scheiden zu lassen –, vergeblich. Selbst die progressivsten Linken konnten sich vor Empörung nicht halten. Gorki musste das Belleclaire verlassen und erhielt ob seines verwerflichen Verhaltens in Sachen Revolution die rote Karte: »Wir müssen«, so äußerten sich die Bostoner Genossen, »die Konsequenzen ziehen und andere Pläne zur Befreiung Russlands machen.«

Zu den großen Attraktionen des American Museum of Natural History gehört die präparierte Elefantenfamilie in der Akeley Hall of African Mammals

103 Apthorp Apartments

Vom Landhaus zum Apartmenthaus.

2211 Broadway zwischen 78th und 79th Street
Subway 1 79th Street,
Bus M5, M7, M11, M79, M104

Das Dorf Harsenville auf der Westseite der Insel Manhattan war zu Beginn des 19. Jh. ein verschlafener kleiner Flecken, in den die Stadtleute aus dem Süden zum Schnepfenschießen fuhren. John Cornelius und Charlotte Apthorpe van der Heuvel hatten sich dort ein Landhaus gebaut, das später in den Besitz ihres Enkels William Waldorf Astor überging. Astor, den Trend der Zeit erkennend und wissend, dass das großelterliche Haus mit der einst so attraktiven Tontaubenschießanlage diesem nicht mehr entsprach, riss das Gebäude ab und ließ von den Architekten Clinton & Russel 1908 ein neues errichten, wobei er es am nötigen Respekt den Altvorderen gegenüber nicht fehlen ließ: ›Apthorp‹ benannte er das prächtige Apartmenthaus, warum er das ›e‹ dabei fallen ließ, ist nicht überliefert.

Das Apthorp nimmt den Block zwischen Broadway und West End Avenue und der 78th und 79th Street ein. Das Zentrum bildet ein *Innenhof* (nicht öffentlich zugänglich) mit einem Brunnen, auf den die mit schmiedeeisernen Gittern verzierten Toreinfahrten zuführen – am beeindruckendsten ist die frühere Kutschenpassage auf der Broadway-Seite.

Das Leben in seiner ganzen Vielfalt ist Thema im American Museum of Natural History

104 American Museum of Natural History

Das weltweit größte naturhistorische Museum inklusive Planetarium.

Columbus Avenue
zwischen 77th und 81st Street
Tel. 212/769 51 00
www.amnh.org
tgl. 10–17.45 Uhr
Subway B, C 81st Street – Museum of Natural History, Bus M7, M10, M11, M79

»Ich meine, ich könnte mich zu den Tieren gesellen und mit ihnen leben, sie sind so ruhig und selbstständig. Ich stehe und betrachte sie lange, lange.«

Walt Whitman (1819–1892)

Beim Betrachten beließ es Whitmans Zeitgenosse, der Professor Albert Smith Bickmore, nicht: Er sammelte. Auf seinen Reisen, die ihn in den 1860er-Jahren nach Asien und Europa führten, nahm er alles mit, was im weitesten Sinn in sein Fachgebiet, die Naturkunde, fiel: Vögel, Käfer, Muscheln … Seine Sammlung und die des deutschen Naturforschers Maximilian Prinz zu Wied-Neuwied, die wohlhabende New Yorker Bürger aufgekauft hatten, bildeten den Grundstock des Museums, das acht Jahre nach seiner Gründung in das von Calvert Vaux und J. Wrey Mould entworfene Gebäude (1877) zog. In den folgenden Jahrzehnten wurde der Bau viele Male erweitert. Heute ist das American Museum of Natural History das größte naturhistorische Museum der Welt.

Naturkunde und Anthropologie sind die beiden Hauptthemen, die hier behandelt werden. Es gibt Dinosaurierskelette zu sehen und einen riesigen Blauwal in der **Hall of Ocean Life**. Der Gang durch die **Hall of Human Origins** ermöglicht, ganz wie es der Name verspricht, eine Reise zu den Ursprüngen des menschlichen Lebens, von der DNS über die verschiedenen Arten des Homo Sapiens bis zur Gegenwart. Auch die **Mineraliensammlung** enthält wunderbare Stücke, zum Beispiel einen 563-karätigen Saphir. Im **Imax**, einem Kino mit einer vier Stockwerke hohen Leinwand, werden verschiedene Naturfilme gezeigt.

Das American Museum of Natural History ist eines jener New Yorker Museen, in denen man Tage verbringen kann. Wer sich für ein Spezialgebiet interessiert, sollte sich darauf beschränken: Es ist unmöglich, bei dieser Fülle alles zu sehen.

Pünktlich zur Jahrtausendwende erhielt das Museum einen weiteren Anbau, der 40 m hohe Glaswürfel **Rose Center for Earth and Space** entstand nach Plä-

Wie von einem anderen Stern: das Hayden Planetarium im Rose Center for Earth and Space

nen von Polshek Partnership Architects. Sein Herzstück bildet das **Hayden Planetarium**, das als gigantische, blau erleuchtete Kugel im Rose Center zu schweben scheint. Alles, was hier zu sehen ist, entspricht dem neuesten technischen Stand. Absoluter Hit ist die Show im **Space Theater**, bei der Robert Redford spektakulär animierte Sternenkollisionen erläutert.

105 Riverside Park und Riverside Drive

In Analogie und Konkurrenz zum Central Park und zur Fifth Avenue.

Der Park folgt dem Riverside Drive, sein Zentrum liegt zwischen der 72nd und der 125th Street. Im Norden geht er in den Fort Washington Park über. Bus M5, M79

Zu einer Zeit, als die ›High Society‹ des 18. und frühen 19. Jh. sich bereits fest in der Fifth Avenue eingerichtet hatte, während das ›alte Geld‹ noch Downtown in rotbraunen, im Federal Style erbauten Ziegelhäusern residierte, zu dieser Zeit suchten die damals ›Neureichen‹, die Ende des 19. Jh. zu Geld gekommen waren, eine standesgemäße Bleibe und fanden sie auf der Upper West Side.

Dort hatte Frederick Law Olmsted 1873 mit der Anlage des **Parks** begonnen, der ebenso ›natürlich‹ gestaltet werden sollte wie der Central Park. Diese Grünanlage wertete die Gegend auf, machte sie vergleichbar mit der Fifth Avenue und vielleicht sogar noch ein bisschen besser als diese: Hatte man hier am Riverside Drive doch einen Park und darüber hinaus einen Fluss und den Blick auf die Wälder von New Jersey, die sich jenseits des Hudson erstrecken.

Die Lage also stimmte. Man brauchte nur noch eine architektonische Besonderheit, um sich von den anderen abzuheben. Am besten etwas Importiertes, grandios und doch den alten Werten verbunden, eine Kulisse eben, vor der man prächtige Equipagen und neue französische Mode vorführen konnte.

Die Antwort kam aus Paris: Es war der **Beaux Arts-Stil**, der dort in den 1890er-Jahren durch die École des Beaux Arts propagiert wurde: Hier fand man den überladenen Schmuck, die Pracht, die Möglichkeit, jedes bekannte klassische Motiv zu zitieren. »Das zentrale Symbol des amerikanischen Beaux Arts-Stils war zweifellos die Kartusche, ein schildförmiges, sanft gerundetes Steintableau, bereit, das Wappen von Familien aufzunehmen, die mit ziemlicher Sicherheit keines hatten«, so Richard Perk in der ›New York Times‹.

»Riverside Drive sollte die Fifth Avenue als Wohngegend übertreffen, mit dem reichlichen Fassadenschmuck im orientalischen, italienischen, ägyptischen, immer prächtigen Stil, den Achtzimmerfluchten, den Dienstbotenkammern, versteckten Lieferantenaufgängen, den feierlichen Foyers, den Angestellten in der Uniform, mit der reservierten Aussicht auf Natur«, schreibt Uwe Johnson in seinem Roman ›Jahrestage‹ (1970). »Eine Adresse am Riverside Drive«, so Johnson weiter, »bedeutete damals Vermögen und Kredit, Macht und fürstlichen Rang. Es war eine Straße für Weiße, Angelsachsen, Protestanten. Zu ihnen stießen nach dem Ersten Weltkrieg jene Juden, denen die ehemals exklusiven Quartiere Harlems nicht mehr standesgemäß schienen … In den 30er-Jahren kamen die Juden aus Deutschland … und nach dem Krieg kamen die Überlebenden der Konzentrationslager und Bürger des Staates Israel …, sodass am Riverside Drive und an der West End Avenue eine jüdische Kolonie versammelt war, nicht nur verbunden durch Familie und Religion, sondern auch durch die Erinnerung an das verlorene Europa.«

Riverside Drive ist eine sehr lange Straße, die man am besten mit dem Bus M5 abfährt. Von den alten Villen sind nicht mehr viele erhalten. Die **Villa Julia** an der Ecke 89th Street ist eine der beiden einzigen erhaltenen frei stehenden Residenzen – an Riverside Drive standen zu Beginn des 20. Jh. nur von Gärten umgebene Häuser. Die Villa Julia stammt aus dem Jahr 1901. Der Rechtsanwalt Isaac L. Rice ließ sie von den Architekten Herts & Tallant für seine Frau errichten. Heute beherbergt sie eine Schule.

Entgegen Olmsteds Wunsch, der eigentlich kein Freund von allzu vielen Monumenten in seinen naturbelassenen Anlagen war, wurde der Riverside Park Standort dreier wichtiger Denkmäler: Bei der 89th Street steht das **Soldiers' and Sailors' Monument** (1902), das von Paul E. M. Duboy und Stoughton & Stoughton nach einem Athener Vorbild modelliert wurde. Auf Höhe der 93rd Street kann man **Jeanne d'Arc** (1915) hoch zu Ross sehen. Dies ist ein Werk der Bildhauerin Anna Vaughn Hyatt Huntington und des Architekten John V. Van Pelt. Bei der 122nd Street schließlich erhebt sich das 1887 von John H. Duncan gestaltete **Grant's Tomb** (www.grantstomb.org), offiziell ›General Grant National Memorial‹ geheißen. Es erinnert an den General und späteren Präsidenten der USA Ulysses S. Grant (1868–76), der die Truppen der Union im Sezessionskrieg führte. Von außen einem römischen Mausoleum ähnlich, lässt das Innere des Monuments mit der offenen, mit weißem Marmor verkleideten *Krypta*, in der die Sarkophage des

Die Inschrift ›Let us have peace‹ auf Grant's Tomb zitiert die letzten Worte des Briefes, mit dem Grant 1868 seine Nominierung zum republikanischen Präsidentschaftskandidaten annahm, und bezieht sich auf das Ende des Amerikanischen Bürgerkriegs

Generals und seiner Frau stehen, an den Invalidendom in Paris denken.

Es lohnt sich auch, einen Blick in die **Riverside Church** (Riverside Drive zwischen 120th und 122nd Street) zu werfen. Sie wurde 1930 von Allen & Collens und Henry C. Pelton erbaut, die sich von der Kathedrale in Chartres inspirieren ließen. In dem knapp 120 m hohen Kirchturm ist ein *Glockenspiel* mit 74 Glocken verborgen: das größte der Welt! Man kann es besichtigen und sonntags um drei Uhr nachmittags auch seinem Spiel lauschen. Von der zugigen *Aussichtsplattform* hat man einen fantastischen Blick auf Manhattan.

Lasset die Tiere zu mir kommen

St. John ist eine überaus **liberale Kirche**, die sich in den 1980er- und 1990er-Jahren durch ihre ökumenische Öffnung und ihre soziale Haltung einen Namen gemacht hat. Hier gibt es einen Altar für AIDS-Opfer, Künstler finden ein Forum, man wendet sich globalen und Umweltproblemen ebenso zu wie den Sorgen der Gemeindemitglieder.

Einmal im Jahr finden sogar die vierbeinigen Geschöpfe Gottes Beachtung: Am ersten Sonntag im Oktober, wenn **Franz von Assisi** seinen Ehrentag feiert, öffnet St. John den Tieren die Tore. Dann füllt sich das riesige Kirchenschiff mit Hunden, Katzen und Meerschweinchen, Kinder bringen ihre Mäuse oder Stofftiere mit, Bellen hallt durch den ehrwürdigen Raum. Nach einem fulminanten Gottesdienst, der fast einer mulitkulturellen Show gleicht, marschieren zum Abschluss die Großen ein: Elefant, Lama und Dromedar erhalten den göttlichen Segen. Das individuelle ›**Blessing of the animals**‹ findet anschließend im Hof statt: Priester und Priesterinnen streichen jedem Vierbeiner über den Kopf und geben ihm ein ganz persönliches ›God bless you‹ mit auf den Weg. Tierfreunde sollten sich dieses Ereignis nicht entgehen lassen – auch wenn Bello und Miezi zu Hause geblieben sind, man kann ihnen ja eine Kerze aufstecken …

106 Cathedral of St. John the Divine

Die größte Kathedrale der Welt.

Amsterdam Avenue/112th Street
Führungen: Tel. 212/932 73 47
www.stjohndivine.org
Mo–Sa 7–18, So 7–19 Uhr
Subway 1 Cathedral Parkway (110th Street), Bus M4, M11, M60

Bescheidenheit ist eine Zier, Unbescheidenheit eine Sünde. Das wusste auch Bischof Henry Codman Potter. Deshalb betonte er ausdrücklich, dass er zwar hoch hinaus wolle, seine Kirche aber nicht größer werde als der Petersdom in Rom. Der Form war damit Genüge getan. Den **Superlativ**, die »größte Kathedrale der Welt« erbaut zu haben, hätte der Bischof trotzdem für sich verbuchen können, denn der Petersdom ist keine Kathedrale.

Potter starb 1908 und in dem Glauben, dass sein 1892 begonnenes Werk bald vollendet sein und er damit in die Geschichte der Kathedralenbauer eingehen werde. Falsch. Die Kirche ist bis heute noch nicht fertig. Generationen von Architekten hat sie kommen und gehen sehen: Die ersten, die noch Potter beauftragte, waren Heins & La Farge. Sie bauten bis 1911. Apsis, Chor und Vierung tragen ihre *romanisch-byzantinisch* inspirierte Handschrift. Nach dem Tod der beiden übernahm Ralph Adams Cram die Leitung. Er favorisierte den *gotischen* Stil, den auch die anderen Mitarbeiter übernahmen. Als Cram 1942 starb, standen die Hauptschiff und die Westfront ohne Turm. Während des Zweiten Weltkriegs stagnierten die Arbeiten, erst 1979 wurden sie wieder aufgenommen. Unter der Leitung des britischen Steinmetzes James Bambridge sollten vorrangig die beiden Türme vollendet werden. Doch seit Beginn der 1990er-Jahre sind die Bauarbeiten unterbrochen. Wie die Kirche einmal aussehen wird, wenn der Bau abgeschlossen ist und sie sich mit Fug und Recht die »größte Kathedrale der Welt« nennen darf, lässt sich an dem Modell erkennen, das im Ausstellungsraum steht. Die Maße sind beeindruckend: 185 m lang und 110 m breit! Die Kathedrale kann aber noch mit weiteren Superlativen aufwarten: Das mittlere der fünf **Portale** an der Westfront mit Szenen aus dem Alten und Neuen Testament ist aus Bronze gegossen und wiegt etwa 6 t. Die **Rosette** darüber hat einen Durchmesser von 12 m und besteht aus

Huldvoll scheint die Figur der Alma Mater vor der Bibliothek der Columbia University die Studierenden einzuladen, sich an diesem Born zusammengetragenen Wissens zu laben

10 000 Glasteilen. Im fünfschiffigen **Innenraum** können sich 10 000 Gläubige versammeln; das Mittelschiff ist so breit wie die 112th Street, an der die Kirche liegt. Die acht Granitsäulen, die im Halbrund den *Chor* umschließen, wiegen je 130 t. Kunstwerke italienischer Schule des 15./16. Jh. sind im **Kirchenmuseum** zu besichtigen, und auch der ›biblische Garten‹, der nur mit Pflanzen angelegt ist, die in der Bibel erwähnt sind, lohnt einen Blick.

107 Columbia University

Eine der ältesten, größten und wohlhabendsten Universitäten der Nation.

Zwischen 114th und 120th Street, Broadway und Amsterdam Avenue
www.columbia.edu
Subway 1 116th Street – Columbia University, Bus M4, M11, M60, M104

Amerikanische Universitäten sind Welten für sich, abgeschlossene Bereiche, in denen die Studenten leben, arbeiten, Sport treiben und zur Kirche gehen. Es gibt Theater und Kinos, Geschäfte und Cafeterias. Man kann, wenn man will, sein ganzes studentisches Leben auf dem Campus verbringen, ohne die Stadt, in der die Universität liegt, überhaupt wahrzunehmen.

Als die Columbia University Ende des 19. Jh. in den Norden der Insel Manhattan zog, gab es dort noch keine städtische Umgebung, die die Studenten hätten wahrnehmen können. Die Universität hatte ein Gelände erworben, auf dem vorher eine Irrenanstalt gestanden hatte – Isolation war gewährleistet. Ob das im Sinn der Gründerväter war? Diese hatten ihr ›King's College‹ 1754 mitten ins Geschehen platziert, in die Nähe der Trinity Church. Das allerdings hatte Nachteile, die sich zeigten, als das Geschehen kriegerisch wurde: Während der Auseinandersetzungen zwischen den Briten und den Kolonisten musste King's College schließen. Als es 1784 wiedereröffnete, herrschte kein König mehr über Amerika, und so wurde aus King's College die Columbia University.

Als Columbia sich oberhalb der 114th Street etablierte, gewann man den Architekten Charles F. McKim für den Entwurf der Anlage. Er entschied sich für einen ›städtischen‹ Campus, das heißt für nahe beieinander liegende, identische **Lehrgebäude**, die sich um zentrale Einrichtungen, wie zum Beispiel die Bibliothek, gruppieren sollten.

McKim, Mead & White führten nur einige der Bauten selbst aus – die Lehrgebäude im italienischen *Renaissance-Stil* aus rotem Ziegel sowie die Low Library –, und auch ihr Gesamtkonzept wurde in der Folge nicht mehr beachtet, sodass ein recht uneinheitliches Nebeneinander entstand.

Zu den wichtigen Gebäuden gehört die **Low Memorial Library** auf dem Main Campus, die 1897 nach Entwürfen von McKim, Mead & White entstand. Ursprünglich als Bibliothek konzipiert, sind in dem denkmalgeschützten Gebäude heute Verwaltungsbüros untergebracht. Die zentrale *Rotunda* dient offiziellen Anlässen. Die *Statue* vor der Bibliothek von Daniel Chester French zeigt die Alma Mater (1903).

Nordöstlich der Low Memorial Library steht die ebenfalls von McKim, Mead & White stammende **Avery Hall** (1912), eines von neun einander ähnelnden Lehrgebäuden. Die Avery Library im Untergeschoss, 1977 von Kouzmanoff & Assocs. angefügt, gilt als die bestsortierte Architektur-Bücherei des Landes.

Architektonisch am gelungensten auf dem Campus ist die klassizistische **St. Paul's Chapel** (1907), die von Howells & Stokes entworfen wurde. Die Kapelle verfügt über eine ausgezeichnete Akustik und steht unter Denkmalschutz. Nordöstlich der Low Memorial Library steht das **Sherman Fairfield Center for the Life Sciences** (1977). Der moderne Bau von Mitchell/Giurgola Assocs. ist mit roten Ziegelsteinen verkleidet und passt sich in seinen Proportionen den umstehenden Gebäuden an – ein gelungener Versuch, Altes mit Neuem zu verbinden.

Die Hauptbibliothek der Universität ist die **Butler Library** (114th Street zwischen Amsterdam Avenue und Broadway). Sie wurde 1934 von den Architekten James Gamble Rogers erbaut. In ihr lagert ein Bücherbestand von 2 000 000 Bänden.

Der **East Campus Complex** (118th Street/Morningside Drive) ist ein elegantes Wohn- und Verwaltungshochhaus aus Glas und Ziegeln in Grau und Rot von 1982. Für ihn zeichnet die Gwathmey Siegel & Assocs. verantwortlich.

Die Columbia University genießt einen guten Ruf. Besonders angesehen sind die Fakultäten für Medizin und Jura, die *School of International and Public Affairs* (www.sipa.columbia.edu), die *School of Journalism* (www.journalism.columbia.edu) und das *Barnard College* (www.barnard.columbia.edu), das in den 1890er-Jahren im Sinne der Gleichberechtigung für Frauen eingerichtet wurde.

Dieses flotte Mosaik schmückt die Fassade an der 125th Street/Frederick Douglass Boulevard

Die Lenox Lounge gehört zu den Klassikern der Harlemer Jazzklubs

108 Harlem

Die bekannteste afroamerikanische Community.

Zwischen 110th Street und Harlem River, 5th Avenue, Morningside und St. Nicholas Avenues
Subway A, B, C, D 125th Street, Subway 2, 3 125th Street, Bus M3, M10, M18, M60, M100, M101, Bx 15

Mitte des 20. Jh. war Harlem ein Getto der afroamerikanischen Bevölkerung mit hoher Kriminalität und schlechten Lebensumständen. In den letzten Jahren hat sich hier einiges verbessert. Besonders positiv ist die Entwicklung des südlichen Teils. Dort stehen oft noch schöne alte Gebäude, die in den ersten Jahrzehnten des 20. Jh. für die Wohlhabenden gebaut worden waren. In diesen Gegenden wird restauriert und ehemals vernagelte Häuser erstrahlen in neuem Glanz. Grundstücke, die jahrzehntelang leerstanden, werden nun bebaut.

Zentrum der geschäftlichen Aktivitäten ist die 125th Street. Hier findet man ein opulentes Einkaufszentrum, ständig eröffnen neue Restaurants. Alte Kultstätten wie die **Lenox Lounge** (288 Lenox Avenue (Malcolm X Boulevard), Tel. 212/427 02 53, www.lenoxlounge.com), in der bereits Billie Holiday, Miles Davis, und John Coltrane Jazzfans beglückten, wurden renoviert und ziehen neues Publikum an. Kein Zweifel, Harlem stieg wie ein Phoenix aus der Asche.

Die Gründe für die Wiederbelebung des ehemaligen Gettos sind vielfältig. Zum Einen sank durch die (zwar umstrittene, aber offensichtlich wirksame) Law-and-Order-Politik des ehemaligen Bürgermeisters Rudolph Giuliani die Kriminalitätsrate in den 1990er-Jahren in der ganzen Stadt drastisch. Zum Anderen ist Harlem die letzte Bastion in Manhattan, die noch nicht veredelt und daher noch bezahlbar ist. Die steigenden Mieten im südlichen Manhattan tun ein Übriges und treiben immer mehr Wohnungssuchende gen Norden. Hinzu kommt, dass hier wunderschöne alte Bausubstanz erhalten blieb. Harlem wurde Ende des 19., Anfang des 20. Jh. als Wohnviertel interessant, nachdem die Hochbahnen die Anbindung nach Downtown verbessert hatten. Es waren vor allem Deutsche, die sich hier niederließen und es sich nett einrichteten. Sie besaßen ihr eigenes Opernhaus, eine Music Hall, Biergärten, einen Poloplatz, lebten in soliden Backsteinbauten und biedermeierlicher Beschaulichkeit. Als nun 1904 auch noch die U-Bahn nach Norden geführt wurde, gewann das Viertel weiter an Attraktivität. Zigtausende von Juden nutzten ihre Chance und verließen die Lower East Side. Harlem und das angrenzende East Harlem beherbergten in den Jahren nach 1910 mit 170 000 Menschen die zweitgrößte jüdische Gemeinde der Stadt.

Die U-Bahn-Anbindung löste einen ungeheuren Bauboom aus. Immobilienhaie witterten das große Geschäft, stampften Apartment- und Reihenhäuser aus dem Boden, die für die wohlha-

The Great Migration

Bis 1915 lebten mehr als zwei Drittel der schwarzen US-Bürgerinnen und -Bürger in den südlichen Staaten der USA. Seit 1865 waren die Afro-Amerikaner zwar offiziell keine **Sklaven** mehr, doch die Mehrzahl blieb ungebildet, unterdrückt und diskriminiert. Auch an ihren Arbeitsbedingungen änderte sich nicht viel: Noch 1910 besaßen nur 10 % der schwarzen Farmer das Land, das sie bearbeiteten. Der Rest wurde weiterhin ausgebeutet. Die weißen Landbesitzer hatten sich das sogenannte ›sharecropping‹ ausgedacht, bei dem die Arbeiter mit einem Teil der Ernte bezahlt wurden. Da die Weißen nach wie vor die Absatzmärkte kontrollierten, zudem falsch abrechneten und sehr oft Gutscheine ausgaben, die nur zum Einkauf in den Läden des Landbesitzers berechtigten, blieben die schwarzen Landarbeiter weiterhin in einem **Abhängigkeitsverhältnis**, das dem der Sklaverei sehr ähnlich war.

Die Situation änderte sich erst mit dem Beginn des Ersten Weltkriegs: Die Industrie im Norden brauchte **Arbeitskräfte**, Agenten zogen aus, um im Süden Schwarze anzuheuern. Die Landarbeiter wurden mobil – um 1915 begann ›the Great Migration‹, die große Wanderung vom Süden nach dem Norden. Mehr als eine Million Schwarze begaben sich in den Jahren bis 1940 auf Wanderschaft. Ihre Ziele waren die Städte im Norden, wo in der Folge der ›Great Migration‹ **schwarze Gettos** entstanden waren. Dieses neue Umfeld gab den Afroamerikanern die Möglichkeit, eine eigene **urbane Kultur** zu entwickeln, deren landesweites Zentrum Harlem wurde.

Prost, junger Mann! Straßenszene in Harlem um 1947

Die neogotisch gestaltete Shepherd Hall des City College of New York in Harlem

bende Mittelschicht ausgestattet und eingerichtet waren. Nur, die Mittelschichtler kamen nicht in so großer Zahl, wie es die Spekulanten gehofft hatten. Ganz offensichtlich hatte man sich verspekuliert. Nun trat Philip A. Payton Jr. auf den Plan, ein Schwarzer, der 1904 die Afro-American Realty Company gegründet hatte. Er übernahm die Verwaltung der leer stehenden Häuser und vermietete sie – teils zu horrenden Preisen – an andere Schwarze, für die dies wiederum die einzige Chance war, den Slums von Midtown zu entfliehen.

Mit dem Einsetzen der **Great Migration** nahm die Zahl der Afroamerikaner in Harlem sprunghaft zu. Zwar wanderten die Weißen in Scharen ab, doch trotzdem stieg 1920–30 die Bevölkerung von 120 000 auf 200 000 an – Harlem wurde schwarz. In diese Zeit fiel auch die glanzvollste Epoche des Viertels, die man rückblickend **Harlem Renaissance** nennt. Hier, im urbanen Umfeld, konnte sich eine eigene schwarze Kultur entwickeln, afroamerikanische Künstler und Intellektuelle aus dem ganzen Land strömten in den Norden Manhattans. Harlem wurde zum Amüsierviertel, die Restaurants und Clubs, wie der Savoy Ballroom oder Minton's Playhouse, zogen auch die weiße Boheme an.

Mit der Depression, die Amerika in den 1930er-Jahren beutelte, begann der Niedergang. Gebäude verfielen und wer konnte, verließ das Viertel. Harlem verslumte, es wurde zum größten schwarzen Getto Amerikas, zum Symbol für Unterdrückung, Wut und Sprachlosigkeit. Aufstände und Gewalttätigkeiten waren an der Tagesordnung und wirkten nicht selten als Initialzündung für Revolten in anderen Gettos des Landes. Eine der schlimmsten Unruhen fand zur Zeit der Bürgerrechtsbewegung in den 1960er-Jahren statt: Nachdem ein weißer Polizist im Juli 1964 einen schwarzen Teenager erschossen hatte, brannte Harlem und tagelang tobten die Schlachten zwischen Polizei und Bürgern.

Nach Jahrzehnten sozialer Probleme zeichnete sich in den 1980er-Jahren ein **Aufschwung** ab. Als die Stadt beschloss, Gebäude zu versteigern, die ihr zugefallen waren, nachdem die Hausbesitzer sie aufgegeben hatten, wurden die alteingesessenen Harlemer hellhörig. Es galt zu verhindern, dass ihr Viertel so teuer wurde wie SoHo oder das East Village. Das Ziel, Harlem zu erhalten, verfolgt die Bürgerinitiative **Abyssinian Development Corporation** (www.adcorp.org), die mit der berühmten, 1923 nach Entwürfen von Charles W. Bolten erbauten

Das Harlem Studio Museum bietet afroamerikanischen Künstlern einen Ausstellungsort

Abyssinian Baptist Church (132 West 138th Street, zwischen Lenox Avenue und 7th Avenue, www.abyssinian.org) zusammenarbeitet. Die Bürgerinitiative hat Hunderte von Häusern aufgekauft und restauriert. Sie will erreichen, dass Harlem sich wieder zu einem Viertel entwickelt, in dem die schwarze Kultur ihren Platz findet. Ihre Berühmtheit und ihren Erfolg verdankt die Abyssinian Church vor allem dem Prediger und Politiker Adam Clayton Powell Jr. Noch heute ist sie ein in sozialen Bereichen aktives Zentrum und Pilgerziel für diejenigen, die am Sonntag den Gospel-Gottesdienst erleben wollen.

Über Harlem verstreut finden sich weitere Institutionen und Museen, deren Bedeutung für die schwarze Kultur in den USA nicht zu unterschätzen ist. Die 1978 von Bond Ryder Assocs. erbaute **Schomburg Center for Research in Black Culture** (515 Malcolm X Boulevard, Tel. 212/491 22 00, www.nypl.org, Mo–Mi 12–18, Do/Fr 12–18, Sa 10–18 Uhr) der *New York Public Library* ist die weltweit wichtigste Institution, die sich mit der Geschichte und Kultur der Schwarzen befasst. Den Grundstock bildete die private Bibliothek von Arthur Alfonso Schomburg, die die *New York Public Library* 1926 erwarb.

In Richtung Westen gelangt man zum Campus des 1847 gegründeten **City College of New York** (www.ccny.cuny.edu)

mit einer Reihe hübscher neogotisch gestalteter Gebäude. Die staatliche Universität ist der älteste und bedeutendste Standort der City University of New York.

Südöstlich des City College steht das **Apollo Theater** (253 West 125th Street zwischen 7th und 8th Avenue, Tel. 212/531 53 00, www.apollotheater.com), das 1914 nach Entwürfen von Georg Keister errichtet wurde. Hier spielten schon Ella Fitzgerald, Billie Holiday, Duke Ellington und Charlie Parker. Die *Amateur Night* ist seit 1934 eine feste Institution. Dabei kann jeder, der glaubt Talent zu haben, auf die Bühne treten und sich dem Urteil des Publikums aussetzen.

Alle sprechen von einer zweiten Harlem Renaissance, und das **Studio Museum in Harlem** (144 West 125th Street zwischen Lenox und 7th Avenue, Tel. 212/864 45 00, www.studiomuseum.org, Mi–Fr 12–18, Sa 10–18, So 12–18 Uhr) setzt Zeichen, die wirklich auf eine kulturelle Wiederbelebung hindeuten. Es macht neben afrikanischer Kunst auch afroamerikanische Gegenwartskunst zum Thema seiner Ausstellungen.

Nördlich der 135th Street blieben wunderschöne Straßenzüge mit alter Bausubstanz erhalten, z. B. entlang der **Striver's Row** (138th Street, zwischen 7th und 8th Avenue, Architekten u. a. McKim, Mead & White, Bruce Prince and Clarence

S. Luce, James Brown Lord, nach 1891). Dort wohnten die reichen und erfolgreichen Schwarzen, die nach dem Ersten Weltkrieg nach Harlem zogen – Striver heißt soviel wie Streber.

109 The Cloisters – Metropolitan Museum of Art

Mittelalterliche Kunst in der Neuen Welt, konzentrierter als in der Alten.

Fort Tryon Park
Tel. 212/923 37 00
www.metmuseum.org
März–Okt. Di–So 9.30–17.15 Uhr
Nov.–Febr. Di–So 9.30–16.45 Uhr
Subway A 190th Street, Bus M4, M98

Ein mehrere hundert Jahre altes **französisches Kloster** – wer hätte das in Manhattan vermutet? Eine Kapelle, die tatsächlich gotisch ist, ohne den Zusatz ›neo‹ oder ›gothic revival‹ … In den Cloisters ist (beinahe) alles **original mittelalterlich**: Die Kreuzgänge von fünf französischen Klöstern wurden verbaut, eine romanische und etliche gotische Kapellen. Gewölbe, Fenster, Brunnen, Arkaden – die ganze mittelalterliche Baugeschichte vom 12. bis zum 15. Jh. ist hier am Ufer des Hudson präsent! Sogar Gärten nach alten Vorbildern wurden gepflanzt. Das Mittelalter kam per Schiff nach Manhattan, John D. Rockefeller Jr., war die treibende und zahlende Kraft. Er verpflanzte eine ganze Epoche von Kontinent zu Kontinent und vermachte die Sammlung dann dem Metropolitan Museum of Art.

Hauptsächlich sind es französische, spanische und flämische Kunstwerke: Glasfenster, Handschriften, Goldschmiedearbeiten, Tapisserien, Skulpturen, Bilder …, die zwischen 1934 und 1938 hier Einzug hielten und von den Amerikanern respektvoll arrangiert wurden.

Die gewölbte Apsis (12. Jh.) der romanischen Fuentidueña Chapel stammt aus Segovia in Spanien. In ihrem Zentrum steht ein Fresko, das Maria und ihr Kind darstellt

Brooklyn, The Bronx, Queens und Staten Island

New York ist mehr als Manhattan. New York besteht aus **Manhattan**, **Brooklyn**, der **Bronx**, **Queens** und **Staten Island**. Diese ›Boroughs‹ (Stadtteile) nehmen den Großteil der Fläche der Stadt ein, in ihnen leben etwa 80 % aller New Yorker. Politisch und verwaltungstechnisch sind alle Boroughs gleichberechtigt. Dennoch: Wer New York sagt, meint Manhattan. Und wer nach New York fährt, ist meist froh, wenn er bei seinem Besuch auch nur einen Teil der zahllosen Sehenswürdigkeiten der Hauptinsel ›schafft‹. Auf die Idee, sich auch noch in **Brooklyn** oder gar **Queens** umzusehen, kommen die wenigsten, obwohl gerade Brooklyn mit mit seinem *Botanic Garden* oder dem hochkarätig bestückten *Brooklyn Museum* viel zu bieten hätte.

110 Brooklyn

Der angenehme Stadtteil südlich von Manhattan bietet bunte Wohnviertel, einen ausgedehnten Botanischen Garten und ein Museum von Weltrang.

Brooklyn und Manhattan – die Geschichte dieser beiden böte genug Stoff für ein Bruderdrama klassischen Zuschnitts. Der Erstgeborene hieß Nieuw Amsterdam, der zweite, ebenso wie sein Bruder ein Kind holländischer Eltern, trat 1636 als *Breukelen* ins Leben. Lange Jahre wuchsen die beiden voneinander getrennt auf – der eine auf der Insel Manhattan, der andere auf **Long Island**. Sie änderten ihre Namen gleichzeitig – New York, der eine, Brooklyn, der andere –, expandierten und prosperierten. Bald hatte jeder seine Hafenanlagen und Werften, einen von Frederick Law Olmsted angelegten Park, Colleges, eine Musikakademie, eine Prachtstraße und einen Triumphbogen sowie Museen. Jedoch war New Yorks Prachtstraße prächtiger, seine Museen waren zahlreicher, seine Colleges berühmter, sodass es den jüngeren Bruder einfach an die Wand spielte. Und so sprach bald jedermann in der Welt von

◁ *Beim Blick von Brooklyn durch die Manhattan Bridge erkennt man das Empire State Building*

New York – den Namen Brooklyn erwähnte keiner mehr. Und das, obwohl Brooklyn bei seiner **Eingemeindung** 1898 die viertgrößte Stadt der USA war.

Nun wäre die Geschichte Brooklyns nicht so tragisch, wenn es, wie die anderen Boroughs, nur ein farbloser Trabant wäre, der das leuchtende Manhattan umkreist und von dessen Glanz profitiert. Aber Brooklyn hat selbst viel zu bieten. Läge es irgendwo im Mittleren Westen der USA, wäre es sicher eine gefeierte und in Reiseführern besungene Stadt: ›Großartige ägyptische Sammlung: Brooklyn Museum‹ oder ›Kleinstädtisches Juwel aus dem 19. Jh.: Brooklyn Heights‹ könnten die Schlagzeilen lauten. So aber liegt die Messlatte zu hoch. Autoren, die all die Superlative und Extravaganzen Manhattans besungen haben, fehlt einfach die Stimme, wenn sie nach Brooklyn kommen. Sie können allenfalls noch emphatisch werden, wenn es gilt, den Blick von der Promenade zu beschreiben – den Blick auf Manhattan.

Mit 210 km² ist Brooklyn der zweitgrößte Borough, hier leben 2,5 Mio. Menschen, mehr als in jedem anderen Stadtteil New Yorks. Sie kommen aus aller Welt und leben gleichsam in Dörfern nebeneinander, streng nach Herkunft und Rasse getrennt und nicht immer konfliktfrei. Neben hispanischen und afroamerikanischen Gemeinden gibt es verschiedene Gruppen streng orthodoxer Juden, die

Morgendlicher Spaziergang durch die Bedford Avenue in Brooklyns Szeneviertel Williamsburg District

ihren eigenen Gesetzen folgen. Entlang der Atlantic Avenue liegt Little Arabia, im benachbarten Little Odessa haben sich die Immigranten aus der ehemaligen Sowjetunion eine neue Heimat geschaffen. Williamsburg, das Viertel, das man über die gleichnamige Brücke von Manhattan aus erreicht, etablierte sich als Ausweichquartier für Künstler, die hier billigeren Wohnraum finden. Teuer und seit jeher von Künstlern und Intellektuellen favorisiert, ist **Brooklyn Heights**. Das Viertel liegt zwischen der Brooklyn Bridge und Atlantik Avenue im Süden, dem Fluss und Fulton Street. Die meisten der hübschen Häuser stammen aus dem 19. Jh. Brooklyn Heights wurde zum begehrten Wohnviertel, nachdem die Fährverbindung zwischen Süd-Manhattan und Brooklyn eingerichtet worden war. Kleine Geschäfte, nette Restaurants, baumbestandene Straßen und Häuser aller Stilrichtungen prägen das Bild. Von der Promenade, die oberhalb der Schnellstraße parallel zum East River verläuft, hat man einen herrlichen Blick auf Manhattan.

TOP TIPP

Prospect Park mit Brooklyn Museum und Brooklyn Botanic Garden

Über *Grand Army Plaza*, einem monumentalen ovalen Platz mit einem Tri-umphbogen (1892) von John H. Duncan und durch ein prächtiges Eingangsportal (1894), betritt man **Prospect Park**. Platz und Park wurden in den 1860er-Jahren von Frederick Law Olmsted und Calvert Vaux entworfen und angelegt.

An der Ostseite des Parks steht das 1897–1924 nach Plänen von McKim, Mead & White im Beaux Art-Stil errichtete **Brooklyn Museum** (200 Eastern Parkway, Tel. 718/638 50 00, www.brooklynmuseum. org, Mi–Fr 10–17, Sa/So 11–18 Uhr). Es beherbergt eine der bedeutendsten ägyptischen Sammlungen der Welt. Außerdem kann man hier europäische Gemälde und Skulpturen, amerikanische Gemälde sowie eine hochrangige Kollektion asiatischer Kunstwerke besichtigen. Hinzu kommt eine große Sammlung afrikanischer Arbeiten, darunter kostbare Masken und Skulpturen. Zu den Glanzlichtern der europäischen Sektion gehören Henri Matisses ›Nude in a Wood‹ (1906) und Francisco de Goyas ›Capricho 26‹ (1797/98). Westlich des Museums steht die gewaltige **Brooklyn Public Library** (Grand Army Plaza, www.brooklynpubliclibrary. org). Das Gebäude (1941) stellt ein leicht geöffnetes Buch dar. Über dem Eingang prangen 15 Bronzeplatten mit beliebten Figuren der amerikanischen Literaturgeschichte, darunter Tom Sawyer.

Südöstlich des Brooklyn Museums erstreckt sich der **Brooklyn Botanic Garden** (1000 Washington Avenue, www.bbg.org, Di–Fr 8–16.30, Sa/So 10–16.30 Uhr), in dem u. a. ein japanischer Garten und ein tropisches Gewächshaus zu besichtigen sind.

Coney Island

Coney Island (www.coneyislandfungui de.com, Mitte März–Anfang Sept. Mo–Fr 12–17, Sa/So 12–23 Uhr) liegt im Süden Brooklyns an der *Atlantikküste*. Hier wurde in den 1880er-Jahren ein Vergnügungspark eingerichtet, dem bis in die 1950er-Jahre hinein eine ähnliche Bedeutung zukam, wie sie Disneyland heute genießt: Coney Island galt als größter, faszinierendster und aufregendster **Vergnügungspark** der Welt. Familien kamen von weit her, um ihren Kindern die Attraktionen zu zeigen: das Riesenrad, den Fall-

Der lichtdurchflutete Innenhof des Brooklyn Museum ist im Beaux Art-Stil gestaltet

Wasserfreuden unter der Unisphere-Weltkugel (1964) im Flushing Meadows Park

schirmsprungturm, die Achter- und Geisterbahnen. Man flanierte auf dem hölzernen ›Boardwalk‹, am Strand lagerten an heißen Sommersonntagen bis zu 100 000 Menschen. Ganz so strahlend ist Coney Island heute nicht mehr, doch noch immer locken die die Attraktionen viele Menschen an die Atlantikküste.

111 Queens

Tennischampions und Einwanderer lieben das vielfältige Viertel gleichermaßen.

Wie Brooklyn liegt auch Queens auf **Long Island**, einer 193 km langen Atlantikinsel, die sich parallel zum Festland erstreckt. In Queens schließen fast alle Reisenden zum ersten Mal Bekanntschaft mit New York: Hier liegt der internationale **John F. Kennedy Flughafen**. Dieses erste Kennenlernen ist recht ernüchternd: Man erwartet die grandiose Skyline von Manhattan, wie man sie aus unzähligen Filmen und von Bildern kennt, und sieht Schnellstraßen und langweilige Häuschen mit kleinen Vorgärten. Die Fahrt führt über vielspurige Straßen und einen gesichts-

losen Vorort – mit Recht nennen die New Yorker Queens ihr Schlafzimmer.

Queens ist 311 km² groß und das ethnisch gemischteste Viertel der Stadt. Sein Zentrum ist **Roosevelt Avenue**. Hier, zwischen der 60th Street und Flushing Meadows sollen Angehörige von 126 Nationen leben. Die U-Bahn-Linie 7, die auf Streben über der Straße rattert, heißt ›International Express‹, mit ihr kann man vom Times Square aus eine Weltreise unternehmen. Wer in Jackson Heights aussteigt und zu Fuß weitergeht, kann hautnah erleben, was es bedeutet, wenn man vom Vielvölkermix in New York spricht.

Queens internationale Bedeutung beschränkte sich bislang auf die Tenniswelt – Anfang September finden in **Flushing Meadows** die *US Open Championships* (www.usopen.org) statt. Der *Flushing Meadows Park* wurde für die Weltausstellung von 1939/1940 erbaut. Zur Weltausstellung 1964/65 schuf Gilmore D. Clarke die riesige **Unisphere**-Weltkugel, die von drei Orbitringen umkreist wird. Sie stehen für Juri Gagarin, John Glenn und Telstar, den ersten Russen, den ersten Amerikaner und den ersten Kommunikationssatelliten in der Erdumlaufbahn.

Inzwischen ist auch die Kunstszene in Queens aktiv. In *Long Island City* steht das **P. S. 1 Contemporary Art Center** (22–25 Jackson Avenue/46th Avenue, Tel. 718/784 20 84, www.ps1.org, Do–Mo 12–18 Uhr, Bus B 61 oder Q 67), das mit dem Museum of Modern Art zusammenarbeitet. In dem einstigen Schulgebäude finden den Ausstellungen zu moderner Kunst statt. Auch das **Noguchi Museum** (9–01 33rd Road/Vernon Boulevard, Tel. 718/204 70 88, www.noguchi.org, Mi–Fr 10–17, Sa/So 11–18 Uhr) ist sehenswert. Es zeigt Werke des amerikanisch-japanischen Bildhauers Isamu Noguchi, der auch in Manhattan präsent ist. Von ihm sind zum Beispiel die ›News‹ im Rockefeller Center und der ›Red Cube‹, der vor der Marine Midland Bank am 140 Broadway steht.

112 The Bronx

Die Bronx ist besser als ihr Ruf.

www.ilovethebronx.com

Jahrzehntelang war die Bronx Synonym für ausgebrannte Fassaden, Kriminalität und all jene **Schrecken**, die man im schlimmsten Fall mit dem urbanen Leben in Verbindung bringt. Zwischen den 1960er- und den späten 1980er-Jahren stand es tatsächlich schlimm um das Viertel. Doch mittlerweile hat sich das verbessert. In der 109 km² großen Bronx gibt es mehr Grünflächen als im übrigen New York. Außerdem gehören zu dem Stadtteil Straßenzüge mit hübschen viktorianischen Häuschen und Villenviertel wie **Riverdale** am Ufer des Hudson.

Berüchtigt ist allein die **South Bronx**. Doch selbst sie war bis in die 1950er-Jahre hinein ein sehr gutes bürgerliches Wohnviertel, in dem sich vor allem die jüdische Mittel- und Oberschicht wohl fühlte. Ein Umschwung kam mit einsetzender Stadtflucht und der zeitgleichen Errichtung von Mietskasernen des sozialen Wohnungsbaus. In den folgenden Jahren verfielen die Häuser und für die Hausbesitzer erwies es sich als rentabler, von der **Feuerversicherung** zu kassieren als die Miete einzutreiben. Auch die Mieter profitierten vom Zündeln: Wer abgebrannt war, bekam Geld von der Stadt für neue Möbel und hatte zugleich größere Chancen auf eine Sozialwohnung. Und so brannte die Bronx. In den 1960er- und 1970er-Jahren lagen ganze Straßenzüge in Schutt und Asche. Wer noch in der South Bronx

hauste, gehörte zu den Ärmsten der Armen oder zu den Kriminellen.

Eine Änderung trat erst Ende der 1980er-Jahre ein, als ein neuer Bezirksbürgermeister mit der korrupten Politik seines Vorgängers Schluss machte. Sein Konzept zur aktiven **Stadtplanung** lautete, Wohnraum zu schaffen, den sich die untere Mittelschicht leisten kann. Auf diese Weise sollten wieder Neighborhoods aufgebaut werden, in denen die Leute stolz auf ihr Zuhause sind und von sich aus gegen Vandalismus vorgehen. Der Plan scheint zu funktionieren. In den letzten Jahren entstanden Tausende von neuen Wohnungen. Die Bronx gewann wieder an Beliebtheit. Eine Attraktion ist der **Bronx Zoo** (2300 Southern Boulevard, Tel. 718/220 51 00, www.bronxzoo.com, sommers tgl. 10–17.30 Uhr, winters tgl. 10–16.30 Uhr) am Bronx River Parkway, der größte städtische Zoo der Welt. Dementsprechend vielfältig ist die Fauna, die in der Natur nachempfundenen Lebenswelten wie dem Congo Gorilla Forest, dem Himalayan Highlands Habitat oder dem Indoor Asian Rain Forest heimisch ist. Neben Giraffen, Affen und Tigern trifft man hier auch auf rote Pandas und blaue

Das schmucke Enid A. Haupt Conservatory ist der Eingang zum New York Botanical Garden in der Bronx und beherbergt einen Regenwald

In die Welt der Fische eintauchen, ohne dabei nass zu werden, kann man im Bronx Zoo

Giftpfeilfrösche. Besonders beliebt ist der Gesang des Eisvogels Kookaburra, der ihm den Namen *Lachender Hans* einbrachte. Nördlich des Bronx Zoos erstreckt sich der großartige **New York Botanical Garden** (Tel. 718/817 87 00, www.nybg.org, März–Mitte Jan. Di–So 10–18 Uhr, Mitte Jan.–Febr. Di–So 10–17 Uhr). Zu den Glanzlichtern gehört das prachtvolle *Enid A. Haut Conservatory* (1891), in dem ein Regenwald sowie Wasser- und Wüstenökosysteme gezeigt werden.

113 Staten Island

New Yorks grüne, in weiten Teilen noch ländliche Seite im Süden von Manhattan.

›Small Town America‹ mitten in New York. Die kleinen Häuser und Kirchen mit spitzen Türmen, das viele Grün – auch das ist New York. Es ist die ländliche Seite der Megalopolis und für die meisten Touristen nur deshalb interessant, weil man umsonst mit der Staten Island Ferry übersetzen und so den Blick auf die Skyline von Manhattan genießen kann.

Staten Island ist fast dreimal so groß wie Manhattan. Es ist der am dünnsten besiedelte Borough und derjenige, der in den letzten Jahrzehnten am schnellsten gewachsen ist. 444 000 Menschen leben heute auf der 115 km² großen Insel. Von qualvoller Enge kann man angesichts

dieser Zahlen nicht sprechen, aber die alteingesessenen Staten Islander sind trotzdem nicht glücklich über den Zuzug. Schon in den 1950er-Jahren hatten sie

Eine Fahrt mit der Staten Island-Fähre gewährt einen Panoramablick auf Manhattan ▷

sich heftig gegen den Bau der **Verrazano Narrows Bridge** gewehrt, denn sie befürchteten, was dann auch eintrat, nachdem die Verbindung nach Brooklyn 1964 fertiggestellt worden war: Die ›schöne heile Welt‹ von Staten Island, in der alles noch so weiß und ordentlich war, geriet durch den Zuzug von Schwarzen und Hispaniern ins Wanken, denen in den 1990er-Jahren eine große Zahl Asiaten folgten. Die ›Überfremdung‹ ist eines, aber beileibe nicht das einzige Thema, das die Insulaner auf die Palme treibt und ihren Groll gegen das übrige New York schürt. Vor allem stinkt es ihnen, dass sie als Müllhalde der Stadt fungieren mussten. Auf Staten Island liegt **Fresh Kills**, mit 850 ha die größte Mülldeponie der Erde, auf der bis zum März 2001 täglich 12 000 t Abfall landeten. Nach diversen Klagen von Anwohnern und Umweltschutzverbänden wurde die Deponie damals geschlossen. Traurige Berühmtheit erlangte Fresh Kills nach dem 11. September 2001. Wegen der Anschläge auf das World Trade Center wurde die Deponie kurzzeitig wieder eröffnet, um die gewaltigen Schuttmengen der Türme aufzunehmen.

2003 begann die Umwandlung von Fresh Kills in eine riesige **Parklandschaft**, die mit rund 900 ha dreimal so groß sein wird wie der Central Park. Für die Fertigstellung des ambitionierten Projekts sind 30 Jahre und rund 100 Mio. $ anvisiert. Geplant sind fünf unterschiedliche Parks mit Erholungs- und Freizeitflächen. Der erste Teil, **Owl Hollow**, mit Soft- und Fußballfeldern ist bereits fertig.

Wer auf seiner Reise nicht mehr die Gelegenheit haben wird, ländliche Gebiete an der Nordostküste kennenzulernen, kann dem Museumsdorf **Historic Richmond Town** (441 Clark Avenue, Tel. 718/351 16 11, www.historicrichmondtown.org, Sept.–Juni Mi–So 13–17 Uhr, Juli/Aug. Mi–Sa 10–17, So 13–17 Uhr) einen Besuch abstatten. Hier wird anhand von im 17.–19. Jh. entstandenen Gebäuden ein Bild des Lebens in Richmond – so hieß Staten Island ursprünglich – gezeichnet.

New York aktuell A bis Z

◾ Vor Reiseantritt

ADAC Info-Service:
Tel. 018 05/10 11 12,
Fax 018 05/30 29 28
(0,14 €/Min.)

Unter dieser Nummer können Mitglieder umfangreiches **Informations- und kartenmaterial** kostenlos anfordern oder bei allen ADAC-Geschäftsstellen abholen. Für Mitglieder bietet die **ADAC Autovermietung GmbH** günstige Konditionen. Buchungen über die ADAC-Geschäftsstellen oder Tel. 018 05/31 81 81 (0,14 €/Min.).

ADAC im Internet:
www.adac.de
www.adac.de/reisefuehrer

New York im Internet:
www.nyc.gov

New York Fremdenverkehrsbüro c/o Aviareps Mangum,
Sonnenstraße 9, 80331 München,
Tel. 089/23 66 21 49, Fax 089/23 66 21 99.
Diese Agentur bietet Informationen und Broschüren zu New York City.

NYC & Company im Internet:
www.nycgo.com

◾ Allgemeine Informationen

Reisedokumente

Für einen Aufenthalt bis zu 90 Tagen benötigt jeder Reisende einen maschinenlesbaren bordeauxroten Reisepass, der mindestens für die Dauer des Aufenthaltes gültig ist. Reisepässe, die zwischen dem 26. Oktober 2005 und dem 25. Oktober 2006 ausgestellt wurden, müssen ein digitales Lichtbild enthalten. Ab dem 26. Oktober 2006 ausgestellte Reisepässe müssen über biometrische Daten in Chipform verfügen. Bei Einreise mit vorläufigem Pass besteht Visumpflicht.

Deutsche Kinderreisepässe, die vor dem 26. Oktober 2006 ausgestellt wurden, können für die visumfreie Einreise genutzt werden. Deutsche Kinderreisepässe, die ab dem 26. Oktober 2006 ausgestellt oder verlängert wurden, werden für die visumfreie Einreise nicht akzeptiert. Sollen Kinder visumfrei einreisen, muss für sie ein regulärer Reisepass ausgestellt werden. Kinder, die lediglich im Reisepass ihrer Eltern eingetragen sind, können nicht visumfrei in die USA einreisen.

Seit dem 12. Januar 2009 müssen alle Reisenden vor der beabsichtigten Einreise

◁ **Im Uhrzeigersinn:** *Auf Grand Central Terminal versucht Merkur, das Chrysler Building zu umarmen, danach geht's in die Glass Lounge oder zum Shopping ins Museum of Art and Design, vor dem Tanzen auf der Puerto Rican Day Parade wirft man schnell noch einen Blick in den Spiegel vom Rockefeller Center*

zwingend über das Internet (https://esta.cbp.dhs.gov) eine **elektronische Einreiseerlaubnis** einholen. Die Beantragung über Dritte, also z.B. das Reisebüro, ist möglich. Das Department of Homeland Security empfiehlt, das Formular spätestens 72 Stunden vor Reiseantritt auszufüllen. Zur Einreise benötigt man außerdem ein Rückreise- oder weiterführendes Ticket. Reisende müssen eine genaue Adresse angeben, wo sie sich in den USA aufhalten, sonst kann die Einreise verweigert werden. Wer z.B. eine Rundreise plant, der kann auch die Anschrift des Mietwagenverleihs angeben, auch das erste Hotel während des Aufenthaltes ist ausreichend.

Von allen Reisenden wird bei Einreise (an einigen Flughäfen auch bei der Ausreise) ein digitaler Abdruck der Zeigefinger und ein digitales Porträtfoto gefertigt.

Kfz-Papiere

Bis zu einem Jahr Aufenthalt genügt der nationale Führerschein und die Zulassungsbescheinigung Teil 1. Um ein Auto zu mieten, muss man mindestens 21 Jahre alt sein und unbedingt eine auf den Fahrer zugelassene Kreditkarte vorlegen. Bei Anmietung erst in den USA sollte man den Internationalen Führerschein mit vorlegen können.

Zollbestimmungen

Zollfrei eingeführt werden dürfen neben Gegenständen des persönlichen Gebrauchs 200 Zigaretten oder 50 Zigarren (keine kubanischen) oder 2 kg Tabak, 1 l alkoholische Getränke (nur von Personen über 21 Jahren) sowie Geschenke im Wert von 100 $. Verboten ist die Einfuhr von Pflanzen und Lebensmitteln tierischer Herkunft.

Geld

In Amerika zahlt man mit Dollar ($). Nickel, Dime und Quarter nennt man umgangssprachlich die Münzen: 5, 10 und 25 Cents.

Was die Reisekasse betrifft, so empfiehlt es sich, sie aus Sicherheitsgründen mit möglichst wenig Bargeld zu füllen. Nehmen Sie **Dollar-Reiseschecks** in kleiner Stückelung (10, 20, 50 $) mit. Besorgen Sie sich auch unbedingt eine **Kreditkarte**. Besonders bei Mietwagen oder Hotelreservierungen ist die Karte unverzichtbar. Mit **EC-Karten** mit dem Maestro-Zeichen kann man an vielen Geldautomaten (ATMs) Geld abheben.

Gesundheit

Für die USA ist eine private Auslandskrankenversicherung unerlässlich, da die heimischen gesetzlichen Krankenkassen ärztliche Behandlungskosten in Übersee nicht übernehmen.

Tourismusamt in New York

New York Convention & Visitors Bureau, 810 7th Avenue (zwischen 52nd und 53rd Street), Tel. 212/484 12 00, Fax 212/245 59 43, www.nycvisit.com, Mo–Fr 8.30–18, Sa/So 8.30–17 Uhr

Notrufnummern und Adressen

Polizei, Feuerwehr, Ambulanz: 911

Ärztliche Nothilfe: 511

Die Adressen **deutschsprachiger Ärzte** erhalten Sie über die diplomatischen Vertretungen [s.u.].

ADAC-Notrufzentrale in Orlando/Florida: Tel. 1-888-222-13 73. Deutschsprachige Experten.

ADAC-Notrufzentrale München rund um die Uhr: Tel. 011 49/89/22 22 22

ADAC-Ambulanzdienst München rund um die Uhr: Tel. 011 49/89/76 76 76

Pannenhilfe leisten die Vertragswerkstätten der AAA oder AATA. Pannenhilfe kann über die kostenlose ›Super Number‹ Tel. 1-800-AAA-HELP (d. h. 1-800-222-43 57) gerufen werden. ADAC-Mitgliedsausweis nicht vergessen.

ADAC-Partnerclub: American Automobile Association (AAA), 1881 Broadway/West 62nd Street, NY 10023, Tel. 212/586 11 66, Mo–Fr 8.45 –17.30, Sa 9–17 Uhr

Diplomatische Vertretungen

Deutsches Generalkonsulat, 871 United Nations Plaza (1st Avenue/49th Street), Tel. 212/610 97 00, Fax 212/610 97 02, www.germany.info/newyork

Österreichisches Generalkonsulat, 31 East 69th Street, Tel. 212/737 64 00, Fax 212/585 19 92, www.aussen ministerium.at/newyorkgk

Schweizerisches Generalkonsulat, 633 Third Ave., Tel. 212/599 57 00, Fax 212/599 42 66, www.eda.admin.ch/newyork/

Elektrizität

Die Netzspannung in Amerika beträgt 110/120 Volt Wechselstrom/60 Hertz. Man benötigt also einen Adapter.

Besondere Verkehrsbestimmungen

Die **Höchstgeschwindigkeit** beträgt innerorts 25–30 mph (40–48 km/h), in der Umgebung von Schulen 15 mph (24 km/h). Man darf nach vollständigem Ampelstopp bei Rot vorsichtig nach rechts abbiegen. An haltenden Schulbussen mit ein- oder aussteigenden Kindern darf auch in der Gegenrichtung nicht vorbeigefahren werden.

Es besteht **absolutes Alkoholverbot**. Offener Alkohol darf nur im Kofferraum transportiert werden. Bei einer **Polizeikontrolle** bleiben Sie im Auto sitzen, öffnen das Wagenfenster, lassen die Hände sichtbar am Lenkrad und warten auf Anweisungen der Beamten.

Kleidung

Entgegen weit verbreiteter Meinung laufen Amerikaner nicht ständig in Jeans und Turnschuhen herum. Im Gegenteil – wenn es feierlich oder offiziell wird, ist die **Kleiderordnung** in den USA strenger als in Mitteleuropa. Zur korrekten Kleidung der Herren gehören Jackett und Krawatte. Die Damen sprinten zwar trotz Kostüm mit Turnschuhen ins Büro, aber kaum sind sie an der Arbeitsstelle angelangt, ziehen sie die Hochhackigen über. Andererseits muss man bei eindeutig **touristischen Beschäftigungen** überhaupt keine Hemmungen haben: Kurze Hemden und Shorts werden von allen

Altersgruppen und Gewichtsklassen getragen. Will man aber gut essen oder abends elegant ausgehen, ist korrekte Kleidung vonnöten.

Maße und Gewichte

Gewichtsmaße:
1 ounce = 28,35 g
1 pound = 453,61 g
1 quarter = 12,7 kg

Längenmaße:
1 inch = 2,54 cm
1 foot = 30,48 cm
1 yard = 91,44 cm
1 mile = 1,609 km

Hohlmaße:
1 quart = 0,946 l
1 gallon = 3,785 l

Zeit

Der **Zeitunterschied** zwischen Mitteleuropa und der Ostküste der USA beträgt minus sechs Stunden. Auch in den Vereinigten Staaten wird Anfang März bis Ende Oktober auf **Sommerzeit** umgestellt.

Die Angabe von Uhrzeiten folgt einer Unterteilung des Tages in zweimal zwölf Stunden mit der Bezeichnung ›a.m.‹ (lat. ante meridiem) für die ersten zwölf Stunden vor Mittag und ›p.m.‹ (lat. post meridiem) für die Zeit nach Mittag.

Datumsangaben stehen im Gegensatz zu unserer Schreibweise in der Abfolge Monat/Tag/Jahr und werden durch Schrägstriche voneinander getrennt, also schreibt man 8/22/08 für 22. August 2008.

◼ Anreise

Flugzeug

Es gibt **drei Flughäfen** (www.panynj. gov) in New York und Umgebung: die beiden **internationalen** John F. Kennedy und Newark sowie den **nationalen** LaGuardia Airport.

John F. Kennedy Airport

Der John F. Kennedy International Airport (Tel. 718/244 44 44) liegt im Stadtteil Queens, etwa 24 km von Manhattan entfernt. Man hat verschiedene Möglichkeiten, diese Distanz zu überbrücken:

Der **AirTrain** (www.panynj.gov/airtrain) verbindet die Terminals und andere Serviceeinrichtungen des Flughafens und stellt auch die Anbindung zur U-Bahn-Station Howard Beach her. Im Flughafenbereich ist die Benutzung des AirTrain kostenlos, wenn man zur U-Bahnstation fährt, muss man 5 $ bezahlen. Dazu erwirbt man eine Pay-Per-Ride MetroCard,

mit der man dann auch die Weiterreise in der U-Bahn bezahlen kann.

Mit den Bussen von **Airlink New York** (www.airlinknyc.com) oder von **Super-Shuttle** (www.supershuttle.com) kommen Sie direkt nach Midtown Manhattan, die Busse steuern große Hotels an.

Am bequemsten ist die Fahrt mit dem **Taxi** (www.nyc.gov/taxi). Nehmen Sie nur lizensierte Wagen, die uniformierte Angestellte Ihnen zuteilen. Die Fahrt kostet circa 45 $. Zusätzlich sind die Gebühren für Brücken und Tunnel zu zahlen und etwa 15 % Trinkgeld.

Newark Liberty International Airport

Der Newark Liberty International Airport (Tel. 718/533-34 00) liegt in **New Jersey**, etwa 26 km westlich von Manhattan. Zwischen Newark und Manhattan gibt es eine sehr gute Verbindung mit öffentlichen Verkehrsmitteln: Mit dem **Air Train** (www.panynj.gov/airtrainnewark) fährt man für 5,50 $ vom Terminal zur Newark Airport Train Station. Von dort verkehren Züge zur Penn Station.

Außerdem bestehen Busverbindungen nach Manhattan von **Airlink New York** (www.airlinknyc.com) und von **Super-Shuttle** (www.supershuttle.com). Die Busse fahren zu vielen Hotels.

Taxis kosten etwa 55–60 $ plus Mautgebühren und Trinkgeld.

LaGuardia Airport

Der inneramerikanische Flugverkehr wird meist über den LaGuardia Airport (Tel. 718/533 34 00) abgewickelt. Er liegt in Queens, etwa 13 km von Manhattan entfernt.

Die Verbindung nach Manhattan stellen Busse von **Airlink New York** (www.airlink nyc.com) und von **SuperShuttle** (www. supershuttle.com) her.

Eine **Taxifahrt** kostet 35 $ plus Mautgebühren und Trinkgeld.

◼ Adressen finden

Die schachbrettartige Anlage Manhattans hat den Vorteil, dass man sich verhältnismäßig einfach zurechtfindet, wenn man das **System**, nach dem die Straßen und Avenues angelegt sind, einmal verstanden hat: Die durchnummerierten **Streets** verlaufen von **West nach Ost**. Es beginnt im Süden mit der 1st Street. Bei der Adressangabe kennzeichnet ein W(est) oder E(ast) vor der Hausnummer, ob sich das gesuchte Gebäude westlich oder östlich der **Fifth Avenue** befindet.

Die **Avenues** kreuzen die **Streets** im rechten Winkel und stellen die **Nord-Süd-Verbindung** her. Einzig der Broadway verhält sich atypisch und bahnt sich seinen Weg diagonal durch die Insel.

Die ungefähre **Lage eines Hauses** auf einer **Avenue** kann man folgendermaßen ermitteln: Man streicht die letzte Ziffer der Hausnummer, teilt die Zahl, die man erhalten hat durch zwei und fügt dann die im folgenden aufgeführten Nummern hinzu oder zieht sie ab. Als Ergebnis erhält man die Nummer der Straße, die in der Nähe des gesuchten Hauses liegt.

Ave. A, B, C, D	+3
1. u. 2. Ave.	+3
3. Ave.	+9 oder 10
4. Ave.	+8
5. Ave.	
bis Nr. 200	+13
bis Nr. 400	+16
bis Nr. 600	+18
bis Nr. 775	+20
von Nr. 775 bis 1286	–18
bis Nr. 1500	+45
über Nummer 2000	+24
6. Ave.	–12 oder 13
7. Ave.	+12
über der 110. St.	+20
8. Ave.	+9 oder 10
9. Ave.	+13
10. Ave.	+14
11. Ave.	+15
Amsterdam Ave.	+59 oder 60
Audubon Ave.	+165
Broadway	
bis Nr. 750	unterhalb der 8. Str.
756 bis 846	–29
847 bis 953	–25
über 953	–31
Columbus Ave.	+59 oder 60
Convent Ave.	+127
Ft. Washington Ave.	+158
Lenox Ave.	+110
Lexington Ave.	+22
Madison Ave.	+26
Manhattan Ave.	+100
Park Ave.	+34 oder 35
St. Nicholas Ave.	+110
West End Ave.	+59 oder 60

Central Park West: Hausnummer durch 10 teilen und 60 addieren; Riverside Drive: Hausnummer durch 10 teilen und 72 addieren.

■ Bank, Post, Telefon

Bank

Die Banken (*Banks*) sind in der Regel Mo–Fr 9–17 Uhr geöffnet. Außerdem stehen Geldautomaten zur Verfügung.

Post

Die Kernöffnungszeit der Postämter (*Post Offices*) ist Mo–Fr 10–17 Uhr, größere arbeiten auch Samstag vormittags. Das **Main Post Office** (421 8th Avenue/33rd Street) hat Tag und Nacht geöffnet.

Telefon

Internationale Vorwahlen
USA: 001
Deutschland: 011 49
Österreich: 011 43
Schweiz: 011 41
Es folgt die Ortsvorwahl ohne die Null.

Vorwahl New York
Manhattan: 212
übrige Boroughs: 718

Auskunft: 411 (in Telefonzellen gebührenfrei, also kein Geld einwerfen)

Operator: 0 (hilft bei allen Fragen, auch in Notfällen)

International Operator: 00

An öffentlichen Fernsprechern kann man fast nur noch bargeldlos mit Telefon- oder Kreditkarte telefonieren. **Ortsgespräche** kosten 25 Cents.

Bei **Ferngesprächen** wählt man meist die Ortsvorwahl (*Area Code*) und die Teilnehmer-Nummer. Manchmal muss man auch vor dem Area Code eine 1 wählen. Im Zweifelsfall hilft der **Operator**, den man unter 0 erreicht. Er schaltet sich bei jedem Ferngespräch ein und nennt die Summe, die man für die ersten drei Minuten einzuwerfen hat. Nach drei Minuten muss man erneut zahlen.

Auslandsgespräche kann man mit Hilfe einer Telefonkarte, *Prepaid Phone Card*, führen, die es zum Preis von 5, 10 oder 20 $ in Zeitschriften- und Lebensmittelläden zu kaufen gibt. Man ruft von einer Telefonzelle die auf der Karte genannte gebührenfreie Nummer an und kann nach Eingabe der Karten-Geheimnummer die gewünschte Telefonnummer wählen. Amerikanische Telefongesellschaften bieten Kreditkartenbesitzern sogenannte **Calling Cards** an, mit denen man zu sehr viel günstigeren Tarifen telefonieren kann.

Wenn Sie nach Deutschland anrufen wollen, können Sie ein **R-Gespräch** führen, für das der Angerufene bezahlt. Sie wählen dazu die gebührenfreie Nummer 08 00/330 04 90, der Operator stellt dann die Verbindung her.

Die in Europa üblichen GSM-Dual-Band-**Mobiltelefone** funktionieren in den USA nicht. Neuere Handys sind häufig Triple-Band-Geräte, die sowohl den europäischen Standard von 1800 MHz als auch den Standard der USA von 1900 MHz unterstützen. Wer in den USA **mobil erreichbar** sein will, der kann ein US-taugliches Telefon auch schon zu Hause bei seinem Netzbetreiber mieten.

Stilvoll arrangiert wird der Schmuck bei Elizabeth Locke

■ Einkaufen

Da es kein Ladenschlussgesetz gibt, variieren die **Öffnungszeiten** der Geschäfte. In der Regel sind sie Mo–Sa 10–19 bzw. 20 Uhr und So 10–17 Uhr geöffnet. In vielen Supermärkten kann man rund um die Uhr einkaufen.

Neben der bekannten Einkaufsstraße Fifth Avenue und den großen Kaufhäusern Macy's [s.Nr.46] und Bloomingdale's [s.Nr.79] bietet Manhattan Myriaden von Geschäften, die praktisch alles führen, was Menschen je gebraucht und nicht gebraucht haben.

Wer etwas Bestimmtes sucht, sollte sich das Buch ›**Where to Find it, Buy it, Eat it**‹ von Gerry Frank kaufen (nur in den USA erhältlich!). Es wird jedes Jahr neu aufgelegt, erscheint sowohl als Taschenbuch als auch als dicker Wälzer und zeigt auf, wo welches Konsumbedürfnis optimal zu befriedigen ist.

Ganz allgemein lässt sich die ›Einkaufslandschaft Manhattan‹ folgendermaßen charakterisieren: Die **Hauptgeschäftsstraßen** sind die **Avenues**, an ihnen reihen sich auf jeder Höhe Geschäfte aller Art (ausgenommen Central Park West, Fifth Avenue auf Parkhöhe und Park Avenue). In den Wohngegenden dominieren die kleinen Läden: der koreanische Gemüsehändler, bei dem man nachts um 2 Uhr noch das Nötigste kaufen kann, Zeitungsläden, Lebensmittelgeschäfte und Supermarkets, Reinigungen und Coffeeshops.

Warenhäuser und **Spezialgeschäfte** konzentrieren sich in bestimmten Gegenden: Die exklusivsten Geschäftsadressen sind **Madison Avenue** zwischen der 57th und der 79th Street, die **57th Street** zwischen Lexington und Sixth Avenue und die **Fifth Avenue** im 50er Block. Auf der Fifth Avenue tummeln sich allerdings auch einige Billigläden, die mit ›Going out of Business‹-Schildern locken. Meist bieten sie Elektronikgeräte, Lederwaren und andere Importwaren an.

In der **Columbus Avenue** zwischen der 66th und der 84th Street findet man avantgardistische Mode, ausgefallene Geschenk- und Souvenirläden sowie besonders gut sortierte Kindermoden- und Spielwarengeschäfte. In der 47th Street, der **Diamond Row**, kann man – falls man sich auskennt – günstig Schmuck und Edelsteine kaufen.

In den **Villages** (besonders Broadway zwischen Houston und 8th Street, 8th Street, Bleecker Street und St. Mark's Place) sowie in **SoHo** (West Broadway und Seitenstraßen) beherrscht wieder Ausgefallenes die Auslagen. Asiatische Produkte gibt es in **Chinatown**.

Bücher

Barnes & Noble Booksellers, 555 Fifth Ave., Tel. 212/697 30 48, www.bn.com. Eine von vielen Filialen der bekannten Buchhandelskette in Manhattan.

Books of Wonder, 18 West 18th Street, Tel. 212/989 32 70, www.booksofwonder. com. Großer Kinderbuchladen.

Drama Bookshop, 250 West 40th St., Tel. 212/944 05 95, www.dramabook shop.com. Hier ist man auf Bühnenstücke aller Art spezialisiert.

Beacon's Closet ist eine schicke Boutique in Brooklyns Willaimsburg District

Forbidden Planet, 840 Broadway, Tel. 212/473 15 76, www.fpnyc.com. Paradies für Liebhaber von Science-fiction- und Comic-Literatur.

TOP TIPP **Strand Book Store**, 828 Broadway, Tel. 212/473 14 52, www.strand books.com. Modernes Antiquariat mit einer grandiosen Auswahl. In dem Regallabyrinth empfielt sich Stöbern, gezieltes Suchen ist oft schwierig.

Elektronik

Die meisten Elektronikläden befinden sich an der Fifth Avenue oberhalb der 42nd Street, an der 42nd Street westlich des Times Square und in der Nähe der Grand Central Station. **DVDs** mit der Ländercode-Nummer 1 können von den meisten europäischen Abspielgeräten nicht wiedergegeben werden.

B & H Photo & Video, 420 9th Ave. (zwischen 33rd und 34th Street), Tel. 212/444 66 15, www.bhphotovideo.com. Ausgezeichnete Adresse für den Kauf von Foto-, Video- und Audiozubehör.

Haute Couture

Alle namhaften Designer haben in New York Filialen. Ihre Geschäfte befinden sich an der Fifth Avenue (im 50er Block), der Madison Avenue (zwischen der 57th und der 79th Street) und der Park Avenue auf der Höhe der 50th und 60th Street (*die* Straße ist die 57th Street). Avantgarde-Designer findet man auch in SoHo und auf der Columbus Avenue.

Kaufhäuser

Barney's New York, 660 Madison Ave., Tel. 212/339 73 00, www.barneys.com. Großes Geschäft mit eleganter Avantgarde-Mode und Accessoires.

Bergdorf Goodman, 754 Fifth Ave./ W. 57th–58th St., Tel. 212/753 73 00, www.bergdorfgoodman.com. Das exklusivste Kaufhaus für Damen. Das Herrengeschäft liegt gegenüber.

Bloomingdale's, Lexington Ave./59th Street, Tel. 212/355 59 00. Das klassische New Yorker Kaufhaus: Hier gibt es Mode, Accessoires, Haushaltswaren, Möbel etc. [s. Nr. 79].

Lord & Taylor, 424 Fifth Ave./West 38th–39th Street, Tel. 212/391 33 44, www.lordandtaylor.com. Klassische Mode, amerikanische Designer, Porzellan, Möbel. Im Dezember ist das Kaufhaus für seine besonders schönen Schaufensterdekorationen bekannt.

Macy's, Broadway-Seventh Ave./ West 34th–35th St., Tel. 212/695 44 00, www.macys.com. Weltberühmt und riesig groß. Breites Angebot. Besonders gute Haushaltswaren- und Delikatessabteilung im Keller [s. Nr. 46].

Saks Fifth Avenue, 611 Fifth Ave./ East 49th–50th St., Tel. 212/753 40 00, www.saksfifthavenue.com. Elegantes Kaufhaus mit besonders guten Modeabteilungen für die Damen und Herren.

Keramik

Our name is mud, Grand Central Terminal (Lexington Passage), Tel. 212/388 95 59, www.ournameismud.com. Originelle handbemalte Tassen zu verschiedensten Anlässen.

Mode

Beacon's Closet, 88 North 11th Street, Tel. 718/486 08 16, www.beaconscloset. com. Second Hand Boutique in Brooklyn.

Calabar Imports, 820 Washington Ave., Tel. 718/638 42 88, www.calabar-imports. com. Afrikanische, südamerikanische und asiatische Mode, Schmck und Accessoires.

 Century 21, 22 Cortland Street, Tel. 212/227 90 92, www.c21stores.com. Qualitätsware, auch von Markendesignern, zu günstigen Preisen. Bei der Fülle des Angebots ist der Spürsinn des Schnäppchenjägers gefragt.

Daffy's, 125 East 57th Street, Tel. 212/ 376 44 77, www.daffys.com. Reduzierte Designer-Sportswear und alles, was bei jungen Leuten im Trend liegt.

Loehmann's, 101 7th Ave. bei der 16th Street, Tel. 212/352 08 56, www.loehmanns. com. Modisches, auch Designer-Kreationen, zu Superpreisen.

Scoop NYC, 1275 3rd Avenue, Tel. 212/535 55 77, www.scoopnyc.com. Hier gibt es eine umfassende Auswahl an topaktueller Mode.

Searle, 635 Madison Avenue/60th Street, Tel. 212/750 51 53, www.searlenyc.com. Sportliche Kleidung, Accessoires und Businessmode – aber auch echter Luxus.

The New York Look, 468 West Broadway, Tel. 212/995-54 88. Edle und zugleich zeitlose Kleidung.

Schallplatten, CDs, Videos

Tower Records, 692 Broadway/ East 4th St., Tel. 212/505 15 00, www. tower.com. Welche Musikrichtung man auch sucht, hier wird man dank der riesigen Auswahl garantiert fündig. Außerdem locken Sonderangebote. Weitere Dependancen in der Stadt.

Schmuck

Elizabeth Locke Jewels at P+K, 968 Madison Ave., Tel. 212/744 78 78, www.eliza bethlockejewels.com. Feiner Schmuck.

Spielzeug

F.A.O. Schwarz, 767 Fifth Ave., Tel. 212/ 644 94 00, www.fao.com. Amerikas bekanntester Spielwarenladen. Ein wahres Paradies mit Plüschtieren, Puppen, Eisenbahnen, Baukästen und was das Kinderherz sonst noch höher schlagen lässt.

■ Essen und Trinken

Reservieren

Grundsätzlich sollte man immer telefonisch einen Tisch reservieren. Wo dies nicht möglich ist, zum Beispiel in Chinatown, muss man vor allem am Wochenende mit Wartezeit rechnen. Gewisse Restaurants, die gerade ›in‹ sind, sind oft auf Wochen hinaus ausgebucht. Rufen Sie also rechtzeitig an, wenn Sie in einem der bekannten Lokale speisen wollen.

Bei F. A. O. Schwarz kann man sich von seinem neuen Affen nach Hause fahren lassen

Kulinarische Weltreise

Lassen Sie Ihre Vorurteile getrost zu Hause: Was Sie über die amerikanische Küche, die matschigen Hamburger und die Fast-Food-Restaurants gehört haben, trifft auf New York nicht zu. Hier ist auch kulinarisch alles anders! In dieser Stadt lädt **die ganze Welt** zum Mahl, Sie können brasilianisch, koreanisch, kubanisch, türkisch, russisch, jüdisch, vietnamesisch, japanisch, mexikanisch … essen, wunderbare Steaks und (gute!) Hamburger bekommen, die frischesten Meeresfrüchte genießen. Auch was die **Preispalette** betrifft, sind in New York keine Grenzen gesetzt: Es erstaunt nicht, dass die beiden Restaurants, die in den gesamten USA die größten Umsätze machen, in New York zu finden sind. Sie können also sündhaft teuer und exklusiv speisen, sich aber auch in den kleinen **Ethnic Restaurants** (das sind, salopp übersetzt, die ›ausländischen‹ Lokale) billig und sehr gut ernähren.

Eine bestimmte Spezialität, die typisch für New York wäre, gibt es allerdings nicht. Die New Yorker nehmen die Anregungen, die die vielen Einwanderer bringen, begeistert auf und verarbeiten diese fremden Elemente auch: Die **Neue Amerikanische Küche** hat in den letzten Jahren erstaunliche Fortschritte gemacht. Wer sich speziell für die sehr guten – und auch sehr teuren – Restaurants interessiert, der sollte sich **Zagat**, **Marcellino's** oder den **New York Times Restaurantführer** kaufen. Alle drei setzen sich kritisch mit der aktuellen Restaurant-Szene auseinander.

Der **Brunch** wird in New York geradezu zelebriert. In Manhattan gehört er gar zum sonntäglichen Ritual, und das heißt, dass man unbedingt vorbestellen muss. Viele Lokale, auch die großen Hotelrestaurants, bieten Brunch-Buffets mit einer geradezu unendlichen Vielfalt von Köstlichkeiten. In Chinatown kann man ein **Dim Sum Brunch** probieren, das schon etwa ab 8 Uhr morgens serviert wird. Außerhalb von Chinatown beginnt der Brunch üblicherweise erst um 11 Uhr und dauert bis 14 oder 15 Uhr.

Wait to be seated

Vor die Nahrungsaufnahme haben die Amerikaner das ›Wait to be seated‹ gesetzt: Warten Sie, bis man Ihnen einen Platz zuweist. Diese Aufforderung ist ernst zu nehmen. Wo man sitzt, entscheiden **Host** oder **Hostess**, an sie wendet man sich und von ihnen wird man zu einem Tisch geleitet.

Diese Regelung hat durchaus ihren Sinn: Kellner erhalten in den USA nur ein minimales Gehalt, sie leben vom Trinkgeld. Host oder Hostess müssen dafür sorgen, dass die Kundschaft so verteilt wird, dass kein Kellner zu kurz kommt.

Trinkgeld

Eigentlich wäre es korrekter, den Ausdruck **Bedienungsgeld** zu benutzen. Denn das, was man dem Kellner als *Tip* hinterlässt, ist kein Zubrot, das man ihm freundlicherweise zukommen lässt, sondern sein Lohn. Anders als bei uns, ist das Bedienungsgeld **nicht im Preis enthalten**, der Gast zahlt den Kellner direkt. Die Vorteile dieses Systems bekommt man überall zu spüren. Fast immer ist die Bedienung freundlich und prompt – wer den Gast schlecht behandelt, riskiert, kein Trinkgeld zu bekommen.

Man zahlt **15–20 %** des Rechnungsbetrags; wenn man sehr zufrieden war, gibt man mehr. 15 % sind in New York recht einfach zu errechnen. Man verdoppelt den Betrag, der auf der Rechnung als ›tax‹ ausgewiesen ist. Üblich ist, zuerst die Rechnung zu zahlen und das Geld für den Kellner gesondert auf den Tisch zu legen. **Achtung**: Manche Kellner, die mit der ›Trinkgeldmoral‹ von Touristen schlechte Erfahrungen gemacht haben, setzen das Trinkgeld schon mit auf die Rechnung. Also den Betrag kontrollieren, sonst zahlt man doppelt.

Getränke

Man erhält automatisch und zu jedem Essen **Eiswasser** und das in unbegrenzten Mengen. Keiner zwingt oder nötigt einen, ein anderes Getränk zu bestellen, wenn man nicht will. **Kaffee** bekommt man in vielen Lokalen ohne Aufpreis nachgeschenkt. Verlangen Sie ein *Refill*.

Wer gerne Bier oder Wein zum Essen trinkt, sollte vor allem bei kleineren, billigeren Lokalen darauf achten, ob sie mit dem Kürzel **BYOB** (»Bring your own bottle«) werben. Das bedeutet, dass sie zwar keine Lizenz für Alkoholausschank besitzen, aber erlauben, dass sich Gäste Bier oder Wein selbst mitbringt. Weintrinker sollten **kalifornischen Wein** probieren. Vor allem Chardonnay ist populär und in fast allen Lokalen zu erhalten. **Bier** wird entweder in der Flasche oder ›on tap‹, d.h. frisch gezapft, serviert.

Im Bundesstaat New York darf man übrigens erst ab dem Alter von 21 Jahren **Alkohol** kaufen und konsumieren.

Rauchen

Raucher haben's schwer in New York seit Bürgermeister Bloomberg ein generelles Rauchverbot erlassen hat. Weder in Bars noch in Restaurants darf man sich eine anstecken, es bleibt nur der Weg auf die Straße. Wer nicht darauf verzichten kann, sollte sich Zigaretten ins Reisegepäck packen, in New York sind sie sehr teuer.

Restaurants

Die Restaurantempfehlungen sind nach **Stadtvierteln** gegliedert.

Financial District

Bridge Cafe, 279 Water Street (Ecke Dover Street), Tel. 212/227 33 44, www.eat goodinny.com. Bar mit gemütlichem, kleinem Lokal unter der Brooklyn Bridge.

Fraunces Tavern, 54 Pearl Street (Ecke Broad Street), Tel. 212/968 17 76, www.frauncestavern.com. Wie in allen Börsianertreffs ist auch in diesem historischen Wirtshaus [s. S. 25] das Essen weniger wichtig als das People-watching.

Mangia, 40 Wall Street, Tel. 212/425 40 40, www.mangiatogo.com. Moderne Cafeteria im Trump Building an der Wall Street.

Zeytuna, 59 Maiden Lane, Tel. 212/742 24 36. Delikatessengeschäft und Restaurant, großes Selbstbedienungsangebot im Untergeschoss – eine angenehme Oase im Finanzviertel.

Chinatown

House of Vegetarian, 68 Mott Street, Tel. 212/226 65 72. Riesige Auswahl an chinesischen Tofu- und Gemüsekreationen.

Nice Green Bo, 66 Bayard Street, Tel. 212/625 23 59. Ordentliche chinesische Küche zu erschwinglichen Preisen.

Oriental Garden, 14 Elizabeth Street (südlich von Canal Street), Tel. 212/619 00 85. Hervorragende Meeresfrüchte, zubereitet nach chinesischer Art.

The Original Chinatown Ice Cream Factory, 65 Bayard Street (nahe Mott Street), Tel. 212/608 41 70, www.china townicecreamfactory.com. Leckere Eiskrem mit ungewöhnlichen Sorten: Grüner Tee, Avocado, Ingwer und Schwarzer Sesam. Tipp: Lychee Sorbet.

Lower East Side/East Village

Chubo, 6 Clinton Street, Tel. 212/674 63 00, www.chubo.com. Hier wird innovative französisch-asiatische Küche in minimalistisch gehaltenem Ambiente geboten (Mo geschl.).

Clinton St. Baking Co. & Restaurant, 4 Clinton Street (zwischen East Houston und Stanton), Tel. 646/602 62 63, www. greatbiscuits.com. Beliebt sind Frühstück und Brunch mit Blueberry Pancakes und Biscuits, Salat und Burger, Sandwichs und Omelett.

Haveli, 100 2nd Ave. (zwischen 5th und 6th Street), Tel. 212/982 05 33, www. havelinyc.us. Gutes indisches Restaurant.

La Paella, 214 East 9th Street (zwischen 2nd und 3rd Ave.), Tel. 212/598 43 21, www.lapaellanyc.com. Eng und laut, aber gemütlich. Tapas und gute Paella begeistern ein eher junges Publikum.

Matilda, 675 East 11th Street (zwischen Anenue B und A), Tel. 212/777 33 55. Interessanter Mix aus mexikanischer und italienischer Küche.

Pasta Wafu, 141 1st Ave. (zwischen 8th und 9th Street), Tel. 212/529 27 46. Delikate, japanisch inspirierte Nudel-Tapas.

Suba, 109 Ludlow Street, Tel. 212/982 57 14, www.subanyc.com. Im Grotto, das im Untergeschoss zu finden ist, kann man auf einer kleinen Insel über einem Pool kreative spanische Küche genießen. Oder man geht in die Tapas-Bar im Erdgeschoss.

TriBeCa/SoHo

Balthazar, 80 Spring St. (zwischen Broadway und Crosby Street), Tel. 212/965 14 14, www.balthazarny.com. Exzellentes französisches Restaurant.

Bouley, 163 Duane Street, Tel. 212/964 25 25, www.davidbouley.com. Kleines, sehr feines französisches Restaurant.

Chanterelle, 2 Harrison Street, Tel. 212/966 69 60, www.chanterellenyc.com. Ein schlichter heller Speisesaal, in dem nichts vom Wesentlichen abhält: dem Essen. Und das ist großartig.

Dieses originelle Arrangement stammt aus dem Gotham Bar & Grill in Greenwich Village

 I Tre Merli, 463 West Broadway, Tel. 212/254 86 99, www.itremerli. com. In diesem Restaurant stimmt einfach alles – wer gute Musik hören, schöne Menschen sehen und sich italienische Spezialitäten schmecken lassen will, ist hier genau richtig.

Corton, 239 West Broadway (zwischen White und Walker Street), Tel. 212/219 27 77, www.myriadrestaurantgroup. com. Französisch inspirierte Küche im kühlen Ambiente eines Designlokals.

Odeon, 145 West Broadway/Thomas Street, Tel. 212/233 05 07, www.theodeon restaurant.com. Oldtimer und Trendsetter unter den Lokalen TriBeCas. Die Atmosphäre stimmt noch immer, nicht zuletzt dank der Art déco-Ausstattung.

Tribeca Grill, 375 Greenwich Street/Franklin Street, Tel. 212/941 39 00, www. myriadrestaurantgroup.com. Hübsche amerikanische Brasserie. Einer der Besitzer ist der Schauspieler Robert De Niro.

Greenwich Village

Caffe Reggio, 119 MacDougal Street, Tel. 212/475 95 57, www.cafereggio.com. Im Jahr 1785 eröffnet und damit das erste Kaffeehaus der USA. Gemütlich und sehr europäisch.

Gotham Bar & Grill, 12 East 12th Street zwischen 5th Ave. und University Place, Tel. 212/620 40 20, www.gothambarand grill.com. Liebhaber der kreativen Neuen Amerikanischen Küche sind begeistert.

Home, 20 Cornelia Street (zwischen Bleecker und 4th Ave.), Tel. 212/243 95 79,

www.homerestaurantnyc.com. Amerikanische Hausmannskost in behaglicher Atmosphäre. Hübscher Garten.

Joe's, Bleecker/7 Carmine Street (6th Ave.), Tel. 212/366 11 82, www.famousjoes pizza.com. Eine kleine Pizzeria, wie es sie früher im Village zuhauf gab.

Magnolia Bakery, 401 Bleecker St/W. 11th, Tel. 212/462 25 72. Hier werden *Cupcakes* verkauft, kleine Kuchen, die die Damen in ›Sex and the City‹ genießen.

Moustache, 90 Bedford Street (zwischen Barrow und Grove Street), Tel. 212/229 22 20. Preiswertes, nettes Lokal, das Spezialitäten aus dem Nahen Osten bietet.

Westlich der Fifth Avenue

Chelsea Ristorante, 108 8th Ave. (zwischen 15th und 16th Street), Tel. 212/924 77 86. Gute norditalienische Küche in gemütlichem Ambiente.

Empire Diner, 210 10th Ave./22nd Street, Tel. 212/243 27 36. Ein Diner wie aus dem Bilderbuch: Stahl, Chrom und schwarze Möbel. Ideal für kleinere Imbisse.

Gramercy Tavern, 42 East 20th Street, Tel. 212/477 07 77, www.gramercytavern. com. Fantastische Küche. Im Hinterzimmer speist man eher vornehm und teuer, vorne geht es ungezwungener zu.

Spice Market, 403 West 13th Street (an der 9th Ave.), Tel. 212/675-23 22, www. jean-georges.com. Südostasiatisch inspirierte Küche, perfekt wie alles, was Starkoch Jean Georges Vongerichten kreiert.

Zwischen 14th und 40th Street

Union Square Cafe, 21 East 16th Street (zwischen 5th Ave. und Union Square West), Tel. 212/243 40 20, www.union squarecafe.com. Die Küche, die sich am kalifornischen Vorbild orientiert, findet begeisterte Aufnahme. ›In‹ und schick.

The Water Club, 500 East 30th Street, Tel. 212/683 33 33, www.thewaterclub.com. Auf einem Boot im East River mit Blick auf Brooklyn edel speisen.

Zwischen 40th und 59th Street

Westlich der Fifth Avenue:

Bryant Park Grill & Cafe, 25 West 40th Street, Tel. 212/840 65 00, www.bryant park.org. Die Lage besticht: Das Restaurant mit Terrasse ist eine Oase abseits der hektischen 5th Avenue. Ideal zum Lunch.

Joe Allen, 326 West 46th Street, Tel. 212/581 64 64, www.joeallenrestaurant.com. Elegant-legerer Treffpunkt vor und nach dem Theater. Gute amerikanische Küche.

Rainbow Grill, 30 Rockefeller Plaza (General Electric Building), 65. Stock, Tel. 212/632 51 00, www.rainbowroom.com. Vornehm Speisen und Tanzen im romantischen Art déco-Ambiente!

 TOP TIPP **Renaissance Diner**, 776 9th Ave. (zwischen 51st und 52nd Street), Tel. 212/246 98 73. Gemütlich, preiswert, altmodisch und 24 Stunden geöffnet. Der Diner liegt in Hell's Kitchen. Die Restaurantszene ist lebhaft, man kann sich hier um die ganze Welt essen.

 TOP TIPP **The View**, 1535 Broadway (zwischen 45th und 46th Street, im Marriott Marquis Hotel), Tel. 212/704 89 00. Was für eine Aussicht: Während man Wein trinkt und Chicken Wings knabbert, dreht sich das Restaurant um sich selbst und um eine Tanzfläche – und ganz Manhattan liegt dem Gast im 360°-Winkel zu Füßen!

Victor's Café, 236 West 52nd Street, Tel. 212/586 77 14, www.victorscafe.com. Beliebter Treff im Theater District mit hervorragender kubanischer Küche.

Östlich der Fifth Avenue:

Alto, 11 East 53rd Street (zwischen Madison und Fifth Avenue, Tel. 212/308 10 99, www.altorestaurant.com. Originelle italienische Küche.

Brasserie, 100 East 53rd Street (zwischen Park und Lexington Ave.), Tel. 212/751 48 40. Gemischtes Publikum, angenehme Atmosphäre. Beliebt vor allem zu Frühstück und Brunch.

Michael Jordan's – The Steak House, im Grand Central Terminal, 23 Vanderbilt Ave., Tel. 212/655 23 00. Hier kann man sein Steak mit Blick auf die besternte Kuppel des Bahnhofs genießen.

Oyster Bar & Restaurant, 89 East 42nd Street (Grand Central Station), Tel. 212/490 66 50, www.oyster barny.com. Das Restaurant liegt im Kellergewölbe der Grand Central Station. Hier gibt es hervorragende Fischgerichte und Meeresfrüchte.

Palm, 837 2nd Ave. (zwischen 44th und 45th Street), Tel. 212/687 29 53, www.thepalm.com. Palm und Sparks liegen im edlen Wettstreit, welches von beiden das bessere Steakhaus sei (So geschl.).

Vong, 200 East 54th Street, Tel. 212/486 95 92, www.jean-georges.com. Das Dekor ist ebenso stilvoll und kreativ wie die Küche, die französische und asiatische Elemente vereint. Ein kulinarisches Erlebnis.

Upper West Side

Café des Artistes, 1 West 67th Street (zwischen Central Park West und Columbus Ave.), Tel. 212/877 35 00, www.cafenyc.com. Das Essen mit französischem Touch ist für Romantiker ein Erlebnis.

The Boathouse, Central Park/72nd Street, Tel. 212/517 22 33, www.thecentral parkboathouse.com. Es ist ein Vergnügen, im ›Bootshaus‹ direkt am See im Central Park zu speisen.

Unter dem Gewölbe des Grand Central Terminal bittet das Oyster Bar & Restaurant zu Tisch

Flaschen statt Tapete – im Alto Restaurant speist man stilvoll italienisch

Sarabeth's, 423 Amsterdam Ave. (zwischen 80th und 81st Street), Tel. 212/496 62 80, www.sarabeths.com. Das gemütliche Lokal ist besonders beliebt zum Brunch.

Tavern on the Green, Central Park West/ 67th St., Tel. 212/873 32 00, www.tavernon thegreen.com. Herrlich gelegenes Restaurant: Im Sommer kann man im Central Park sitzen. Ansonsten ist der Crystal Room mit seinem edlen Ambiente ideal.

Upper East Side

Fred's at Barneys New York, 660 Madison Ave. (im 9. Stock des Kaufhauses Barney), Tel. 212/833 22 00. Die Cafeteria eines Kaufhauses bietet gutes Essen und angenehmes Ambiente.

Le Cirque, 151 East 58th Street, Tel. 212/ 644 02 02. Französisches Edelrestaurant im Bloomberg Tower, einer der begehrtesten Wohnadressen New Yorks.

Harlem

Sylvia's Restaurant, 328 Lenox Ave. (zwischen 126th und 127th St.), Tel. 212/ 996 06 60, www.sylviasrestaurant.com. Soul Food nennt man die Küche der US-Südstaaten und Sylvia nennt sich ›Queen of Soul Food‹. Eingedenk ihres Brathuhns halten viele Gäste diesen Titel für absolut gerechtfertigt.

Bars

230 Fifth, 230 Fifth Ave./27th Street, 20. Etage, Tel. 212/725 43 00, www.230-fifth. com. Die Rooftop Bar mit riesiger Terras-se bietet Cocktails unter Palmen und einen tollen Blick über das Häusermeer.

Glass, 287 10th Ave. (zwischen 26th und 27th Street), Tel. 212/904 15 71, www.glass loungenyc.com. Stilvolle Lounge.

Highbar, 251 W. 48th Street, Tel. 212/956 13 00, www.highbarnyc.com. Einfache Kost, solide Drinks, aber wundervolle Aussicht von der Rooftop-Bar nahe der 8th Avenue.

Hotel Metro Rooftop Bar, 45 West 35th Street. Relativ zivile Preise in der Bar im 13. Stock. Das Empire State Building scheint zum Greifen nahe.

TOP TIPP **Lenox Lounge**, 288 Malcolm X Blvd. (zwischen 124th und 125th Street), Tel. 212/427 02 53, www. lenoxlounge.com. In dem 1939 erbauten Art déco-Club traten einst Billie Holiday und andere Jazz-Größen auf. Auch heute noch strahlt die Harlemer Bar eine besondere Atmosphäre aus.

TOP TIPP **McSorley's Old Ale House**, 15 East 7th Street (Ecke 3rd Ave.), Tel. 212/473 91 48, www.mcsorleys newyork.com. Der im Jahr 1857 eröffnete Pub ist rustikal eingerichtet und bietet gutes Bier und zünftige Speisen.

P. J. Clarke's, 915 Third Ave. (Ecke 55th Street), Tel. 212/759 16 50, www.pjclarkes. com. Bei P. J. trifft man sich und kommt schnell ins Gespräch.

Pravda, 281 Lafayette Street (zwischen Houston und Prince Street), Tel. 212/ 226 49 44, www.pravdany.com. Ansprechende Kellerbar mit großer Wodka- und Martini-Auswahl. Russische Snacks.

Punch & Judy, 26 Clinton Street (zwischen Houston und Stanton Street), 212/982 11 16. Eine Weinbar, deren tiefe, rote Sofas wunderbar zum Getränkeangebot passen.

River Café, 1 Water Street (unter der Brooklyn Bridge), Tel. 718/522 52 00, www.rivercafe.com. Bei einem Drink lässt sich der Blick auf die Skyline von Manhattan genießen. Korrekte Kleidung erbeten.

Salon de Ning, The Peninsula Hotel, 700 5th Avenue, Tel. 212/903 30 97. Cool und teuer, dafür mit herrlicher Aussicht auf Fifth Avenue und Central Park.

Walker's, 16 North Moore Street (Ecke Varick Street), Tel. 212/941 01 42. Eine lange hölzerne Bar, gemütliche Tische, gute, einfache Küche, frisch gezapftes Bier.

Whiskey Ward, 121 Essex Street (zwischen Rivington und Delancey Street), Tel. 212/477 29 98, www.thewhiskeyward.com. Die Whiskeyfässer lassen erahnen, welches Getränk hier bevorzugt und in großer Auswahl verkostet wird.

White Horse Tavern, 567 Hudson Street (Ecke 11th Street), Tel. 212/243 92 60. Gemütliche Kneipe, in der einst die Schriftsteller Dylan Thomas und Jack Kerouac verkehrten.

■ Feiertage

Banken, öffentliche Gebäude und Museen New Yorks sind an den öffentlichen Feiertagen (*Public holidays*) geschlossen. Fällt dieser Tag auf einen Sonntag, so ist der darauf folgende Montag frei.

1. Januar (New Year's Day), 3. Montag im Januar (Martin Luther King Jr. Birthday), 3. Montag im Februar (President's Day), Freitag vor Ostern (Good Friday), letzter Montag im Mai (Memorial Day), 4. Juli (Independence Day), 1. Montag im September (Labor Day), 2. Montag im Oktober (Columbus Day), 11. November (Veterans Day), 4. Donnerstag im November (Thanksgiving Day), 25. Dezember (Christmas Day)

■ Festivals und Events

Die Zahl der Feste, die in New York gefeiert werden, ist Legion: Jede der hier ansässigen Volksgruppen pflegt ihre eigene Tradition und feiert nationale und religiöse Feste. Hier eine Auswahl der wichtigsten Feste:

Januar/Februar

Chinese New Year (erster Vollmond nach dem 21. Januar): Chinatown steht Kopf, wenn mit Feuerwerk und viel Lärm das Neue Jahr begangen wird (www.explorechinatown.com).

März

St. Patrick's Day Parade (an dem Wochenende, das dem 17. März, dem St. Patrick's Day, am nächsten ist): Farbenprächtige Parade auf der 5th Avenue zu Ehren des irischen Nationalheiligen (www.saintpatricksdayparade.com/nyc).

März/April

Easter Parade (Osterwochenende): Das Kaufhaus Macy's sponsert alljährlich den

Manhattans Stadtviertel

0   2 km

Inwood
Dyckman St.
Fort George
181 st St.
Washington Heights
151 st St.
Harlem River
THE BRONX
Harlem
125 th St.
Morningside Heights
110 th St.
East Harlem
Upper West Side
Central Park West
Central Park
72 nd St.
Fifth Ave.
Park Ave.
96 th St.
Yorkville
79 th St.
Upper East Side
59 th St.
East River
Lower West Side
Theater District
Midtown
42 nd St.
Sutton
Tudor
34 th St.
Garment District
Murray Hill
Chelsea
Gramercy
14 th St.
First
Stuyvesant Town
B'way
Greenwich Village
East Village
Lower East Side
Houston
Little Italy
Bowery
SoHo
Hudson River
Tribeca
Fulton St.
Chinatown
Battery
Financial District
BROOKLYN

bunten Umzug auf der 5th Avenue, mit dem der Frühling begrüßt wird.

Mai

Puerto Rican Day Parade (1. Sonntag im Juni): Mit viel Musik und Tanz auf der 5th Avenue feiert sich die puertoricanische Gemeinde der Stadt (www.nationalpuertoricandayparade.org).

Juni

Gay Pride (letzter Sonntag im Juni): Die größte Gay Parade der Welt bietet Lesben und Schwulen Gelegenheit zum Auftritt auf der 5th Avenue. Fröhlich und fantasievoll zeigen sie dabei oft tolle, ausgefallene Kostüme (www.nycpride.org).

Juli

Macy's Firework Display (4. Juli): Das große Kaufhaus veranstaltet anlässlich des mit vielen Feierlichkeiten begangenen Unabhängigkeitstages ein Feuerwerk auf dem East River.

August

Hong Kong Dragon Boat Festival (Anfang August): Beliebtes Wettrennen von aufwändig geschmückten Kanus im Flushing Meadows Park (www.hkdbf-ny.org).

West Indian-American Day Carnival (Ende August): Blechtonnen, Calypso und farbenfroh kostümierte Tänzerinnen sind die Höhepunkte dieser fröhlichen Feier der karibischen Kultur, die mit einer tollen Parade am 3. September endet. In Brooklyn (www.wiadca.com).

September

Festival San Gennaro (Mitte des Monats): Auf der Mulberry Street in Little Italy findet ein buntes Straßenfest zu Ehren von San Gennaro, dem Schutzpatron von Neapel, statt (www.sangennaro.org).

Steuben Day Parade (3. Wochenende im September): Umzug der Deutsch-Amerikaner auf der Fifth Avenue, u.a. mit Trachtenvereinen aus der ›Alten Heimat‹ und Blasmusik. Namensgeber der Parade ist Baron von Steuben (1730–1794), ein hoch dekorierter preußischer General, der 1777 nach Amerika auswanderte und dort an den Unabhängigkeitskriegen auf Seiten der Kontinentalarmee teilnahm (www.germanparadenyc.org).

Oktober

CultureFest (Mitte Oktober): Ein schönes Fest im Freien mit Musik, Kunst, Tanz, handwerklichen Aktivitäten, Essen und Spaß für jedermann im Battery Park (www.nycvisit.com/culturefest).

Halloween (31. Oktober): Als Kostümfest besonders im Village von der Schwulengemeinde ausgelassen gefeiert (www.halloween-nyc.com).

November

Macy's Thanksgiving Day Parade (4. Donnerstag im November): Der beeindruckende Umzug des Kaufhauses mit den meterhohen aufblasbaren Comicfiguren beginnt am Central Park West.

Dezember

New Year's Eve (31. Dezember): Den Jahreswechsel feiern die New Yorker seit 1904 am Times Square, wo pünktlich um Mitternacht ein Ballon zur Erde schwebt (www.timessquarenyc.org).

◼ Klima und Reisezeit

Das New Yorker Klima bewegt sich zwischen **Extremen**: Im Winter ist es bitterkalt, im Sommer feuchtheiß und schier unerträglich. Dazu kommen die unzähligen Klimaanlagen (Air Condition), die zwar die Wohnungen kühlen aber heiße Luft in die Straßen blasen. Im Juli und August wird Manhattan zur Vorhölle.

Die beste Reisezeit ist Mai, Juni und September, Oktober. Seinen eigenen Reiz entfaltet New York auch in der **Vorweihnachtszeit**, wenn Manhattan Festschmuck trägt: eine Riesentanne im Rockefeller Center, prächtige Auslagen und Lichterketten in der Fifth Avenue.

In den USA wird die Temperatur in Grad Fahrenheit gemessen; 0 °Celsius entspricht + 32 °Fahrenheit).

Klimadaten New York

Monat	Luft (°C) min./max.	Wasser (°C)	Sonnen- std./Tag	Regen- tage
Januar	−4/ 4	3	4	8
Februar	−4/ 5	2	6	7
März	0/ 9	4	7	9
April	5/14	8	8	9
Mai	11/21	13	8	8
Juni	17/25	18	10	7
Juli	19/28	22	9	7
August	19/27	23	8	7
September	16/24	21	8	6
Oktober	10/18	17	6	5
November	4/12	11	5	8
Dezember	−2/ 6	6	4	8

Oh wie gruselig! ›Young Frankenstein‹ trifft am Broadway auf gar schröckliche Gestalten

■ Kultur live

Open-Air-Konzerte, Lesungen und Vorträge, Jazz, Musical, Kino, Broadway-Theater, Off-Broadway, Off-Off-Broadway, Oper und Disko, klassisches Ballett und modernes Tanztheater ... Bei der Sichtung des immensen Kulturangebots hilft ein Blick in die Tageszeitung **New York Times** (www.nytimes.com). Sie informiert täglich über Veranstaltungen und bietet in ihrer Freitagsausgabe eine Vorschau auf die Ereignisse des Wochenendes.

Informationen bieten auch die Wochenzeitungen **New York Magazine** (www.nymag.com), **The New Yorker** (www.newyorker.com), die kostenlos ausliegenden **The Village Voice** (www.villagevoice.com) und **Time Out** (www.timeout.com). Informationen erhält man auch im **Internet** unter: www.newyork.citysearch.com.

Theater und Musical

Die **Broadway-Theater** (www.livebroadway.com) befinden sich im Viertel um den **Times Square**. Off-Broadway (www.offbroadwayonline.com) oder Off-Off-Broadway-Theater, die sich vom kommerziellen Theaterbetrieb distanzieren, sind hauptsächlich in Midtown und in Greenwich Village zu finden. Wenn Sie eine bestimmte Show sehen wollen, sollten Sie das schon in Europa über Ihr Reisebüro organisieren. Infos zu den Shows:

www.theatermania.com/broadway und www.newyorkcitytheatre.com.

In New York selbst gibt es verschiedene Wege, an **Veranstaltungskarten** zu kommen. In einem guten Hotel können Sie sich Karten vom Concierge besorgen lassen. Auch das Convention & Visitors Bureau [s. S. 158] hilft bei der Ticketbestellung. Last but not least bleibt der Weg an die Theaterkasse.

Tickets zum halben Preis für die Vorstellung des jeweiligen Tages erhält man im Büro des **Tkts** (www.tdf.org). Um die zentral gelegene Verkaufsstelle am **Times Square** winden sich allerdings immer lange Warteschlangen! Kreditkarten werden nicht akzeptiert.

Theatersaison

Manhattan Theatre Club, Bühnen I und II im N. Y. City Center, Tel. 212/399 30 00, www.mtc-nyc.org. Premieren im Jan., Febr. und März.

Roundabout Theater Company, American Airlines Theater, Studio 54, Laura Pells Theater, Tel. 212/719 13 00, www.roundabouttheatre.org. Neue Shows beginnen im Febr., März, April und Mai.

Musik und Tanz

Carnegie Hall [s. Nr. 73] und Avery Fisher Hall sind die beiden großen **Konzerthal-**

Für Jazz-Fans sind die New Yorker Clubs – hier das Village Vanguard – eine Offenbarung

len; letztere gehört zum *Lincoln Center for the Performing Arts* [s.Nr.94] (Broadway und 65th Street, www.lincolncenter.org), in dem auch die legendäre Metropolitan Opera untergebracht ist. Ebenfalls Teil des Lincoln Center ist die New York City Opera, die sich mit dem New York City Ballet das *New York State Theater* teilt.

Die ›New York Times‹, das ›New York Magazine‹, ›The New Yorker‹, ›Time Out‹ und ›The Village Voice‹ informieren über Veranstaltungen in den Bereichen **zeitgenössische Musik** und **Jazz**.

Für **Jazz-Liebhaber** hat New York einen besonderen Reiz. Zu den bekannten Jazz Clubs im West Village zählt z.B. das **Blue Note** (131 West 3rd Street, Ecke 6th Ave., Tel. 212/475 85 92, www.bluenotejazz.com). Seinen ausgezeichneten Ruf verdankt es Auftritten von Jazzgrößen wie Oscar Peterson oder Elvin Jones. Geradezu legendär ist das **Village Vanguard** (178 7th Ave., nahe 11th Street, Tel. 212/255 40 37, www.villagevanguard.net), die musikalische ›Vorhut des Village‹. Jazzstars von Tommy Flanagan über Lou Donaldson bis Cecil Taylor gaben sich in dem Gewölbe schon die Ehre. Das **Jazz at Lincoln Center** (Tel. 212/258 98 00, www.jazzatlincolncenter.com) hat einen eigenen, nur dem Jazz gewidmeten Veranstaltungsort, das **Rose Theater** im Time Warner Center am Columbus Circle [s. Nr.72]. Vom **Allen Room**-Konzertsaal im selben

Gebäude blickt man durch die hohen Glasfenster über den Central Park.

Wer auch an jungen Talenten interessiert ist, sollte Mittwoch Abend nach Harlem fahren. Dort findet im **Apollo Theater** (253 West 125th Street (zwischen 7th und 8th Ave.), Tel. 212/531 53 00, www.apollotheater.com) die *Amateur Night* statt, bei der das Publikum die unbekannten Darbieter begeistert feiert oder auspfeift.

Konzertsaison

Brooklyn Academy of Music, Peter Jay Sharp Building, Tel. 718/636 41 00, www.bam.org. Ganzjährig.

Carnegie Hall, Carnegie Hall, Tel. 212/247 78 00, www.carnegiehall.org, Sept.–Juni.

Metropolitan Opera, Lincoln Center for the Performing Arts, Tel. 212/362 60 00, www.metoperafamily.org. Sept.–Mai.

New York City Ballet, New York State Theater, Lincoln Center for the Performing Arts, Tel. 212/870 55 70, www.nycballet.com. Nov.–Febr. und April–Juni.

New York City Opera, New York State Theater, Lincoln Center for the Performing Arts, Tel. 212/870 55 70, www.nycopera.com. Sept.–Nov. und März–April.

New York Philharmonic, Lincoln Center for the Performing Arts, Tel. 212/875 59 00, www.nyphil.org. Sept.–Juni.

Kinos

AMC Empire 25, 42nd Street (zwischen 7th and 8th Ave.), Tel 212/398 39 39, www.amctheatres.com. Multiplex mit 25 Kinos auf elf Etagen am Times Square.

Angelika Film Center, 18 West Houston/Mercer Street, Tel. 212/871 68 40, www.angelikafilmcenter.com. Feinste Independentfilme in 6 Kinosälen in SoHo.

Anthology Film Archives, 32 2nd Ave., Tel. 212/505 51 81, www.anthologyfilmarchives.org. Innovatives Programmkino für Independent und Avantgardefilme.

BAM Rose Cinemas, 30 Lafayette Ave./Flatbush Ave., Tel. 718/636 41 00, www.bam.org. Independent und internationale Filme in Brooklyn.

Clearview's Ziegfeld Theater, 141 West 54th Street (zwischen 6th und 7th Ave.), Tel. 212/307 18 62, www.clearviewcinemas.com. Riesige Leinwand, toller Sound.

Cinema Village, 22 East 12th Street (zwischen University Place und 5th Ave.), Tel. 212/924 33 63, www.cinemavillage.com. Programmkino in Greenwich Village.

Film Forum, 209 West Houston Street, Tel. 212/727 81 10, www.filmforum.org. Programmkino und Independentfilme.

Landmark Sunshine Cinema, 143 East Houston Street, Tel. 212/330 81 82, www.landmarktheatres.com. Art House Kino in der Lower East Side.

Museum of the Moving Image, 35 Ave./36 Street, Tel. 718/784 00 77, www.movingimage.us. Filmmuseum und Programmkino in Astoria/Queens.

■ Kunsthandel/Galerien

New Yorks Galerien und einige seiner Galeristen sind weltberühmt. Die **ältesten Galerien** liegen an der 57th Street zwischen Park und 6th Avenue sowie an der Madison Avenue zwischen der 57th und etwa der 95th Street. Ganz SoHo ist ein Paradies für Kunstfreunde.

Über Ausstellungen informiert der **Gallery Guide**, der in den Galerien ausliegt, auch in den Zeitungen **Village Voice** und **New Yorker** findet man Hinweise darauf, was sich in der Galerien-Szene tut (in den Rubriken ›Art‹ und ›Recent Openings‹).

Die meisten Galerien sind Di–Sa 10–18 Uhr geöffnet. In den Sommermonaten Juli und August schließen viele.

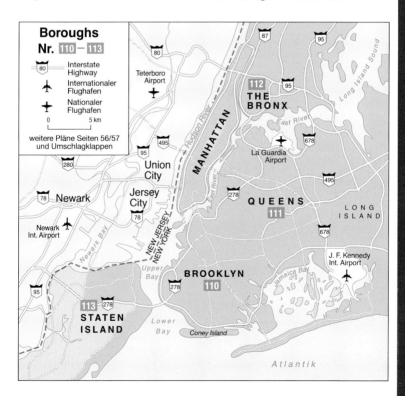

Nachtleben

Infos über die Nightspots bietet das Veranstaltungsblatt **Time out** (www.time out.com). Erkundigen Sie sich danach, welche Kleidung in der Disko Ihrer Wahl erwünscht ist, damit der Türsteher Sie auch hineinlässt. Das New Yorker Nachtleben beginnt erst um 23 Uhr, lassen Sie sich also Zeit.

Um einfach nächtens durch die Straßen zu bummeln, fährt man nach Greenwich Village, ins East Village, nach SoHo oder in die Upper West Side.

B. B. King Blues Club & Grill, 237 West 42nd Street, Tel. 212/997 41 44, www.bb kingblues.com. Bluesclub, in dem der Meister auch schon mal selbst auftritt. Mit Restaurant. Samstags Beatlesbrunch, sonntags Gospelbrunch mit Livemusik.

Bowery Ballroom, 6 Delancey Street/ Bowery Street, Tel. 212/533 21 11, www. boweryballroom.com. Liveklub für Independent Rock.

Brooklyn Academy of Music, 30 Lafayette Ave. (zwischen Ashlan Place und St. Felix Street), Tel. 718/636 41 00, www. bam.org. Großer Kulturkomplex, in dem auch Livekonzerte stattfinden.

Club Midway, 25 Avenue B (zwischen 2nd and 3rd Street), Tel. 212/253 25 95, www.clubmidway.com. Hübscher Liveklub für Independent Music.

The Fillmore New York at Irving Plaza, 17 Irving Place/15th Street, Tel. 212/ 777 68 00, www.irvingplaza.com. Großer Konzertsaal für Rock- und Popkonzerte.

Glasslands Gallery, 289 Kent Ave. (zwischen South 1st und 2nd Street), Tel. 718/599 14 50. Experimentelle Sounds in Brooklyn.

Highline Ballroom, 431 West 16th Street (zwischen 9th and 10th Ave.), Tel. 212/ 414 59 94, www.highlineballroom.com. Liveklub für Independent Rock und Pop.

Knitting Factory, 74 Leonard Street (zwischen Broadway und Church Street), Tel. 212/219 31 32, www.knittingfactory. com. Innovativer Liveklub für Jazz und experimentelle Musik.

The Living Room, 154 Ludlow Street (zwischen Stanton und Rivington Street), Tel. 212/533 72 35, www.livingroomny. com. Kleiner, sympathischer Klub für Konzerte und Shows.

Manhattan Center Studios, 311 West 34th Street (zwischen 8th und 9th Street), Tel. 212/279 77 40, www.mcstudios.com. In den beiden Konzertsälen *Hammerstein Ballroom* und *Grand Ballroom* finden Rock- und Popevents statt.

Pink Elephant, 527 West 27th Street (zwischen 10th und 11th Ave.), Tel. 212/ 463 00 00, www.pinkelephantclub.com. Opulent ausgestatteter Luxusklub für House Music.

Sounds of Brazil, 204 Varick Street, zwischen West Houston und King Street, Tel. 212/243 49 40, www.sobs.com. Hervorragende Livemusik aus der Karibik, Lateinamerika und Afrika.

The Town Hall, 123 West 43rd Street (zwischen 6th Avenue und Broadway), Tel. 212/840 28 24, www.the-townhall-nyc.org. Große Bühne für große Shows.

Webster Hall, 125 East 11th Street (zwischen 3rd und 4th Av.), Tel. 212/353 16 00, www.websterhall.com. Großer Klub für DJs und Liveacts.

Sport

Bootsfahrten

Im Sommer kann man mit Ruderbooten auf dem See im Central Park fahren. Zu mieten sind die Dingis bei **Boathouse** (Park Drive North, bei 72nd Street, Tel. 212/ 517 22 33, www.thecentralparkboathouse. com).

Von Mitte Mai bis Mitte Oktober bieten die Mitglieder des **Downtown Boathouse** (Pier 26, Tel. 646/613 07 40, www. downtownboathouse.org) kostenlos die Möglichkeit, in einem sicheren Bereich des Hudson River Kajak zu fahren. Nur an Wochenenden oder Feiertagen.

Eislaufen

Okt.–April kann man auf dem Eis des **Wollman Rink** (auf Höhe der 59th Street, Tel. 212/439 69 00, www.wollmanskating rink.com) im Central Park Schlittschuh laufen.

Von Mitte Oktober bis Mitte April verwandelt sich auch die Plaza im **Rockefeller Center** (Tel. 212/332 76 54, www. rockefellercenter.com, s. Nr. 62), auf der im Sommer Caféhaus-Tische und -Stühle stehen, in einen Eislaufplatz.

Die *Chelsea Piers* (Pier 61, 23rd Street und Hudson River) bieten ganzjährig den **Sky**

Der New York Marathon führt zu Beginn über die Verrazano Narrows Bridge

Rink (Tel. 212/336 61 00, www.chelsea piers.com), eine große Eishalle.

Fahrradverleih

Räder für Touren durch den Central Park kann man stundenweise mieten bei **Boathouse** (Park Drive North, bei 72nd Street, Tel. 212/517 22 33, www.thecentral parkboathouse.com). Östlich des Central Park befindet sich der **Pedal Pusher Bike Shop** (1306 Second Ave./East 69th Street, Tel. 212/288 55 92, www.pedalpusherbike shop.com), der Leihräder anbietet.

Joggen

In New York joggt man überall, ungeachtet der Abgase, die man einatmet. Nie alleine ist man im **Central Park**, wo der Pfad, der ums Reservoir führt, die beliebteste Strecke ist.

Tennis

Im **Central Park** an der 93rd Street ist ein **Tennis Center** (Tel. 212/360 81 33, www. centralpark.com, April–Nov. tgl. 6.30 bis zur Dämmerung) mit Plätzen, auf denen auch Gäste spielen können.

Sportveranstaltungen

Baseball, American Football, Basketball und Eishockey sind die beliebtesten Sportarten in den USA.

Baseball

New Yorks Baseballmannschaften sind die ›Yankees‹ und die ›Mets‹. In der Saison (April–Okt.) spielen die **Yankees** (Tel. 718/293 43 00, www.yankees.mlb.com) im *New Yankee Stadium* in der Bronx, die **Mets** (Tel. 718) 507 84 99, www.mets.mlb. com) im *Citi Field* in Queens.

Basketball

Die New Yorker Basketballmannschaft heißt **New York Knicks** (www.nba.com/ knicks) und spielt im *Madison Square Garden* [s. Nr. 43].

Boxen

Spektakuläre Boxkämpfe wie Weltmeisterschaften finden meist im *Madison Square Garden* [s. Nr. 43] statt.

Eishockey

Die New Yorker Eishockeymannschaft sind die **New York Rangers** (www.new yorkrangers.com). Ihr Heimstadion ist während der Saison (Sept.–April) der *Madison Square Garden* [s. Nr. 43].

Football

New Yorks Footballmannschaften sind die **Jets** (www.newyorkjets.com) und die **Giants** (www.giants.com). In der Saison (Sept.–Dez.) spielen sie im *Meadowlands Sports Complex* (www.meadowlands. com) in East Rutherford in New Jersey. An Tickets zu kommen ist fast unmöglich, da alle 82 000 Platzkarten im Besitz von Dauerkarteninhabern sind.

New York City Marathon

Zwei Millionen Zuschauer kommen jedes Jahr, um dem New York City Marathon (www.ingnycmarathon.org) beizuwohnen, der durch alle fünf Stadtbezirke führt und mit einem Sprint über die Ziellinie im Central Park endet.

Tennis

Jedes Jahr im September finden im New Yorker Stadtteil Queens die **US Open** (www.usopen.org) statt, eines der vier Grand Slam Turniere. Spielort ist der *Flushing Meadows Corona Park* im Norden des Viertels.

■ Stadtbesichtigung

Mit dem Bus

CitySights NY, 47–25 27th Street, Long Island City, Tel. 212/812 27 00, www.city

sightsny.com. Mit dem Doppeldecker-bus durch New York. Mit *Hop on Hop off-Ticket*: Es gilt 24 Stunden und man kann beliebig oft ein- und aussteigen.

Gray Line New York Sightseeing, 49 West 45th Street, Tel. 212/397 26 20, www.graylinenewyork.com. Gray Line bietet verschiedene Touren von 2–8 Std. Dauer an; Führungen auch in deutscher Sprache.

Mit dem Fahrrad

Bike the Big Apple, Tel. 201/837 11 33, www.bikethebigapple.com. Bei der Erkundung New Yorks mit dem Fahrrad werden immer wieder Stopps eingelegt, um den spannenden Kommentaren der Führer zu lauschen. Verschiedene Touren, mäßiges Tempo.

Bike and Roll, Hudson River Park 84, Tel. 212/260 04 00, www.bikeandroll.com. Herrlich ist es, auf dem Fahrradweg entlang des Hudson entlangzurollen und die Skyline zu bewundern.

Mit dem Hubschrauber

Liberty Helicopter, Downtown Manhattan Heliport, Pier 6/East River, Tel. 212/967-64 64, www.libertyhelicopters.com. Manhattan von oben – ein unvergessliches Erlebnis!

Mit dem Schiff

Circle Line, Pier 83 am westlichen Ende der 42nd Street, Tel. 212/563 32 00, www.circleline42.com, März–Dez. tgl. Die Fahrt um die Insel Manhattan dauert drei Stunden.

Staten Island Ferry [s. Nr. 3], Whitehall Ferry Terminal in Lower Manhattan, www.nyc.gov/dot. Die billigste Möglichkeit, die Skyline vom Wasser aus zu genießen: Hin- und Rückfahrt kostenlos!

Thematische Führungen

Big Apple Greeter, 1 Centre Street, Tel. 212/669 81 59, Fax 212/669 36 85, www.bigapplegreeter.org. Gratis-Touren, geführt von New Yorkern. Anmeldung 2 Wochen im Voraus.

Big Onion Walking Tours, 476 13th Street, Tel. 212/439 10 90, www.bigonion.com. Interessante Touren mit vielen historischen Hintergrundinformationen.

Harlem Your Way! Tours Unlimited, 129 West 130th Street, Tel. 212/690 16 87, www.harlemyourwaytours.com.

Abendtouren mit einem Besuch des Apollo Theater, sonntägliches Gospel-programm und vieles mehr.

Harlem Spirituals, 690 8th Ave. (zwischen 43rd und 44th Street), Tel. 212/391 09 00, www.harlemspirituals.com. Spezialisiert auf Gospel- und Jazztouren.

Insightseeing, 115 Stuyvesant Place 6R, Tel. 718/447 16 45 oder Buchung über das Berliner Büro, Tel. 030/42 85 79 49, www.insightseeing.com. Deutschsprachige Walking Tours durch verschiedene Viertel von Manhattan und Brooklyn.

Municipal Art Society Tours, 457 Madison Avenue, Tel. 212/935 39 60, www.mas.org. Stadtführungen mit dem Focus auf Architektur der Gegenwart, Kunst im öffentlichen Raum und Stadtplanung.

■ Statistik

Bedeutung: New York ist einer der größten Industriestandorte der USA und das bedeutendste Handels- und Finanzzentrum der Welt (Wall Street). In New York befindet sich das Hauptquartier der Vereinten Nationen. Die Hauptstadt des Bundesstaates New York ist Albany – nicht New York City!

Lage: New York liegt auf der Höhe von Neapel, knapp 41 °C nördlicher Breite und 74 °C westlicher Länge.

Fläche des Stadtgebiets: 780 km². Die Insel Manhattan ist 21,5 km lang und 1,3–3,7 km breit.

Stadtteile: New York besteht aus fünf Boroughs (Bezirken): Manhattan, Bronx, Queens, Brooklyn und Staten Island.

Bevölkerung: 8,2 Mio. Einwohner in New York City.

Tourismus: 48 Mio. Besucher, davon 8 Mio. aus dem Ausland (alle Daten 2007).

Stadtwappen: Windmühlenflügel, begleitet oben und unten von zwei Bibern und seitlich von zwei Fässern.

Spitzname: The Big Apple.

■ Unterkunft

Arm kann man werden in Morpheus Armen in dieser Stadt! Wer aus dem Jugendherbergsalter heraus ist, muss mindestens 150 $ pro Nacht hinblättern, wenn er sich in Manhattan zur Ruhe le-

Geschmackvoll eingerichtet ist die Präsidentensuite im Four Seasons New York

gen will. Zusätzlich zahlt man 13,25 % Steuer pro Zimmer und Nacht. Dazu kommt eine zweite Steuer in Höhe von 2 $ pro Tag. Vom *Trinkgeld* gar nicht zu sprechen: Der Kofferträger erhält 1 $ pro Gepäckstück, der Türsteher erwartet 1 $, wenn man ihn bittet, ein Taxi zu rufen, Zimmermädchen bekommen 2 $ pro Tag. Es ist billiger, die Hotels vorab in Deutschland über einen Veranstalter zu buchen.

Im **Internet** findet man Informationen zu den einzelnen Häusern unter: www.new york.citysearch.com.

In New Yorker Luxusherbergen kann man für Geld sogar Bettwäsche haben, die mit dem eigenen Monogramm bestickt ist. Da die meisten Reisenden aber in der Regel andere Probleme haben, stellen wir auch viele relativ preiswerte Unterkünfte vor.

*****Four Seasons New York**, 57 East 57th Street (zwischen Madison und Park Ave., Tel. 212/758 57 00, Fax 212/350 63 02, www.fourseasons.com/newyorkfs.
In dem von Stararchitekt I.M. Pei designten Luxushotel lässt es sich stilvoll übernachten.

*****Plaza Athénée**, 37 East 64th Street (zwischen Madison und Park Ave.), Tel. 212/734 91 00, Fax 212/772 09 58, www.plaza-athenee.com. Charmantes Boutiquehotel in der Nähe des Central Park. Das ausgezeichnete Restaurant Annabelle bietet französisch-amerikanische Küche.

*****Radisson Lexington Hotel**, 511 Lexington Ave., Tel. 212/755 44 00, Fax 212/308 0194, www.lexingtonhotelnyc.com. Dieses große, zentral gelegene Hotel mit angenehmer Atmosphäre bietet mehrere Restaurants und einen Danceclub.

TOP TIPP *****SoHo Grand Hotel**, 310 West Broadway, Tel. 212/965 30 00, Fax 212/965 3200, www.sohogrand. com. Erstes Hotel der Luxuskategorie in SoHo. Es ist stylisch mit industriellem Design eingerichtet und erfreut sich großer Beliebtheit.

****Algonquin**, 59 West 44th Street, Tel. 212/840 68 00, Fax 212/944 14 19, www. algonquinhotel.com. Die Lobby ist gemütlich eingerichtet, die Zimmer sind einladend. Einst Literatentreff [s. Nr. 52].

****Hotel Roger Williams**, 131 Madison Ave./31st Street, Tel. 212/448 70 00, Fax 212/448 7007, www.hotelrogerwilliams. com. Schickes, farbenfroh eingerichtetes Hotel.

****Hotel Wolcott**, 4 West 31st Street (zwischen 5th Ave. und Broadway), Tel. 212/268 29 00, Fax 212/563 00 96, www.wolcott.com. Historisches Gebäude Hotel mit prächtiger Lobby und modernem Komfort.

TOP TIPP ****Lucerne**, 201 West 79th Street, Tel. 212/875 10 00, Fax 212/579 24 08, www.thelucernehotel.com. Hier stimmt einfach alles: Die Lage auf der Upper West Side in Parknähe zwischen Broadway und Amsterdam Avenue, die freundliche und gediegene Ausstattung sowie der aufmerksame Service.

****Wales, 1295 Madison Ave., Tel. 212/876 60 00, Fax 212/860 70 00, www.waleshotel.com. Hotel in vornehmer Lage an der Upper East Side unweit der Museum Mile.

***Beacon, 2130 Broadway (zwischen 74th und 75th Street, Tel. 212/787 11 00, Fax 212/724 08 39, www.beaconhotel. com. Komfortables Hotel in der Upper West Side. Einige Zimmer verfügen über Kochnischen. Von den Räumen in den oberen Stockwerken hat man einen herrlichen Blick über die Stadt.

***Gershwin Hotel, 7 East 27th Street (zwischen 5th und Madison Ave.), Tel. 212/545 80 00, Fax 212/684 55 46, www. gershwinhotel.com. Modernes Art-Déco-Hotel in einem Gebäude von 1903, Beliebt bei Künstlern und jungen Leuten.

***Holiday Inn Midtown, 440 West 57th Street, Tel. 212/581 81 00, Fax 212/581 77 39, www.hi57.com. Komfortables Hotel mitten in Manhattans Theater District.

 ***Hotel on Rivington, 107 Rivington Street (zwischen Essex und Ludlow Street), Tel. 212/475 26 00, Fax 212/475 59 59, www.hotelonrivington. com. Schickes Hotel in der Lower East Side. Die raumhohen Fenster bieten einen traumhaften Ausblick über Manhatten.

***Mansfield, 12 West 44th Street (zwischen 5th und 6th Ave.), Tel. 212/ 277 87 00, Fax 212/764 44 77, www.mans fieldhotel.com. Romantisches Boutique-hotel in unmittelbarer Nähe des Theater District. Mit sonnigen Suiten.

***La Quinta Inn Manhattan, 17 West 32nd Street, Tel. 212/736 16 00, Fax 212/ 790 27 60, www.lq.com. Die Zimmer sind komfortabel und die Beaux Arts-Fassade ist wunderschön.

***Off SoHo Suites Hotel, 11 Rivington Street, Tel. 212/979 98 08, Fax 212/979 98 01, www.offsoho.com. Mitten in SoHo gelegen, bietet dieses Hotel einfache Suiten mit Küche.

***Pod Hotel, 230 East 51st Street, Tel. 212/355 03 00, Fax 212/755 50 29, www. thepodhotel.com. Hippes, junges Hotel in Midtown mit Dachterrasse, Restaurant und Lounge. Die hellen Zimmer sind im Retro-Look gestaltet und mit einer iPod Docking Station ausgestattet.

***Red Roof Inn Manhattan, 6 West 32nd Street, zwischen Broadway und 5th

Das Gershwin Hotel ist auch innen kunstvoll ausgestattet

Ave., Tel. 212/643 71 00, Fax 212/643 71 01, www.redroof.com. Das Hotel liegt in der Nähe des Empire State Building.

***Washington Jefferson, 318 West 51st Street (zwischen 8th und 9th Ave.), Tel. 212/246 75 50, Fax 212/246 76 22, www.wjhotel.com. Stilvolles Boutiquehotel in einem restaurierten Gebäude von 1918. Sahnestück im lebendigen Viertel Hell's Kitchen.

**Hotel 17, 225 East 17th Street, Tel. 212/ 475 28 45, Fax 212/677 81 78, www.hotel17 ny.com. Zentral gelegenes Haus mit 160 Zimmern, ideal für Nachtschwärmer.

**Salisbury, 123 West 57th Street, Tel. 212/ 246 13 00, Fax 212/977 77 52, www.nycsalis bury.com. Hotel im Theater District mit überwiegend großen Zimmern.

Second Home on Second Avenue, 221 2nd Ave. (zwischen 13th und 15th Ave.), Lower East Side, Tel./Fax 212/677 31 61, www.secondhomesecondavenue.com. Sieben hübsch ausgestatteten Zimmer.

Washington Square Hotel, 103 Waverly Place, Tel. 212/777 95 15, Fax 212/979 83 73. Nett ausgestattetes Hotel im Herzen von Greenwich Village mit freundlichem Service. Kleine Zimmer.

Hostels

Big Apple Hostel, 119 West 45th Street, Tel. 212/302 26 03, Fax 212/302 26 05, www.

bigapplehostel.com. Das Hostel in in der Nähe vom Times Square bietet Zwei- und Vierbettzimmer. Küche und Bad werden gemeinschaftlich genutzt.

de Hirsch Residence at the 92nd Y, 1395 Lexington Ave., Tel. 212/415 56 50, Fax 212/415 55 78, www.dehirsch.com. Einzel- und Doppelzimmer. Toiletten, Duschen und Küche auf jeder Etage, Kochutensilien sind mitzubringen. Ringsum gibt es viele Restaurants.

Privatunterkünfte

Nicht nur der Preis spricht dafür, in New York privat zu wohnen, ob Bed & Breakfast oder Apartments, man hat außerdem die Chance, die Stadt quasi als Bewohner kennen zu lernen.

New York Habitat, 307 7th Ave., Tel. 212/ 255 80 18, Fax 212/627 14 16, www.newyork habitat.com. Vermittelt Unterkünfte in möblierte Apartments sowie Bed & Breakfast in allen Stadtteilen. In der Regel muss man dem Vermieter das Entgelt bar bezahlen.

■ Verkehrsmittel

Auto

Der beste Rat: Lassen Sie die Finger vom Steuer! New York und insbesondere Manhattan hat ein sehr gut ausgebautes öffentliches Verkehrssystem [s. u.], Parkplätze hingegen sind Mangelware.

Bus

New York hat ein fantastisch ausgebautes **öffentliches Verkehrssystem**: 12 000 Taxis, ein U-Bahn-Netz von 370 km Länge und Busse, die auf einer Strecke von 2800 km verkehren – diese Zahlen sprechen für sich. In Bussen, Subway Stationen und in den meisten Hotels sind Informationsbroschüren und Pläne erhältlich. Auskünfte erhält man auch bei:

Metropolitan Transportation Authority NYC Transit, Tel. 718/330 12 34 (englisch), Tel. 718/330 48 47 (andere Sprachen), www.mta.info/nyct

Während die U-Bahn für Nord-Süd-Verbindungen in Manhattan sorgt, verkehren Busse meist auf Ost-West-Routen. Das Fahrgeld beträgt pauschal 2 $, für Expressbusse 5 $, man kann aber auch mit der MetroCard bezahlen [s. u.]. Der Fahrer kann nicht wechseln, daher sollte man das Geld abgezählt und in Münzen bereit halten. Wenn man umsteigen will, verlangt man vom Fahrer einen **Transfer**. Dieses Ticket ist der Fahrschein für den nächsten Bus.

Taxi

Nehmen Sie nur die offiziellen **gelben Taxis** (*Cab*). Sie sind mit einem Taxameter ausgestattet, die Lizenz des Fahrers muss gut sichtbar im Auto aushängen. Es gibt weder Taxistände noch kann man ein normales Cab per Telefon ordern. Man winkt Taxis einfach auf der Straße herbei.

Vergewissern Sie sich, ob der Fahrer auch wirklich verstanden hat, wohin Sie möchten. Viele Taxifahrer verfügen nur über rudimentäre Englischkenntnisse. 10–15 % Trinkgeld sind üblich.

Sehr schön ist es, New York City per **Water Taxi** (Tel. 212/742 19 69, www.nywatertaxi. com) zu erkunden. Es gibt zwölf Anlegestellen, an denen man zusteigen kann. Mit der praktischen Tageskarte darf man beliebig oft ein- und aussteigen.

U-Bahn

Die U-Bahn (*Subway*) ist das zuverlässigste und schnellste Verkehrsmittel in New York. Während oben die Taxis im Stau stehen, rauscht unterirdisch die Metro vorbei. Manchmal so schnell, dass es für Fremde ein Problem wird: Es gibt nämlich *Local Lines* und *Express Lines*. Da die Express Lines nur an bestimmten Stationen halten, ist es immer sicherer, als Tourist die Local Lines zu nehmen, die an jeder Station stoppen.

Man bezahlt mit der **MetroCard**. Sie ist in Tourismusbüros, in gekennzeichneten MetroCard-Verkaufsstellen oder an Automaten in der U-Bahn erhältlich. Eine Fahrkarte kostet mindestens 2 $. Es gibt sie als *Pay-per-ride* Karte (ab 10 $), auf die man vorab einzahlen kann und die Vergünstigungen bietet (6 Fahrten zum Preis für 5). Mit der Metro Card ist das Umsteigen zwei Stunden lang kostenlos möglich.

Außerdem werden angeboten: 1-Tages-Karte *Fun Pass*, 7-Tages-Karte *Unlimited Ride*, 14-Tages-Karte *Unlimited Ride* und 30-Tages-Karte *Unlimited Ride*. Alle drei berechtigen innerhalb des jeweiligen Zeitraums zu unbegrenzten Fahrten mit der U-Bahn und mit den Bussen. Fahrgäste ab 65 Jahren erhalten Ermäßigungen.

Sprachführer

Englisch für die Reise

▨ Das Wichtigste in Kürze

Ja/Nein	*Yes/No*
Bitte/Danke	*Please/Thank you*
In Ordnung./Einverstanden.	*All right./Agreed.*
Entschuldigung!	*Excuse me!*
Wie bitte?	*Pardon?*
Ich verstehe Sie nicht.	*I don't understand you*
Ich spreche nur wenig Englisch.	*I only speak a little English.*
Können Sie mir bitte helfen?	*Can you help me, please?*
Das gefällt mir/ Das gefällt mir nicht.	*I like that/ I don't like that.*
Ich möchte ...	*I would like ...*
Haben Sie ...?	*Do you have ...?*
Gibt es ...?	*Is there ...?*
Wie viel kostet das?/ Wie teuer ist ...?	*How much is that?*
Kann ich mit Kreditkarte bezahlen?	*Can I pay by credit card?*
Wie viel Uhr ist es?	*What time is it?*
Guten Morgen!	*Good morning!*
Guten Tag!	*Good morning!/ Good afternoon!*
Guten Abend!	*Good evening!*
Gute Nacht!	*Good night!*
Hallo! Grüß Dich!	*Hello!*
Wie ist Ihr Name, bitte?	*What's your name, please?*
Mein Name ist ...	*My name is ...*
Ich bin Deutsche(r).	*I am German.*
Ich bin aus Deutschland.	*I come from Germany.*
Wie geht es Ihnen?	*How are you?*
Auf Wiedersehen!	*Good bye!*
Tschüs!	*See you!*
gestern/heute/ morgen	*yesterday/today/ tomorrow*
am Vormittag/ am Nachmittag	*in the morning/ in the afternoon*
am Abend/ in der Nacht	*in the evening/ at night*
um 1 Uhr/ 2 Uhr ...	*at one o'clock/ at two o'clock ...*
um Viertel vor (nach) ...	*at a quarter to (past) ...*
um ... Uhr 30	*at ... thirty*
Minuten/Stunden	*minutes/hours*
Tage/Wochen	*days/weeks*
Monate/Jahre	*months/years*

▨ Wochentage

Montag	*Monday*
Dienstag	*Tuesday*
Mittwoch	*Wednesday*
Donnerstag	*Thursday*
Freitag	*Friday*
Samstag	*Saturday*
Sonntag	*Sunday*

▨ Monate

Januar	*January*
Februar	*February*
März	*March*
April	*April*
Mai	*May*
Juni	*June*
Juli	*July*
August	*August*
September	*September*
Oktober	*October*
November	*November*
Dezember	*December*

▨ Zahlen

0	*zero*	20	*twenty*
1	*one*	21	*twenty-one*
2	*two*	22	*twenty-two*
3	*three*	30	*thirty*
4	*four*	40	*forty*
5	*five*	50	*fifty*
6	*six*	60	*sixty*
7	*seven*	70	*seventy*
8	*eight*	80	*eighty*
9	*nine*	90	*ninety*
10	*ten*	100	*a (one) hundred*
11	*eleven*		
12	*twelve*	200	*two hundred*
13	*thirteen*	1 000	*a (one) thousand*
14	*fourteen*		
15	*fifteen*	2 000	*two thousand*
16	*sixteen*	10 000	*ten thousand*
17	*seventeen*	1 000 000	*a million*
18	*eighteen*	½	*a (one) half*
19	*nineteen*	¼	*a (one) quarter*

▨ Maße

Kilometer	*kilometre*
Meter	*metre*
Zentimeter	*centimetre*
Kilogramm	*kilogramme*
Pfund	*pound*
Gramm	*gramme*
Liter	*litre*

Unterwegs

Nord/Süd/West/ Ost	north/south/west/ east
geöffnet/ geschlossen	open/ closed
geradeaus/links/ rechts/zurück	straight on/left/ right/back
nah/weit	near/far
Wie weit ist es?	How far is it?
Wo sind die Toiletten?	Where are the toilets?
Wo ist die (der) nächste ... Telefonzelle/ Bank/Post/ Polizeistation/ Geldautomat?	Where is the nearest ... pay phone/ bank/post office/ police station/ automatic teller?
Wo ist ... der Hauptbahnhof/ die U-Bahn/ der Flughafen?	Where is the ... main train station/ subway station/ airport, please?
Wo finde ich ein(e, en)? Apotheke/ Bäckerei/ Fotoartikel/ Kaufhaus/ Lebensmittelgeschäft/ Markt?	Where can I find a ... pharmacy/ bakery/ photo shop/ department store/ food store/ market?
Ist das der Weg/ die Straße nach ...?	Is this the way/ the road to ...?
Gibt es einen anderen Weg?	Is there another way?
Ich möchte mit ... dem (der) Zug/Schiff/Fähre/ Flugzeug nach ... fahren.	I would like to go to ... by ... train/ship/ferry/ airplane.
Gilt dieser Preis für Hin- und Rückfahrt?	Is this the round trip fare?
Wie lange gilt das Ticket?	How long will the ticket be valid?
Wo ist ... das Tourismusbüro/ ein Reisebüro?	Where is ... the tourist office/ a travel agency?
Ich benötige eine Hotelunterkunft.	I need hotel accommodation.
Wo kann ich mein Gepäck lassen?	Where can I leave my luggage?
Ich habe meinen Koffer verloren.	I lost my suitcase.

Zoll, Polizei

Ich habe etwas/ nichts zu verzollen.	I have something/ nothing to declare.
Nur persönliche Dinge.	Only personal belongings.
Hier ist die Kaufbescheinigung.	Here is the receipt.

Hier ist mein(e) ... Geld/ Pass/ Personalausweis/ Kfz-Schein/ Versicherungskarte.	Here is my ... money/ passport/ ID card/ certificate of registration/ car insurance card.
Ich fahre nach ... und bleibe ... Tage/Wochen.	I'm going to ... to stay there for ... days/weeks.
Ich möchte eine Anzeige erstatten.	I would like to report an incident.
Man hat mein(e, en)... Geld/ Tasche/ Papiere/ Schlüssel/ Fotoapparat/ Koffer/ Fahrrad gestohlen.	They stole my ... money/ bag/ papers/ keys/ camera/ suitcase/ bicycle.
Verständigen Sie bitte das/die Deutsche Konsulat/Botschaft.	Please contact the German consulate/embassy.

Freizeit

Ich möchte ein ... Fahrrad/ Motorrad/ Surfbrett/ Mountainbike/ Boot/ Pferd ... mieten.	I would like to rent a ... bicycle/ motorcycle/ surf board/ mountain bike/ boat/ horse.
Gibt es ein(en) Freizeitpark/ Freibad/ Golfplatz/ Strand ... in der Nähe?	Is there a ... theme park/ outdoor swimming pool/ golf course/ beach ... in the area?
Wann hat ... geöffnet?	What are the opening hours of ...?

Bank, Post, Telefon

Ich möchte Geld wechseln.	I would like to change money.
Brauchen Sie meinen Ausweis?	Do you need my passport?
Wo soll ich unterschreiben?	Where should I sign?
Ich möchte eine Telefonverbindung nach ...	I would like to have a telephone connection with ...
Wie lautet die Vorwahl für ...?	What is the area code for ...?
Wo gibt es ... Telefonkarten/ Briefmarken?	Where can I get ... phone cards/ stamps?

Tankstelle

Wo ist die nächste Tankstelle?	*Where is the nearest petrol station?*
Ich möchte ...	*I would like ...*
Gallonen ...	*gallions of*
Super/Diesel / bleifrei.	*premium/diesel/ unleaded.*
Volltanken, bitte.	*Fill it up, please.*
Bitte, prüfen Sie ...	*Please check the ...*
den Reifendruck/	*tire pressure/*
den Ölstand/	*oil level/*
den Wasserstand/	*water level/*
das Wasser für die Scheibenwisch- anlage/	*water in the wind- screen wiper system/*
die Batterie.	*battery.*
Würden Sie bitte ...	*Would you please ...*
den Ölwechsel/	*change the oil/*
den Radwechsel vornehmen/	*change the tires/*
die Sicherung austauschen/	*change the fuse/*
die Zündkerzen erneuern/	*replace the spark plugs/*
die Zündung nachstellen?	*adjust the ignition?*

Panne

Ich habe eine Panne.	*My car's broken down.*
Der Motor startet nicht.	*The engine won't start.*
Ich habe die Schlüssel im Wagen gelassen.	*I left the keys in the car.*
Ich habe kein Benzin/ Diesel.	*I've run out of gas/ diesel.*
Gibt es hier in der Nähe eine Werkstatt?	*Is there a garage nearby?*
Können Sie mein Auto abschleppen?	*Could you tow my car?*
Können Sie mir einen Abschleppwagen schicken?	*Could you send a tow truck?*
Können Sie den Wagen reparieren?	*Could you repair my car?*
Bis wann?	*By when?*

Mietwagen

Ich möchte ein Auto mieten.	*I would like to rent a car.*
Was kostet die Miete ...	*How much is the rent ...*
pro Tag/	*per day/*
pro Woche/	*per week/*
mit unbegrenzter km-Zahl/	*including unlimited kilometres/*
mit Kasko- versicherung/	*including compre- hensive insurance/*
mit Kaution?	*with deposit?*

Wo kann ich den Wagen zurückgeben?	*Where can I return the car?*

Unfall

Hilfe!	*Help!*
Achtung!/Vorsicht!	*Attention!/Caution!*
Rufen Sie bitte schnell ...	*This is an emergency, please call ...*
einen Krankenwagen/	*an ambulance/*
die Polizei/	*the police/*
die Feuerwehr.	*the fire department.*
Es war (nicht) meine Schuld.	*It was (not) my fault.*
Geben Sie mir bitte Ihren Namen und Ihre Adresse.	*Please give me your name and address.*
Ich brauche die Angaben zu Ihrer Autoversicherung.	*I need the details of your car insurance.*

Krankheit

Können Sie mir einen guten Deutsch sprechenden Arzt/ Zahnarzt empfehlen?	*Can you recommend a good German- speaking doctor/ dentist?*
Wann hat er Sprech- stunde?	*What are his office hours?*
Wo ist die nächste Apotheke?	*Where is the nearest pharmacy?*
Ich brauche ein Mittel gegen ...	*I need medication for ...*
Durchfall/	*diarrhea/*
Halsschmerzen/	*a sore throat/*
Fieber/	*fever/*
Insektenstiche/	*insect bites/*
Verstopfung/	*constipation/*
Zahnschmerzen.	*toothache.*

Hotel

Können Sie mir bitte ein Hotel/eine Pension empfehlen?	*Could you please recommend a hotel/ Bed & Breakfast?*
Ich habe bei Ihnen ein Zimmer reserviert.	*I booked a room with you.*
Haben Sie ein ...	*Have you got a ...*
Einzel-/Doppel- zimmer ...	*single/double room ...*
mit Dusche/ Bad/WC?	*with shower/ bath/bathroom?*
für eine Nacht/	*for a night/*
für eine Woche?	*for a week?*
Was kostet das Zimmer	*How much is the room*
mit Frühstück/	*with breakfast/*
mit zwei Mahlzeiten?	*with two meals?*

Wie lange gibt es Frühstück?	*How long will breakfast be served?*
Ich möchte um ... geweckt werden.	*Please wake me up at ...*
Wie ist hier die Stromspannung?	*What is the power voltage here?*
Ich reise heute abend/ morgen früh ab.	*I will depart tonight/ tomorrow morning.*
Haben Sie	*Have you got*
ein Faxgerät/	*a fax machine/*
einen Internetzugang/	*internet access/*
einen Hotelsafe?	*a hotel safe?*
Akzeptieren Sie Kreditkarten?	*Do you accept credit cards?*

Restaurant

Wo gibt es ein gutes/ günstiges Restaurant?	*Where is a good/ inexpensive restaurant?*
Die Speisekarte/ Getränkekarte, bitte.	*The menu/ the wine list, please.*
Ich möchte das Tagesgericht/Menü (zu…)	*I like the dish of the day (at …).*
Welches Gericht können Sie besonders empfehlen?	*Which of the dishes can you recommend?*
Ich möchte nur eine Kleinigkeit essen.	*I only want a snack.*
Gibt es vegetarische Gerichte?	*Are there vegetarian dishes?*
Haben Sie offenen Wein?	*Do you serve wine by the glass?*
Welche alkoholfreien Getränke haben Sie?	*What kind of soft drinks do you have?*
Haben Sie Mineralwasser mit/ ohne Kohlensäure?	*Do you have sparkling water/ noncarbonated water?*
Das Steak bitte ...	*The steak ...*
englisch/	*rare/*
medium/	*medium/*
durchgebraten.	*well-done, please.*
Kann ich bitte ...	*May I have ...*
ein Messer/	*a knife/*
eine Gabel/	*a fork/*
einen Löffel haben?	*a spoo, please?*
Rechnung/Bezahlen, bitte.	*The bill, please.*

Essen und Trinken

Abendessen	*dinner*
Ananas	*pineapple*
Apfelkuchen	*apple pie*
Bier	*beer*
Birnen	*pears*
Bratkartoffeln	*fried potatoes*
Brot/Brötchen	*bread/rolls*
Butter	*butter*
Ei	*egg*
Eier mit Speck	*bacon and eggs*
Eiscreme	*ice-cream*
Erbsen	*peas*
Erdbeeren	*strawberries*
Essig	*vinegar*
Fisch	*fish*
Fleisch	*meat*
Fleischsoße	*gravy*
Frühstück	*breakfast*
Gebäck	*pastries*
Geflügel	*poultry*
Gemüse	*vegetable*
Gurke	*cucumber*
Hähnchen	*chicken*
Hammelfleisch	*mutton*
Honig	*honey*
Hummer	*lobster*
Kaffee	*coffee*
Kalbfleisch	*veal*
Kartoffeln	*potatoes*
Kartoffelbrei	*mashed potatoes*
Käse	*cheese*
Kohl	*cabbage*
Kuchen	*cake*
Lachs	*salmon*
Lamm	*lamb*
Leber	*liver*
Maiskolben	*corn-on-the-cob*
Marmelade	*jam*
Mittagessen	*lunch*
Meeresfrüchte	*seafood*
Milch	*milk*
Mineralwasser	*mineral water*
Nieren	*kidneys*
Obst	*fruit*
Öl	*oil*
Pfannkuchen	*pancakes*
Pfeffer	*pepper*
Pfirsiche	*peaches*
Pilze	*mushrooms*
Pommes frites	*french fries*
Reis	*rice*
Reh/Hirsch	*venison*
Rindfleisch	*beef*
Rührei	*scrambled eggs*
Sahne	*cream*
Salat	*salad*
Salz	*salt*
Schinken	*ham*
Schlagsahne	*whipped cream*
Schweinefleisch	*pork*
Sekt	*sparkling wine*
Suppe	*soup*
Thunfisch	*tuna*
Truthahn	*turkey*
Vanillesoße	*custard*
Vorspeisen	*hors d'œuvres*
Wein	*wine*
(Weiß/Rot/Rosé)	*(white/red/rosé)*
Würstchen	*sausages*
Zucker	*sugar*
Zwiebeln	*onions*

Register

Titelseite
Oben: Freiheitsstatue vor Manhattan
(Wh. von S. 18/19)
Mitte: Times Square (Wh. von S. 86/87)
Unten: Die Staten Island Ferry vor Manhattan
(Wh. von S. 154/155)

Impressum

Redaktionsleitung: Dr. Dagmar Walden
Bildredaktion und Aktualisierung:
Thomas Paulsen
Karten: Astrid Fischer-Leitl, München
Herstellung: Martina Baur
Druck, Bindung: Stürtz GmbH, Würzburg

Printed in Germany

Ansprechpartner für den Anzeigenverkauf:
Kommunalverlag, München

ISBN 978-3-89905-622-8
ISBN 978-3-89905-247-3 Reiseführer Plus

Neu bearbeitete Auflage 2009
© ADAC Verlag GmbH, München
© der abgebildeten Werke von Pablo Picasso,
Marc Chagall, Barnett Newman bei VG Bild-
Kunst, Bonn 2009

1 Tag in New York

Wer New York zum ersten Mal besucht, sollte sich zunächst einen Gesamtüberblick verschaffen. Also am Morgen gleich ab in den Helikopter zu einem über Manhattan. Ein Heliport befindet sich am Pier 6, East River.

Wer lieber am Boden bleibt, kann die Stadt mit dem entdecken: Mit der Linie vom Battery Park über Union Square und Fifth Avenue bis zum Central Park. Mit dem Bus vom Washington Square über die 6th Avenue, durch die Upper West Side und den Riverside Drive entlang. Oder mit von den United Nations über die 42nd Street, durch die Upper West Side bis zur Columbia University.

Nach dem Sightseeing sorgt ein Spaziergang im für Entspannung. Lunch im Boat House oder der Tavern on the Green stärkt für den Besuch in einem der berühmten an der Fifth Avenue, z.B. dem Metropolitan Museum of Art. Auch das Museum of Modern Art (MoMA) mit seiner Sammlung moderner Kunst lohnt einen Abstecher.

Den Abend kann man mit einem Bummel durch beginnen und in einem der vielen Restaurants das Dinner genießen. Krönender Abschluss ist der nächtliche Blick vom **Empire State Building**.

1 Wochenende in New York

Freitag: Wer früh aufsteht, kann den Tag mit einer Jogging-Runde durch den Central Park beginnen – die beliebteste rund um den Park herum ist etwa 9,5 km lang. Nach dem Duschen vom Hotel mit dem Taxi zur *Morning-rush-hour* (8–9 Uhr) in die **Wall Street** fahren und dort im Mangia frühstücken. Dann spaziert man über den **Broadway** und an Ground Zero vorbei hinüber zum World Financial Center. Entlang des Hudson River geht es nun nördlich bis zur West Houston Street, über die man **Greenwich Village** erreicht. Wer verbilligte Tikkets für eine abendliche Broadway-Show erwerben möchte, muss am Nachmittag kurz vor 15 Uhr zum **Times Square** schlendern, dann öffnet nämlich **TkTs** den Schalter, an dem Restkarten für die Bühnenshows verkauft werden.

Samstag: Erst mal ausschlafen und dann – nicht vor 11 Uhr – nach **SoHo**. Lassen Sie sich aber nicht zu sehr von SoHo verzaubern, sonst bleibt keine Zeit mehr für einen Besuch in **Midtown**. Beginnen Sie am **Rockefeller Center** und schlendern Sie die Fifth Avenue hinauf, die gen Norden immer exklusiver und teurer wird. Aber anschauen kostet ja nichts!

Am Abend geht's dann auf in einen fremden Kontinent: Man bummelt durch **Chinatown**, bevor man dort

zum Dinner geht. Wer nach dem Mahl wieder auf Touren kommt, kann im East Village oder dem Meat Packing District das New Yorker **Nachtleben** erkunden. Abenteurlustige fahren nach Brooklyn, die Nachtklubs von Williamsburg sind jenen in Manhattan ebenbürtig.

Sonntag: Der Sonntag beginnt in Manhattan traditionell mit einem ausgiebigen, gemütlichen **Brunch**. Man nimmt ihn pompös und teuer im Waldorf-Astoria ein oder legerer im Village bzw. in einem Restaurant der

Upper West Side. Als internationale Alternative bietet sich ein **Dim Sum** in Chinatown an, der ebenfalls ein Mittagessen ersetzt.

Danach kann man sich ganz der **Kulturszene** widmen: Entweder im Metropolitan Museum of Art, im Guggenheim Museum oder im Museum of Modern Art (MoMA). Am Abend bieten das **River Cafe** in Brooklyn oder das **Empire State Building** einen letzten herrlichen Blick auf Manhattan.